**ЭМИЛЬ АЖАР**
**СТРАХИ ЦАРЯ СОЛОМОНА**

# EMILE AJAR
# L'ANGOISSE DU
# ROI SALOMON

# ЭМИЛЬ АЖАР
# СТРАХИ
# ЦАРЯ СОЛОМОНА

Роман

Санкт-Петербург

SYMPOSIUM

2002

УДК 82/89
ББК 84.4 Фр
   А34

*Перевод с французского*
*Лилианы Лунгиной*

*Художественное оформление*
*и макет Андрея Бондаренко*

ISBN 5-89091-202-X

# Страхи царя Соломона

# Глава I

Он сел в мое такси на бульваре Осман: очень старый господин с красивыми седыми усами и седой бородой, которую, впрочем, он потом, когда мы ближе познакомились, сбрил. Его парикмахер сказал, что борода его старит, а так как ему уже стукнуло восемьдесят четыре года несколько месяцев назад, то выглядеть старше своих лет не имело смысла. Но во время нашей первой встречи у него еще были большие усы и коротенькая бородка, которую называют эспаньолкой, потому что именно в Испании начали носить такие бороды.

Я сразу заметил, что вид у него весьма почтенный, а красивые черты его волевого лица время не исказило. И все же лучшее в нем были глаза: темные, вернее, черные, причем их чернота поражала интенсивностью, казалось, она выплескивалась из

**7**

глазниц, бросала тень вокруг. Даже когда сидел, он держался на редкость прямо, и меня удивила суровость, с которой он смотрел в окно, пока мы ехали, он был исполнен решимости и неумолим, словно не боялся ничего и никого и уже не раз успел разбить врага в пух и прах, хотя мы доехали всего лишь до бульвара Пуасоньер.

Я еще никогда не возил столь изысканно одетого пассажира его возраста. Я часто замечал, что большинство стариков, доживающих свой век, даже те, о ком явно хорошо заботятся, обычно носят вещи, которые служат уже не первый год. Когда жить остается недолго, новый гардероб себе не заказывают, это неэкономно. Но вот месье Соломон — впрочем, тогда я, конечно, еще не знал, что его так зовут,— был одет во все новое с головы до ног, и в этом чувствовался вызов и вместе с тем — выражение доверия к будущему. Костюм в черно-белую клеточку был украшен синей бабочкой в горошек, в петлице красовалась розовая гвоздика, а серая шляпа на голове выдавала свое высокое качество тщательно выработанными полями. На коленях у него лежали кожаные перчатки кремового цвета и трость с серебряным набалдашником в форме лошадиной головы. Все в нем дышало элегантностью, причем самой современной, и сразу становилось ясно, что этот человек не дастся смерти просто так, за здорово живешь.

Меня также удивил его голос, который гремел даже тогда, когда он давал мне адрес — улица Сантье,— хотя причин греметь как будто не было. Может быть, он был чем-то разгневан и ехал туда, куда ехал, скрепя сердце. Потом я поискал в словаре объяснение слова, которое наиболее точно передавало звук его голоса во время нашей первой, исторической встречи, и то впечатление, которое он произвел на меня, когда, влезая в мое такси головой вперед, прогремел: «Улица Сантье», и я запомнил определение: *греметь — производить глухой и угрожающий звук под влиянием возмущения или гнева.* Но тогда я еще не знал, что относительно душевного состояния месье Соломона было еще более точное определение. Потом я смотрел слово «греметь» по другим словарям и нашел: *гнев, бурное негодование по отношению к обидчику.* Старость сковала его движения, болели почки, колени, и вообще все суставы мешали нагнуться, когда он садился в такси, его страшный враг возраст, как всегда, преследовал его по пятам, и месье Соломон был полон негодования по отношению к этому обидчику.

Когда месье Соломон сел ко мне в такси и мы тронулись с места, получилось совпадение. У меня оказалось включенным радио, и странным образом первое, что мы услышали, было сообщение в последних известиях о том, что море вдоль берега Бретани залито мазутом, в результате чего погибли двадцать пять тысяч водоплавающих птиц. Я, как всегда, стал громко выражать свое возмущение, и месье Соломон поддержал меня своим красивым громыхающим голосом.

— Это просто позор,— сказал он, и я увидел в зеркальце заднего обзора, что он вздохнул.— Жить в этом мире становится все труднее с каждым днем.

И он рассказал мне, что всю свою жизнь занимался изготовлением и продажей готовой одежды, главным образом брюк. Так между нами завязался разговор. Вот уже несколько лет, как он отошел от дел и заполнял свой досуг благотворительностью — чем больше стареешь, тем больше, оказывается, нуждаешься в других людях. Он отдал часть своей квартиры ассоциации, которая называется «SOS альтруисты-любители»,— это одна из разновидностей того, что называют Телефоном доверия. Туда можно позвонить в любой час дня и ночи, если тебе уже не под силу нести бремя жизни, если оно тебя вот-вот раздавит и ты весь во власти страхов. Набираешь нужный номер, и тебя стараются ободрить, оказывают что-то вроде моральной поддержки, если выражаться литературным языком.

— У них были финансовые затруднения, им не на что было снять помещение. Я взял их под свое крыло.

Он рассмеялся, когда сказал «под свое крыло», и смех его тоже прогремел, словно вырвался из самых глубин его существа. Мы говорили о животных, которые вот-вот могли совсем исчезнуть, и это как-то само собой получилось, поскольку ему, учитывая его возраст, такое грозило в первую очередь. Я ехал очень медленно, чтобы продлить наш путь. Я уже знал такого рода ассоциацию, которая называлась «SOS Дружба», но даже не представлял себе, что существуют еще и другие, что помощь тем, кто в ней нуждается, как-то оказывается. Меня это интересовало, я понимал, что любой может впасть в подобное состояние, но мне и в голову не пришло бы позвонить в этом случае «SOS Дружбе» или любой другой ассоциации такого рода — ведь нельзя же всю жизнь висеть на телефоне. Я спросил его, что за люди отвечают на такие звонки, и он мне ответил, что это молодые люди, исполненные доброй

**11**

воли, и что звонят тоже главным образом молодые, потому что старые уже ко всему привыкли. Он объяснил мне, что тут есть своя сложность: надо найти таких, кто действительно хочет помочь другим, а не берется за это, чтобы самому почувствовать себя лучше за счет тех, кто звонит. Мы были уже совсем близко от Сантье, но я его не понял, я не мог себе представить, каким образом звонок с просьбой о помощи может помочь тому, кто должен ее оказать. Он с большой охотой объяснил мне, что это частый случай в психологии. Есть, например, немало психиатров, которых в юности не любили, которые всегда считали себя уродами, которым казалось, что все их избегают, и вот они благодаря своей профессии добились всего, чего им не хватало,— они лечат молодых наркоманов, трудных, сбившихся с пути подростков, обретают вес в обществе, их наперебой приглашают в разные дома, они царят в своем кругу, вызывают восхищение, возле них крутятся красивые девчонки, которых они иначе никогда не узнали бы, одним словом, эти люди начинают ощущать свою значительность и таким образом освобождаются от комплексов, им становится в жизни более комфортно.

— В нашем «SOS альтруисты-любители»

попадались такие неуравновешенные натуры, то, что называют «эмоционально недополучившие», и от каждого звонка с криком отчаяния они сами чувствовали себя менее одинокими. Да что и говорить, у гуманитарной помощи свои проблемы.

Я поехал еще медленнее, меня все это крайне заинтересовало, и вот тут как раз я и спросил месье Соломона, как случилось, что от готового платья он перешел на гуманитарную помощь.

— Готовое платье, мой юный друг, вещь тонкая, не совсем ясно, где что начинается и где кончается...

Мы доехали до нужного номера на улице Сантье. Месье Соломон вылез из такси, рассчитался со мной, дал большие чаевые, и вот тогда это и случилось, только затрудняюсь сказать, что же именно. Когда он платил мне, он дружески глядел на меня. А потом еще раз посмотрел на меня, но как-то странно, словно в моем лице было что-то особенное. Он даже вдруг непроизвольно резко отпрянул — движение, которое обычно выражает крайнее удивление. Несколько мгновений он помолчал, продолжая меня разглядывать. Потом закрыл глаза и провел рукой по векам. Вслед за тем снова открыл их и опять пристально посмотрел на меня, ни слова не говоря. Наконец он отвел от меня взгляд, и я увидел, что он думает. Затем еще раз взглянул на меня, но бегло. Мне было ясно, что ему пришла в голову какая-то мысль, но он колеблется. Лицо его осветила странная улыбка, в ней была ирония, но еще больше печали, и совершенно неожиданно он пригласил меня выпить с ним что-нибудь в бистро.

За все время, что я вожу такси, со мной такого еще никогда не случалось.

Мы сели за столик, и он снова принялся меня разглядывать с удивлением, словно не веря глазам своим. Затем задал мне несколько вопросов.

Я сказал ему, что профессионально занимаюсь починкой всякой бытовой техники, я, так сказать, мастер на все руки, умею чинить все, что сломалось,— и сантехнику, и электроприборы, и любые другие поломки. Теории я, правда, не знаю, научился всему на практике. А еще мы втроем, два моих приятеля и я, держим такси, каждый отрабатывает свою смену; Йоко изучает хирургический массаж, чтобы вернуться затем на родину, Берег Слоновой Кости, где мало таких специалистов, а Тонг из Камбоджи, ему удалось спастись — он бежал через таиландскую границу. В свободное время я занимаюсь самообразованием, хожу в муниципальные библиотеки, одним словом, я то, что в словаре называют автодидакт. Я закончил лишь начальные классы, дальше в школу не пошел и самостоятельно пополнял свои знания, главным образом по словарям, в них про все наиболее полные сведения — ведь того, чего там нет, вообще нигде не найдешь. Такси нам еще не принадлежит — пришлось занять деньги, чтобы его получить, не хватало полутора лимонов, но уже есть лицензия, и мы твердо надеемся, что в конце концов сумеем собрать эту сумму.

И вот тут-то пришел мой черед удивиться, да так, как мне еще никогда прежде не приходилось, потому что на этот раз это было приятное удивление. Месье Соломон сидел перед своей чашечкой кофе и тихонько постукивал кончиками пальцев по столу, как обычно, когда размышлял, потом я много раз это видел.

— Что ж, я, быть может, мог бы вам помочь,— сказал он. Чтобы оценить эту фразу, надо знать, что слово *помочь* — любимое слово царя Соломона, потому что именно в этом слове люди испытывают наибольший недостаток. Я сказал «царь Соломон», не объясняя, почему я так выразился, но об этом потом, невозможно находиться одновременно в разных местах.

— Да, быть может, я могу вам помочь. Я как раз собирался договориться с таксистом, чтобы он был в моем распоряжении, когда мне понадобится. У меня есть большая машина, так сказать, для семьи, но семьи у меня нет, и сам я уже не вожу. Мне хотелось бы иметь возможность предоставлять транспорт тем, кто в нем нуждается, кому трудно передвигаться по состоянию здоровья, у кого больное сердце, или ноги, или глаза, или еще что-то...

Я просто остолбенел. В древние времена существовали какие-то легендарные короли, которые осчастливливали людей, попадавшихся им на пути, были когда-то и добрые джинны, скрывавшиеся в бутылках или еще где-то, которые одним движением руки предотвращали несчастья, но не в наши же дни, не на улице Сантье могли твориться такие чудеса! Конечно, месье Соломону было не по карману предотвращать несчастья одним движением руки, поскольку его состояние заметно пострадало от инфляции и обесценивания французских и иностранных акций, но он старался как мог. Разбогатев на брюках, он только и делал, что помогал людям, причем с исключительной широтой, и прежде всего тем, кто уже ни во что не верил, чтобы доказать им, что они вовсе не забыты, что на

**16**

бульваре Осман живет человек, который о них заботится. Чак, которого мы еще не встречали на этих страницах — каждому свой черед,— утверждает, что месье Соломон делает это вовсе не по доброте сердечной, а чтобы преподать урок Богу, пристыдить его и направить на истинный путь. Но Чак всегда надо всем смеется, такой у него склад ума.

— Вы могли бы также быть полезны нашей ассоциации «SOS альтруисты-любители», потому что им иногда приходится посещать людей, бывают и срочные случаи... Не всегда удается помочь по телефону...

Говоря все это, он продолжал меня разглядывать с пристальным вниманием. Постукивая пальцами, он улыбался, но как-то невесело, а в темных его глазах то и дело вспыхивали иронические всполохи.

— Ну так как? Вы согласны?

У меня мурашки пробежали по коже. Когда с вами случается что-то такое хорошее, чего вообще никогда не случалось, разве только в легендарные времена, надо быть начеку, потому что неизвестно, что за этим скрывается. Я неверующий, но даже когда не веришь, всему есть предел. Нельзя беспредельно не верить, потому что, повторяю, всему есть свой предел. Я видел, что месье Соломон не сверхъестественное существо,

**17**

хотя взгляд его обжигает, а в его возрасте взгляд обычно бывает уже потухшим. Ему никак не меньше восьмидесяти, а то и больше. Это человек из плоти и крови, он явно приближается к концу своей жизни, чем и объясняется, очевидно, строгий и даже разгневанный вид, потому что так с нами поступать нельзя. Но я решительно не понимал, что со мной случилось. Глубокий старик, о существовании которого я до сих пор и не подозревал, предлагает мне деньги, чтобы полностью выкупить такси,— предлагает среди белого дня, на террасе бистро на улице Сантье. Чак мне сказал, что такого не бывало со времен Гаруна ар-Рашида, который переодевался, чтобы не выделяться в толпе, а потом осыпал благодеяниями тех, кого считал достойными. Я чувствовал, что встретил какого-то особого человека, а не просто торговца готовым платьем, который преуспел в делах сверх всяких ожиданий. Я рассказал об этом Чаку и Тонгу, с которыми делю нашу конуру. Сперва они слушали меня с таким видом, словно я спятил и между бульваром Пуасоньер и улицей Сантье у меня начались галлюцинации на библейские сюжеты. Но в облике месье Соломона и вправду есть что-то библейское, и не только в силу его возраста,— он походит на Моисея из фильма «Десять заповедей» Сесила Б. де Милля, который показывали в фильмотеке,— такого сходства я больше никогда не встречал. Даже потом, когда я уже хорошо знал месье Соломона и полюбил его так, как невозможно любить простого человека, и все твердил ребятам, что никто не делает больше добра, чем мой хозяин, Чак тут же начинал мне возражать, причем совсем не глупо. По его мнению, месье Соломон хочет, чтобы все без исключения его любили, чтили и постоянно выражали ему свою благодарность, поскольку все, что он делает, он делает вместо Другого, который обязан был этим заниматься и которого он вынужден с ходу заменить. Он обращался к Иегове с жестоким упреком, чтобы пристыдить Его и обратить Его внимание на то, что требует Его вмешательства,— но Он не откликается. К этому Чак добавил, что филантропия всегда была способом властвовать над другими, хитрая уловка тех, у кого много денег, чтобы пудрить людям мозги, и что в 1978 году это выглядит просто комично. Но Чак все может объяснить, поэтому его надо опасаться, как чумы. Когда что-то не понимаешь, возникает по крайней мере ощущение какой-то тайны, за внешней стороной, возможно, скрывается что-то другое, имеющее более глубокий смысл, оно может вдруг стать явным и все изменить. Но когда есть объяснение, деться некуда, остаются лишь факты, а против них, как известно, не попрешь. По мне, объяснение — худший враг неведения.

Итак, я сижу с месье Соломоном за столиком в бистро, и вид у меня, должно быть, дурацкий, потому что он начинает смеяться, он видит, что я ему не верю, и тогда он вынимает чековую книжку и, глазом не моргнув, выписывает мне чек на полтора лимона, словно это сущий пустяк. Человек, о существовании которого я полчаса назад и не подозревал. И тут у меня начинают дрожать колени, потому что, если незнакомые люди выписывают вам чеки на полтора лимона, с вами может случиться все, что угодно, и меня охватывает страх. Я держу чек в руке, но при этом так бледнею, что месье Соломон заказывает мне рюмку коньяка. Я ее выпиваю, но лучше мне не становится. То, что со мной случилось, было непонятно, а ничто не производит на меня такого ошеломляющего впечатления, как непонятное, потому что оно порождает разные надежды. Моя встреча с месье Соломоном, то, что он сел в мое такси, было самым непонятным из всего, что мне довелось пережить за мою жизнь. Позже, уже после того, как мы расстались, я подумал, что легенды возникают, возможно, не на пустом месте.

— Надеюсь, нам удастся вернуть вам долг через полтора года,— говорю я.

Мои слова его явно позабавили. У него на губах всегда блуждает своего рода улыбка, вернее, след улыбки, которая когда-то, давным-давно, освещала его лицо, а потом стерлась, но не совсем.

— Мой дорогой мальчик, я вовсе не рассчитываю, что вы мне вернете этот долг, но, конечно, через полтора года, а еще лучше, через десять или двадцать лет мне было бы приятно это снова обсудить и, может быть, отсрочить возврат денег еще на несколько лет,— говорит он, и на этот раз, уже не таясь, смеется при мысли, что через полтора года, а может, и через десять лет еще будет на этом свете, это при его-то возрасте!

Чувство юмора ему не изменяло. Каждое утро он, наверное, просыпался с сердцебиением, спрашивая себя, не ушел ли он уже в мир иной.

Я взял чек и стал разглядывать подпись: Соломон Рубинштейн, это было начертано твердой рукой. После фамилии была запятая и стояло слово «эск.» с точкой, таким образом, получалось: «Соломон Рубинштейн, эск.». Я не знал, что это означает, но потом учитель английского языка, которого я вез в своем такси, мне объяснил, что эск. означает эсквайр и что в Великобритании, когда пишут адрес, то после фамилии ставят «эск.», чтобы отметить высокое положение данного человека. Месье Соломон, значит, добавлял к своему имени «эск.», чтобы обозначить, что он все еще занимает высокое положение. Он жил два года в Англии и открыл там несколько магазинов, дела которых шли очень успешно.

Когда я прекратил пялиться на чек, поверив наконец, что все это не сон, я заметил, что мой неожиданный благодетель снова принялся меня разглядывать с большим вниманием.

— Я вынужден задать вам вопрос,— сказал он,— и надеюсь, что вы на меня не обидитесь. Скажите, вы сидели в тюрьме?

Ну вот. Со мной это всегда случается — рожа у меня такая. Преступник. Сутенер. Этот тип настоящий подонок — так все думают, когда меня видят. Не понимаю, откуда у меня взялась такая внешность, почему я произвожу это впечатление — ведь мой отец сорок лет оттрубил контролером в метро, а потом вышел на пенсию. А мать моя была очень хорошенькой и охотно этим пользовалась, заставляя отца страдать. Видимо, физиономию свою я унаследовал от моих древних предков галлов.

— Нет, я еще никогда не сидел в тюрьме, даже не пытался туда попасть. У меня для этого нет нужных данных. Поверьте, я совсем не похож на себя. Знаю, я не внушаю доверия. Когда я ходил по вызову к одиноким людям чинить домашнюю технику, я часто замечал, что, увидев меня, они начинали нервничать, особенно дамы. Признаюсь честно, я был бы рад быть бандитом, чтобы мне все было нипочем, чтобы наслаждаться комфортом.

— Комфортом?

— Я имею в виду моральным комфортом. Короче, чтобы было на все наплевать.

Я заметил, что мои слова его несколько разочаровали. Черт возьми, подумал я, неужели он заинтересовался мной только из-за моей подозрительной рожи, уж не глава ли он шайки или торгует наркотиками, а может, сбывает краденое? Конечно, я не знал, что у него было на уме, и даже теперь, когда он уже давно живет в Ницце, да примет Бог его душу, я ни в чем не уверен. Но тем не менее мне трудно предположить, что он все просчитал с самого начала, что в нем еще больше иронии и злопамятства, чем я полагаю. И хотя он и царь Соломон, у него все же нет такой полноты власти, чтобы одновременно дергать все веревочки. Может, мысль такая у него и мелькнула, что вполне естественно, когда все время думаешь об одном и том же, невозможно ни отключиться, ни забыть, ни простить. Всем известно, что любовь бывает упряма как осел. Если сравнивать месье Соломона с вулканом, то он был еще не вполне погасшим. Внутри него не прекращались вулканические процессы, кипели страсти, а в этом случае всего можно ожидать. Это была наша первая встреча, я его не знал, и меня удивило, почему он как будто недоволен тем, что я не сидел в тюрьме. Но я был чересчур взволнован, чтобы задавать себе какие-либо вопросы. У меня в руках был чек на полтора миллиона, выражаясь языком наших предков, и можно сказать, что то, что я сейчас пережил, носит, пожалуй, религиозный характер.

Он вынул из внутреннего кармана бумажник из настоящей кожи и протянул мне визитную карточку, на которой, к моему изумлению, было напечатано: *Соломон Рубинштейн, эск., брючный король.*

— Это старая карточка, ведь теперь я на пенсии,— сказал он.— Но адрес остался тот же, навестите меня.

# Глава II

Я пришел к нему. Он жил на бульваре Осман, в квартире, выходящей окнами на улицу. Дом не новый, но производит хорошее впечатление своей солидностью и ухоженностью. Дверь оказалась незапертой, я вошел не постучав и очутился перед телефонным коммутатором с пятью местами — здесь добровольцы ассоциации отвечают на звонки. Там всегда круглые сутки дежурят один-два человека — это необходимо; ты звонишь в состоянии глубокой депрессии, а тебе никто не отвечает или номер все время занят — что может быть ужаснее? В распоряжении дежурных находится еще одна комната — там можно выпить кофе и съесть сандвич. В остальной части квартиры с большим комфортом расположился месье Соломон. Он себя не щадил и часто сам садился за коммутатор, особенно среди ночи, в это время тоска достигает своего апогея.

Когда я пришел туда в первый раз, они все говорили по телефону, все, кроме одного, который как раз в этот момент повесил трубку. Фамилия этого долговязого рыжего очкарика, как я узнал, когда мы познакомились, была Лепелетье.

— Что вам угодно?

— Я к месье Соломону Рубинштейну, эск.

— Вы что, новенький?

Я хотел было ему сказать, что я таксист и что месье Соломон нанял меня, чтобы я выполнял его поручения, но рыжий не дал мне рта открыть, он тут же сам заговорил:

— Это довольно трудно, сами увидите. В конечном счете все сводится к избытку информации о нас самих. В прежнее время можно было себя не знать, можно было питать иллюзии. А сегодня, благодаря прессе, транзисторам и особенно благодаря телевидению, мир стал очень обозримый. Самая большая революция нового времени — это столь внезапная и ослепляющая обозримость мира. За последние тридцать лет мы о себе узнали куда больше, чем за предыдущие тысячелетия, и это наносит нам тяжелую травму. Сколько ни тверди, что это же не я, а нацисты, камбоджийцы, ну уж не знаю кто, но в конце концов все же понимаешь, что это и есть *ты*. Именно *мы*, всегда, везде. Отсюда чувство вины. Я только что говорил с молодой женщиной, которая призналась мне, что намерена сжечь себя в знак протеста. Она не сказала мне, против чего она протестует. Впрочем, это и так понятно. Отвращение. Бессилие. Отказ. Тревога. Возмущение. Мы стали не-у-мо-ли-мо зримы для самих себя. Нас грубо вытолкнули на яркий свет, и это оказалось не очень-то приятным зрелищем. Боюсь, что это приведет к утрате чувствительности. Попытка преодолеть чувствительность путем ожесточения, убить ее, не признавая никаких границ, как, скажем, Красные бригады. Фашизм всегда приводит к уничтожению чувствительности.

— Извините,— сказал я,— но я пришел сюда по другому поводу. Мне нужно пройти к месье Соломону, я таксист.

— Вон та дверь.

Я прошел мимо телефонного коммутатора на цыпочках, как ходят в больницах или там, где лежат покойники, к которым всегда надо проявлять уважение, и направился прямо в апартаменты месье Соломона. Каждый день он давал мне список поручений, которые я должен был выполнять.

**Эмиль Ажар**

Главным образом я развозил по городу подарки, потому что он буквально осыпал благодеяниями людей, когда узнавал, что они в нужде,— в отличие от Того, Другого, Которого я не знаю и не могу стоять за Него горой, но я вовсе не хочу оскорблять верующих, к тому же известен случай, когда на шофера компании Ж7, в шестнадцатом квартале, на углу улицы Л'Иветт, там, где она пересекает улицу Доктора Бланш, вдруг снизошло религиозное откровение.

## Глава III

Месье Соломон посылал меня чаще всего к пожилым людям. Я никогда не приезжал к ним с пустыми руками, обычно я привозил большую корзинку фруктов с запиской от месье Соломона, эск., приколотой к целлофановой обертке. За этой корзинкой я отправлялся в специальный, очень шикарный магазин, где можно было купить любые фрукты вне зависимости от сезона, их привозили сюда со всех концов света, чтобы доставить удовольствие одиноким старикам, доживающим свой век всеми забытыми где-то в Париже,— они и представить себе не могли, что кто-то о них еще помнит и посылает им зимой роскошный виноград, апельсины, бананы и экзотические финики, как это делалось в стародавние времена главным образом на Востоке.

Для моего первого визита месье Соломон выбрал месье Жофруа де Сент-Ардалузье. Он жил на улице Дарн и был писателем, но еще ничего не опубликовал, потому что работал над произведением своей жизни и надо было еще подождать, прежде чем он завершит свой труд. Ему, правда, было уже больше семидесяти пяти лет, но он хотел, чтобы книга охватила всю его жизнь, и, поскольку он был еще жив, ему, возможно, предстояло еще что-то увидеть и испытать. Таким образом, возникала проблема, решить которую было не просто: если он умрет неожиданно, произведение будет незавершенным, а если поставить точку заранее, оно окажется неполным, потому что последний отрезок его жизни там не будет описан. Месье Соломон горячо советовал ему закончить, не дожидаясь своего конца, пусть там будет не хватать последней страницы. Но мне кажется, что месье де Сент-Ардалузье просто боялся завершить свое произведение. Я навещал его каждую неделю, чтобы узнать, как он поживает, у него не было ни родных, ни знакомых, и сознание, что кто-то им интересуется, помогало ему не падать духом, потому что он был атеистом, поражал своим сходством с Вольтером — я его видел по телеку,— всегда носил круглую черную тюбетейку, он купил ее на аукционе, когда распродавались вещи Анатоля Франса, который тоже был атеистом.

Яростный противник религии, он говорил только об этом, будто других тем вообще не существовало.

Еще я навещал мадам Каэн, которой было почти сто лет, и месье Соломон опекал ее, исполненный надежды, потому что если его что-то действительно интересовало, то это долголетие. Было еще и много других «б/у» — так месье Соломон называл старых людей, которые с годами утратили свой прежний статус, с которыми уже не считались, как раньше. Месье Соломон сказал мне, что остановил свой выбор на мне потому, что в моем облике есть что-то, что вызывает, как они это называют в своей службе SOS, «позитивные вибрации», передающиеся тем, кто пал духом. Но судя по тому, как он, глубоко задумавшись и постукивая пальцем по столу, иногда смотрел на меня и при этом в его черных глазах то и дело вспыхивали иронические искры, мне начинало казаться, что, быть может, он вынашивал в голове какой-то другой замысел.

Представьте себе, я прихожу к даме, которая прикована к своему инвалидному креслу, говорю ей, что меня послал месье Соломон, король готовой мужской одежды, который хотел бы узнать, как она поживает и не нуждается ли в чем. Поскольку до этой минуты

она и не подозревала о существовании какого-то месье Соломона, мой визит оказывается
для нее не только сюрпризом, но он исполнен еще и таинственности, а таинственность,
как известно, всегда открывает дверь надеж-
де, что необходимо прежде всего, если нет
ничего другого. Но и тут нужно соблюдать
меру. Я объясняю, что месье Соломон всего-
навсего король готового платья, чтобы она
не подумала, что тут задействованы какие-то
высшие силы. Месье Соломон очень привержен выражению *готовое платье*, потому
что для него оно как бы охватывает то, в чем
нуждаются от рождения до смерти. А иногда
это выражение звучит в его устах как насмешка над всем, что можно найти и предложить в качестве утешения. Позже, когда
мы ближе познакомились, я задал ему вопрос
на эту тему, которая явно выходила за пределы одежды. Он не сразу ответил, а походил
некоторое время взад-вперед по зеленому,
цвета пастбища, ковровому покрытию, которым был устлан пол его кабинета, а потом
остановился передо мной с выражением чуть
печальной доброты. Впрочем, выражение
доброты всегда содержит в себе и печаль,
потому что известно, с чем ей приходится
сталкиваться.

— Что делает ребенок, когда появляется
на свет? Начинает кричать. Он кричит, кри-

чит. Так вот, он кричит потому, что вступает в круг «готового платья»... Огорчения, радости, страх, тревога, не говоря уже об отчаянии... Жизнь и... Короче, и все остальное... И утешения, и надежды, все, что можно узнать из книг и что называется «воззрения», во множественном числе... это тоже из области «готового платья». Иногда это что-то очень древнее, все одно и то же, а иногда придумывают и что-то новое, в духе времени...

А потом он положил мне руку на плечо — утешительный жест, он его часто делает, потому что иногда худшее, что может случиться с вопросом, это получить на него ответ.

Когда я рассказывал, какими знаками внимания царь Соломон окружал людей, если узнавал, что их забыли, что у них не бывает никакой радости, что они не получают никаких маленьких удовольствий, Чак упорно объяснял мне, что это был его способ обращаться с горькими упреками к Тому, Чьи дела зияли своим отсутствием. Чак так на этом настаивал, так был привержен своему объяснению, что у меня зародилось подозрение: не возникала ли у него проблема с этим вопросом? Проблема по поводу отсутствия царя Соломона, я имею в виду того, настоящего. Он уверял также, что у хозяина службы «SOS альтруисты-любители» это было также проявлением его страхов, что он хотел таким образом обратить на себя внимание Бога, как это часто бывает у хороших евреев, и получить взамен несколько лишних лет жизни. Чак уверяет, что те евреи, которые сохранили веру, имеют с Богом личные отношения, как человек с человеком, что они часто спорят с Богом и даже вслух ссорятся с Ним, пытаются вступить с Ним в сделку: мол, я тебе сделаю это, а ты мне взамен дашь то, я буду одаривать всех вокруг, не считая денег, а ты мне взамен даруешь доброе здоровье, долголетие, а потом, может, и еще что-нибудь получше. Кто знает?

Обычно, когда я приходил к какой-нибудь старой даме, чтобы узнать, как она себя чувствует, и вручить ей от месье Соломона фрукты, цветы и роскошный радиоприемник, который принимает все станции мира, эта дама начинала очень волноваться, а иногда даже пугалась, будто происходило нечто сверхъестественное. Тут надо было проявлять большую осторожность и не доставлять чересчур большой радости, потому что таким образом мы потеряли месье Ипполита Лабиля, которому месье Соломон передал аттестат на пожизненную ренту и который так разволновался от этого, что тут же умер.

# Глава IV

Я по-прежнему не знал, почему месье Соломон остановил свой выбор на мне и почему он время от времени продолжает наблюдать за мной с улыбкой, словно у него в голове зреет на мой счет какой-то план. Мне казалось, он относится ко мне по-дружески и доволен, когда я захожу к нему просто так, безо всякого дела, а сколько мне давали эти наши разговоры, я и выразить не могу. Главное, надо сказать, он успокаивал меня своим примером — раз можно дожить до такого возраста, мне еще нечего волноваться. Я садился напротив него и как-то приходил в себя, а он тем временем рассматривал свои марки.

Очень скоро я обнаружил, что месье Соломон, хоть он и очень богат, совершенно одинок. Когда я приходил, он обычно сидел за своим большим письменным столом филателиста и, зажав в глазу лупу, с явным удовольствием разглядывал марки, будто это настоящие друзья, а также почтовые открытки, эти свидетели прошлого, отправленные со всех концов земли. Это вовсе не были открытки, адресованные лично ему, потому что многие из них были написаны еще в прошлом веке, когда месье Соломон едва успел родиться, но в конце концов они все же попали к нему. Я несколько раз возил его на Блошиный рынок и в лавочки старьевщиков, где он их покупал, и хозяева откладывали для него те, что носили наиболее личный характер, где выражались чувства. Я прочел несколько штук, что было с моей стороны весьма бесцеремонно, потому что месье Соломон их обычно прятал из-за их интимного характера. На одной из них была изображена девушка, одетая как было модно в начале века, с ней рядом стояли четыре маленьких мальчика в матросках и соломенных шляпах канотье, а на обратной стороне было написано: *Дорогой, дорогой, мы думаем о тебе и днем и ночью, поскорее возвращайся, а главное, одевайся потеплее и не забывай про фланелевый пояс. Твоя Мария.* И самым странным здесь было то, что как только месье Соломон прочел эту открытку, он пошел покупать себе фланелевый пояс. Я ни о чем его не спросил, сделал вид, что ничего не заметил, но у меня мороз пробежал по коже от ощущения его одиночества. У него не было никого и ничего. Открытка датирована 1914 годом. Не знаю, стал ли месье Соломон носить фланелевый пояс в память об этой Марии или о том мужике, которого она любила, или он вообразил, что это она лично о нем так нежно думала, или он так вел себя просто во имя нежности. Я тогда еще не знал, что месье Соломон не выносил, когда кого-то забывали, не мог мириться с тем, что есть забытые люди, которые жили, любили, а потом бесследно исчезли, которые в свое время кем-то были и превратились в ничто, в пыль, в б/у — теперь-то я знаю, что он их так называет. И вот против этого забвения он и протестует с самой большой нежностью и с самым страшным гневом, просто с яростью — кажется, это слово употребляют, когда речь идет о библейских персонажах. Иногда у меня создавалось впечатление, что месье Соломон пытается этому забвению воспрепятствовать, взять все, так сказать, в свои руки и больше этого не допускать. Его состояние легко понять, имея в виду, что ему самому грозило вот-вот так же бесследно исчезнуть. Поэтому тогда я не стал его ни о чем расспрашивать, но от тех чувств, которые я тогда испытал, я так и не оправился.

И было не только это, хотя тут вы мне ни за что не поверите, но, может, вас убедит довод, что я не в состоянии придумывать лучше, чем это получается у жизни, которой нечего церемониться и заботиться о том, чтобы ей поверили. Месье Соломон нашел в лавке братьев Дюпен, что в тупике Сент-Бартелеми, старую открытку с фотографией одалиски, которые тогда еще встречались в Алжире, в те годы принадлежавшем французам, а на оборотной стороне открытки были написаны слова любви: *Я не могу жить без тебя, мне тебя не хватает больше всего на свете, в пятницу, в семь, буду стоять под часами на площади Бланш, жду тебя всем сердцем, твоя Фанни.* Месье Соломон тут же положил эту открытку себе в карман, потом проверил день и час по своим очень дорогим швейцарским часам, нахмурил брови и вернулся домой. А в следующую пятницу, в шесть часов тридцать минут велел отвезти его на площадь Бланш. И стал там искать часы, но их не оказалось. Он был явно недоволен и принялся расспрашивать жителей квартала. Наконец нашли консьержку, которая помнила эти часы и сказала, где они находились. Он сразу ушел от нее, чтобы не опоздать, и ровно в семь стоял в указанном месте. А я так и не знаю, делал ли он это, чтобы почтить память исчезнувших любовников или в знак протеста против библейского ветра, который все уносит, как прах, как пыль. Однако одна вещь несомненна, уверяет Чак, и тут, я думаю, он прав: месье Соломон — человек протестующий, человек, открыто выступающий против. В конце концов я осмелел, и когда он пошел постоять и положить букет красных роз у фасада здания, указанного в адресе открытки с изображением пожарника, написанной в 1920 году, где посылались поцелуи и говорилось о радости вновь увидеться в следующее воскресенье, я спросил его, когда он снова сел в такси:

— Месье Соломон, извините за вопрос, но зачем вы это делаете? От этой девчонки уже давно ничего не осталось, так к чему все это?

Он наклонил голову, словно говоря: «Ну конечно, конечно».

— Жан, мой малыш, разве не посещают места, где жили Виктор Гюго, Бальзак, Людовик Четырнадцатый?

— Но то были очень значительные люди, месье Соломон. Виктор Гюго — это личность. Естественно, что их помнят и что, думая о них, мы испытываем волнение. Они принадлежат истории.

— Да, все помнят знаменитых людей, и никому нет дела до тех, кто никем не был, но любил, надеялся и страдал. Те, кто при рождении получил наше общее готовое платье и смиренно протаскал его до своего конца. Даже само это выражение «те, кто никем не был» омерзительно и недопустимо. Я отказываюсь его принять и выражаю это теми скромными средствами, которыми располагаю.

Говоря это, он как-то таинственно улыбнулся, поднял голову, и лицо вдруг стало серьезным. Он крепко сжал в руке свою трость с лошадиной головой.

— Я это делаю не только ради «девчонки», как вы выразились, а еще из уважения к этому.

Я ничего не понял. Понятия не имел, что он подразумевает, говоря «к этому», и почему «это» вызывало уважение. Сколько бы месье Соломон ни берег почтовые следы давно угасших жизней и истлевших любовных историй, он все равно не мог вновь воскресить тех людей. Быть может, его лично никто никогда не любил и он воспринимал слова «мой дорогой, моя любовь», написанные чернилами, которые тоже почти испарились, как адресованные ему лично, а он нуждался в нежности. Как знать! Позже Чак, когда я рассказывал ему об этих открытках, на которые месье Соломон реагировал, словно это были звонки в службу SOS, полученные, правда, от уже давно забытых людей, но для него не утратившие своего смысла, так вот, Чак, слушая меня, придумал по этому поводу целую теорию. Он считает, что у моего работодателя проблема с мимолетностью всего сущего, со временем, которое проходит и уносит нас. Поскольку он понимает неизбежность своей судьбы, он выражает свой протест против диктата времени всеми средствами, которыми располагает.

— Он как бы жестикулирует, вот и все. Можно считать, что он грозит кулаком и делает еще какие-то движения в знак протеста, пытаясь объяснить Иегове, что несправедливо все уничтожать, все сметать с лица земли, и в первую очередь его самого. Представь себе его, стоящего на горе, в белых льняных одеждах, пять тысяч лет тому назад, он смотрит на небо и кричит, что Закон несправедлив. Ты никогда не поймешь старика, если не будешь учитывать, что с Иеговой у него чисто личные отношения. Они спорят, орут друг на друга. Он как бы персонаж из Библии. Христиане в своих отношениях с Богом никогда не доходят до ругани. А вот евреи — сколько угодно. Они Ему устраивают семейные сцены.

Я познакомил Чака с царем Соломоном. Тот направил его к психологам, которые, проделав с ним ряд тестов, горячо рекомендовали взять его в «SOS альтруисты-любители». Это одна из тайн Чака — кажется, он живет одной головой, к тому же набитой самыми разными идеями, но стоит кому-то обратиться к нему со своим несчастьем, как выясняется, что у него, оказывается, есть и сердце. У него легкий американский акцент, и это здорово успокаивает тех, кто с ним говорит по телефону,— Америка все же великая держава. Через несколько недель он уже оказывал моральную поддержку лучше всех остальных альтруистов-любителей и даже сумел удержать одну девушку от самоубийства, доказав ей, что после этого все станет еще хуже.

Что касается почтовых открыток, то их у месье Соломона было десятки тысяч. Он их тщательно распределял по альбомам, которые занимали целую стену его кабинета. Один из них всегда лежал раскрытый у него на письменном столе. Каждый день другой, ибо всему свой черед. Однажды утром я застал его склоненным над фотографией фронтовика войны 1914—1918 годов, который с гордым видом позировал фотографу, а на обратной стороне открытки были написаны слова, должно быть, трогательные в те годы: *Моя дорогая жена, надеюсь, у вас все хорошо, а у нас здесь война. Поцелуй детей, мне их так не хватает, что не знаю даже, как сказать. Твой Анри.* А в уголке открытки стояло: *Пал смертью храбрых четырнадцатого августа 1917.* В тот день я пришел с Тонгом, который должен был вместо меня отвезти месье Соломона к дантисту. Месье Соломон относился к нему очень хорошо, он говорил о восточной мудрости, которая помогала камбоджийцам выносить все испытания, если их не сразу убивали. Он показал Тонгу свой альбом, где были открытки из самых дальних мест, например из Манилы или Индии, что позволяло ему сближаться с людьми еще более далекими.

— Зачем вы собираете открытки, адресованные не вам, написанные людьми, не имевшими к вам никакого отношения? Ну, как вот этот убитый солдат, которого вы не знали?

Месье Соломон взглянул на Тонга, вынул из глаза лупу филателиста.

— Боюсь, вы не сможете этого понять, месье Тонг.

Впервые я услышал от месье Соломона расистское высказывание.

— Вы не сможете понять. Вы потеряли всю свою семью в Камбодже. Вам есть кого вспоминать. А вот я никого не потерял. Никого. В числе тех шести миллионов евреев, которых уничтожили немцы, нет ни одного моего даже дальнего кузена. Даже мои родители не были убиты, они умерли рано, задолго до Гитлера, самым нормальным образом, не испытывая никакой дискриминации. Мне восемьдесят четыре года, и мне некого оплакивать. Терять любимое существо — это страшное одиночество, но еще большее одиночество никого не потерять за всю свою жизнь. И вот когда я листаю этот альбом...

Он перевернул страницу своей красивой, чуть порыжевшей рукой — ведь в старости кожа покрывается рыжими пятнами. Он вынул семейную фотографию — отец, мать и шестеро детей. В ее углу было напечатано: *1905 год. Бретонская семья.*

Я так и обомлел. То, что месье Соломон почувствовал родственную связь с бретонской семьей и время от времени с теплым чувством склонялся над ней, было из всего, что я знал смешного, самым печальным. Он снова взял своими красивыми руками, на которые приятно смотреть, фотографию этой бретонской семьи и положил ее на место в альбом.

С руками месье Соломона связана трагедия.

Когда ему было четыре года, его родители мечтали сделать из него виртуоза. До сих пор на комоде в спальне стоит детская фотография месье Соломона, но, глядя на нее, никто не узнал бы будущего короля брюк. На этой фотокарточке было написано простым пером — самопишущих ручек тогда еще не было: *Четырехлетний Соломон Рубинштейн перед своим пианино*. Над мальчиком со счастливой материнской улыбкой склонилась пышногрудая дама. Когда месье Соломон переводил мне эту надпись, написанную еще по-русски, он добавил:

— Мои родители рассчитывали, что я стану вундеркиндом, что значит особо одаренным ребенком. С пианино в гетто были связаны большие надежды.

Была и фотография месье Соломона семи лет — одной ногой он стоит на самокате. Она снята уже в другом гетто, где-то в Польше. До двенадцати—пятнадцати лет было много фотографий, а потом их больше не было, быть может потому, что родители месье Соломона пережили большое разочарование. В конце концов они поняли, что его нельзя считать особо одаренным ребенком. Однако чуть ли не до двадцати лет они заставляли его ходить в коротких штанишках, не в силах расстаться с надеждой, что

**45**

он все же станет вундеркиндом. Месье Соломон смеялся над этой историей.

— Я чувствовал себя страшно виноватым,— говорил он мне.— В пятнадцать лет я написал письмо японскому филателисту, потому что я уже тогда утешал себя почтовыми марками, и попросил его узнать у японских садовников, как можно остановить рост растений — они владеют этим искусством. Я хотел любой ценой перестать расти, остаться маленьким, чтобы не разочаровывать родителей и еще долго сходить за вундеркинда. Одиннадцать часов в сутки я проводил за роялем. Ночью я успокаивал себя мыслью, что у меня замедленное развитие, но что мне еще удастся наверстать упущенное. В старое время только попытка сделать из ребенка виртуоза могла дать родителям надежду вырваться из гетто. Великий Артур Рубинштейн сумел из него вырваться, его, как виртуоза, принимали в кругу высшей аристократии, хотя внешне он был воплощением антисемитского представления о еврее. Он даже написал книгу о пройденном им пути. Гению все прощается.

Постепенно я научился видеть в темных глазах моего друга вспыхивающие иронические искорки. Словно что-то мучительно смешное, что жило в нем, вдруг начинало излучать свет.

— Мне уже исполнилось шестнадцать лет, а потом и восемнадцать, я все рос и рос, а мой учитель музыки становился все более грустным. Отец, как все мужчины в нашей семье в течение многих поколений, был портным, сперва в Бердичеве, в России, потом в Свечанах, в Польше, и проявлял ко мне такую любовь, что мне хотелось утопиться. Я был единственным ребенком, другого виртуоза в семье быть не могло. И вот настал день, когда отец вошел в гостиную, где я в коротких штанишках играл на пианино. Он держал в руках брюки. Я сразу понял: покончено с великими надеждами. Мой отец признал очевидность. Я встал, снял штанишки и надел брюки. Я никогда не стану вундеркиндом. Мать плакала. Отец делал вид, что у него хорошее настроение, он даже поцеловал меня и сказал по-русски: «Ну ничего». Я стал учеником в лавке тканей в Белостоке. Когда мои родители умерли, я отправился в Париж, чтобы приблизиться к просвещению Запада. Тем временем я был уже хорошим закройщиком и торговал готовым платьем. И все же я еще немного сожалел, что не стал виртуозом. На витрине моего первого магазина, на улице Тюн, было начертано: *Соломон Рубинштейн, виртуоз брюк,* потом я сменил эту надпись на *Другой Рубинштейн,* но, так или иначе, родители мои уже умерли и возвращаться к этой теме смысла не имело. Так постепенно, шаг за шагом, я стал брючным королем сперва в районе Сантье, а потом повсюду. Мне принадлежала целая сеть магазинов, их все знали, а со временем я открыл магазины в Англии и в Бельгии. А вот Германию обошел — в память о прошлом. Думаю, я не случайно занялся готовым платьем, оно и было моим предназначением, потому что мечта моих родителей сделать из меня виртуоза нашла в этом, по сути, свое воплощение. Готовая мечта, которую в гетто передают из поколения в поколение, чтобы она грела.

Месье Соломон, во всяком случае, стал очень богатым и теперь тратил состояние на благотворительность; если бы его могли избрать на достойное его место, то он распространил бы свои благодеяния на все человечество и, быть может, добился бы для него лучшей доли.

# Глава V

Я продолжал работать таксистом, время от времени ходил по вызовам чинить домашнюю технику, а иногда месье Соломон вызывал меня, чтобы я его куда-то отвез или чтобы посетить тех, кого службе SOS не удалось по телефону спасти от отчаяния. Случалось, что он брал напрокат микроавтобус и организовывал коллективную экскурсию, чтобы вывезти на природу всех тех, кто стал жертвой старости, и тогда я вез их подышать свежим воздухом в Зеленую Нормандию или в лес Фонтенбло. Приходилось также оказывать помощь на дому тем, кого дети или родственники вынуждены оставлять одних, уезжая в отпуск. Когда у меня было немного свободного времени, я ходил в районные библиотеки тех кварталов, где оказывался, и брал книги знаменитых авторов — Дюма, Бальзака, а также Библию, все, что мне казалось наиболее интересным, и часами читал, чтобы ни о чем не думать. Книжные магазины я посещаю неохотно, я не знаю, что надо спросить. Чтобы купить книгу, надо ее знать, четко понимать, что именно ты берешь, а уйти, ничего не купив, мне бывает неловко. А когда продавцы вас спрашивают: «Не могу ли я вам помочь?», я теряюсь, мне нечего им ответить. Но в большую книжную лавку на улице Мениль я ходил часто, потому что там всегда полно народу и продавцы к вам не пристают. Там есть отдел словарей, и я люблю в них заглядывать. Продавщица, высокая блондинка, никогда ко мне не обращается, когда я там болтаюсь, и вообще ведет себя так, будто меня и нет, чтобы меня не смущать. Я бывал там раз двадцать, не меньше, но никогда ничего она себе не позволила, даже взгляда на меня не бросила. Она наверняка очень хорошая. Посетители зовут ее Алиной, и я тоже, когда о ней думаю, иногда так называю ее про себя. Однажды вечером я на улице дождался закрытия магазина, а когда она вышла, помахал ей рукой. Она мне мило ответила не останавливаясь. Это повторялось пять вечеров подряд, а в последний раз она остановилась:

— Вы живете здесь поблизости?

— По правде говоря, нет.

Она дружески смотрела на меня и улыбалась, я ее явно забавлял.

— У вас настоящая страсть к словарям.

— Я ищу одну вещь...

Она не спросила меня, что именно. Если бы я знал, что я ищу, это значило бы, что я уже нашел.

— Мы получили новое издание Ибрис в двадцати четырех томах, может, в нем вы найдете что вам нужно.

Она махнула мне рукой — *чао*, и я ей ответил. И снова она мне улыбнулась.

— Нет, не думаю, чтобы я смог найти то, что ищу.

После этого случая я стал ходить все чаще и чаще в этот книжный магазин, и всякий раз, когда я уходил, мы махали друг другу рукой.

Я заметил, что и месье Соломон смотрит на меня, словно он хочет меня о чем-то спросить, но стесняется. И вот однажды он вызвал меня, я застал его за письменным столом с разложенными на нем марками. Он был в своем роскошном халате и постукивал рукой по столу. Когда он думал, он часто постукивал вот так своей красивой рукой.

— Вот что, мой друг. Прежде всего я хочу вас поздравить, приветливость и добрая воля теперь редко встречаются, я в вас не ошибся. У вас настоящее призвание добровольно приходить на помощь людям, по мере своих сил вы помогаете им жить. У меня оказался верный нюх, потому что по первому впечатлению, судя по вашему лицу и всему вашему облику, можно подумать, надо в этом признаться, что вы опасный парень. Ваша истинная сущность открывается при знакомстве...

Он умолк и снова стал постукивать рукой.

— Наши друзья, что отвечают на звонки, уже несколько раз говорили с одной дамой, которая хотела бы со мной встретиться, я будто бы знал ее когда-то. И в самом деле, ее имя мне кажется смутно знакомым. Кара... нет, Коре... Кора Ламенэр, кажется, так. Сейчас я вспоминаю. Она была певицей... Задолго до войны... в какие же это годы?.. Ну да, в тридцатые. Ее совсем забыли, и, похоже, у нее нет друзей, с годами это вырастает во все более серьезную проблему. Не знаю, почему она обращается именно лично ко мне. Так вот, посетите ее и узнайте, как ей живется. На такого рода звонки нельзя не отвечать, это рискованно.

Месье Соломон нахмурил брови, глубоко задумался.

— Кора Ламенэр, да, именно так. Я теперь точно вспомнил. Довольно известная в свое время певица, карьера которой только начиналась... И один из моих друзей... в общем, это длинная история. Она была жанровой певицей, так их тогда называли.

И тут меня ожидал сюрприз. Лицо месье Соломона вдруг озарилось юмором, и он пропел:

Мой избранник!
Ты любовь и мечта, ты на свете один,
Мой избранник!
Счастье жизни моей и души властелин,
Мой избранник! [1]

Он знал наизусть всю песню.

— Это двадцатые годы. Мистенгет [2]. Я не забыл. Слова Альбера Вилемеца и Жака Шарля. Музыка Мориса Ивэна.

Он был явно очень доволен, что у него оказалась такая хорошая память, ведь с возрастом, как известно, она сдает раньше всего остального. Он дал мне адрес.

— Принесите ей большую корзинку глазированных фруктов из Ниццы,— сказал он,

---

[1]  Здесь и далее тексты песен и стихи, за исключением обозначенных специально, даются в переводе Н. Мавлевич.

[2]  Знаменитая актриса мюзик-холла. *(Здесь и далее — прим. перев.)*

и почему-то у него вдруг заметно улучшилось настроение и даже вырвался смешок, вызвавший у меня недоумение. Обычно месье Соломон посылал своим подопечным свежие фрукты, и я удивился, что он велел отнести этой даме глазированные фрукты из Ниццы, которые все же как-то сродни консервам и не приносят в дом приятную свежесть.

# Глава VI

Она жила на улице д'Ассас, и когда я позвонил в левую дверь на втором этаже, как было указано внизу, у входа в подъезд, я очутился перед дамой с веселыми глазами, которая прекрасно выглядела для своих лет, несмотря на морщинки у глаз и, что еще заметнее, увядшую кожу шеи. Про нее никак нельзя было сказать, что это старушка. Такое слово просто не приходит на ум, когда глядишь на нее. Она была в розовой пижаме, в туфлях на высоком каблуке, а на лоб спадала прямо подстриженная прядь волос цвета красного дерева, которую она, рассматривая меня, теребила пальцем, словно играя. В комнате крутилась пластинка Шарля Тренэ «Мамзель Клео», я узнал эту песенку, ее теперь еще иногда исполняют.

— Вам кого?

— Мадемуазель Кору Ламенэр.

Она засмеялась, покручивая прядь.

— Это я. Конечно, вам мое имя ничего не говорит, вы слишком молоды.

Меня ее слова удивили. Я, естественно, видел, что мы разного возраста, но не понимал, при чем здесь это.

— Вы тогда еще не успели родиться,— добавила она, а я по-прежнему ничего не понимал.

Я протянул ей корзину глазированных фруктов из Ниццы.

— Меня попросили вам это передать.

— От кого?

— Вы несколько раз звонили по телефону «SOS альтруисты-любители». Вы о нас думали, это мило с вашей стороны, и в ответ мы решили о вас подумать.

Она посмотрела на меня с недоумением, словно я над ней смеюсь.

— Я никогда не звонила в SOS! Никогда! Что это вам взбрело в голову? С какой стати мне туда звонить?

Она была явно недовольна.

— Разве по моему виду можно подумать, что мне нужна помощь? Что все это значит?

А потом она спохватилась:

— Ах, я понимаю, в чем дело. Я не звонила службе SOS, я звонила месье Соломону Рубинштейну и...

— Это тот же номер,— сказал я.— И иногда он даже сам берет трубку, если ему охота.

— У меня был личный звонок. Я просто хотела узнать, жив ли он, вот и все. Я как-то вечером думала о нем и не знала, здесь ли он еще или нет. И позвонила, чтобы это узнать.

Я решительно ничего не понимал. Месье Соломон сказал мне, что не знает ее. Сперва он даже не мог назвать ее фамилию — провал памяти — и постукивал себя по лбу, силясь вспомнить.

— Это он посылает мне эту корзину?

Месье Соломон попросил меня не называть его имени. Он не знал удержу в своих благодеяниях вовсе не в поисках благодарности. Просто он любил доставлять другим удовольствие, хоть ненадолго озарить солнышком жизнь тех, для кого она была безрадостной. Он мог, например, полностью оплатить отдых человеку, который никогда не видел моря, подарить кому-то хороший транзистор, а как-то я отвез даже телек одному старому господину, у которого отнялись ноги, и месье Соломону рассказали, что он в ужасном состоянии. Чака очень заинтересовала такая щедрость. Он считает, что царь Соломон занимается подменой, замещением.

*Замещение — временное исполнение обязанностей какого-то штатного сотрудника.*

Так сказано в маленьком Ларуссе. Чак убежден, что царь Соломон занимается подменой, замещением штатного, которого нет, когда надо, он мстит Ему тем, что Его подменяет, привлекая таким образом внимание к Его отсутствию. Я попытался не продолжать этот разговор, с Чаком никогда не знаешь, что он скажет, его неожиданные выходки могут иногда просто с ума свести. Короче говоря, он пытался меня уверить, что царь Соломон занимался заменой, чтобы преподать Богу урок и пристыдить Его. Месье Соломон считает, что Бог пренебрегает своими прямыми обязанностями, а так как у месье Соломона есть средства, он старается кое-где Его заменить. Быть может, Бог, увидев, что другой старый господин осыпает людей благодеяниями вместо Него, будет этим задет за живое, перестанет проявлять равнодушие к людским бедам и покажет наконец, что Он способен на большее, чем брючный король Соломон Рубинштейн. Вот как Чак объяснял щедрость месье Соломона и его великодушие. *Великодушие — свойство характера, выражающееся в бескорыстной уступчивости, в способности жертвовать своими интересами.* Я здорово посмеялся при мысли, что месье Соломон подает некие знаки Богу и пытается Его пристыдить.

А еще Чак назвал царя Соломона никудышным Гаруном ар-Рашидом. Можно произносить и Гарун аль-Рашид, это герой сказок «Тысячи и одной ночи», и его любили за великодушие.

— Этот старый дурак хочет, чтобы его любили.

Вот как отозвался Чак о царе Соломоне и его подарках. А я видел его совсем по-другому — очень старый человек, который думает о других, потому что понимает, что его жизнь и он сам уже подходят к концу.

Итак, я стоял перед этой дамочкой, которая во что бы то ни стало хотела узнать, лично ли Рубинштейн посылает ей эту корзину глазированных фруктов из Ниццы или нет, и я не знал, как мне выбраться из трудного положения, поскольку он хотел остаться инкогнито, выступая в качестве заместителя.

— Я вас спросила, это месье Соломон мне посылает...

— Нет, не совсем, мы охотно оказываем такие знаки внимания от имени нашей ассоциации.

Тут она как будто поняла.

— Ясно,— сказала она,— это для рекламы.

Однако она должна была знать, что наша ассоциация работала на добровольных началах и реклама была нам ни к чему. И хотя мы не пользовались такой широкой известностью, как «SOS Дружба», нас знали, были сотни звонков, и деятельность месье Соломона была официально признана общественно полезной. Он получил диплом с выражением благодарности от парижской мэрии, который висел у него в рамке на стене. Из провинции тоже приходили самые лучшие отзывы о деятельности нашей ассоциации.

Я попытался вкратце ей это рассказать и при этом заметил, что она очень внимательно на меня смотрит, но как будто не слушает, что я говорю. Мне это показалось странным. Она как-то очень подробно меня разглядывала, глаза подолгу задерживались на моих плечах, потом на носу, подбородке, одним словом, она пристально рассмотрела мою физиономию, а потом вдруг закрыла глаза, схватилась рукой за сердце и так простояла несколько секунд. Потом глубоко вздохнула и приняла прежний вид. Я недоумевал, почему она так странно на меня реагировала.

— Входите, входите.

— Нет, спасибо, я не могу задерживаться. Я не надел черного чехла.

— Какой черный чехол, Бог ты мой?

— Я таксист.

А она снова стала разглядывать мое лицо. Казалось, она не знает, на чем остановить взгляд — на моем носу, глазах или губах, она снова погрустнела, словно ей чего-то не хватало.

— Сколько у вас профессий! Таксист и ассоциация SOS. А еще что?

— Главным образом я занимаюсь всякими поделками, случайными работами, чиню домашнюю технику. А потом все это как-то разрослось. Месье Соломон обратился ко мне, потому что ему надо, чтобы кто-нибудь развозил его подарки.

Она поставила корзинку с глазированными фруктами на стол, рядом со статуэткой танцующей испанской цыганки, так задравшей ногу, что видны были кружева ее нижней юбки.

— Значит, эта корзина не от месье Соломона? Вы уверены?

— Там наверняка есть карточка, так всегда делают, чтобы люди знали, от кого это.

Карточка была приколота к целлофану с задней стороны корзины, она ее легко нашла. На ней было напечатано только: SOS. Месье Соломон сам ее приколол. SOS.

Мадемуазель Кора бросила карточку на стол. С отвращением.

— Старый осел! Это потому, что во время

**61**

оккупации я спасла ему, еврею, жизнь. Он не любит об этом вспоминать.

Я не понимал, почему месье Соломон может сердиться на мадемуазель Кору, раз она спасла ему, еврею, жизнь, сердиться настолько, что, посылая ей глазированные фрукты, запрещает называть при этом его имя. Видно, между ними в свое время пробежала кошка, иначе месье Соломон не послал бы меня к ней инкогнито, не делал бы вид, что едва знает эту даму. Я хотел было тут же уйти, но она настояла, чтобы я остался хоть на несколько минут и выпил бы стаканчик сидра, который я, к слову сказать, не люблю, она принесла его из кухни на подносе, где стояли еще два стакана. Мы сели и немного поговорили. Я не знал, попросила ли она меня сесть из вежливости или ей хотелось, чтобы я составил ей компанию, потому что ей было одиноко. Впрочем, не думаю, чтобы она испытывала недостаток в обществе, квартира ее была хорошо обставлена, судя по всему, у нее были средства, а когда они есть, то всегда находятся и собеседники. Она села на белый пуф, это как бы своеобразная табуретка, обитая материей, низкая и широкая, и, держа в руке стакан с сидром, снова стала меня так же внимательно разглядывать, как прежде, играя свисающей на лоб прядью и нисколько не стесняясь, потому что ее возраст ей это разрешал. И тут вдруг меня осенило, что я, видимо, напоминал ей кого-то. И я вспомнил, что во время моей первой встречи с месье Соломоном, когда он пригласил меня в бар, он тоже глядел на меня с удивлением, словно моя физиономия его почему-то поразила. Я пил сидр, а мадемуазель Кора продолжала меня разглядывать и задумчиво улыбаться, думая о чем-то своем. Я сидр совсем не люблю, но надо вести себя вежливо. Так прошли минуты три, а может, и больше, и я уже говорил себе «Какого черта!..», но тут она меня спросила, давно ли я знаком с месье Соломоном и говорил ли он мне что-нибудь о ней, а когда я сказал, что нет, тень недовольства пробежала по ее лицу, словно ее обидело, что она не имеет никакого значения для него. Она сказала, что до войны была жанровой певицей, как это называли тогда, когда пели иначе; чем теперь. Жанровая песня всегда повествует о разных несчастьях, потому что она воспроизводит сцены простонародной жизни. Она была модна в начале века, когда еще не было социального страхования и люди умирали от бедности и туберкулеза и любовь имела куда большее значение, чем теперь, потому что тогда еще не было ни машин, ни телека, ни оплаченных отпусков и молодым из простых семей только любовь могла принести радость.

— В двадцатые и тридцатые годы пели Фреель и Дамиа, и прежде всего, конечно, Пиаф, которая была настоящее дитя улицы времен белошвеек и сутенеров, тот мир жил в ее сердце. И я продолжала эту традицию, вот послушай...

Она перешла со мной на ты. Потом встала и поставила пластинку «Вздохи Барбес», это был ее голос. Я видел, что ей приятно себя слушать. Мне пришлось задержаться еще на добрых полчаса. Во «Вздохах Барбес» ее убивал пером сутенер, потому что она встретила юношу из буржуазной семьи, который хотел спасти ее от панели. А в песне «Львица», наоборот, она убивала его, чтобы спасти свою дочь от той же панели. В ее песнях речь шла только о девицах, поневоле ставших проститутками, или о матерях, родивших внебрачных детей, и они, отвергнутые обществом, вместе со своими младенцами бросаются в Сену, чтобы спасти себя от бесчестия. Я даже не знал, что было время, когда люди так жили. Больше всего меня тронула песня «Эрцгерцог», где девчонка уходит в бордель из-за несчастной любви, и песня «Еще раз» — там любовники танцуют в последний раз вместе яву, перед тем как их убивает атаман. Мне все время хотелось встать и снять пластинку — ведь даже в голову не может прийти, что все время происходят такие ужасные несчастья, причем самые разнообразные. В этих песнях действие часто разворачивается в больнице, а еще на каторге, у гильотины или в африканских батальонах. Пока мы слушали пластинку, мадемуазель Кора смотрела на меня со счастливым видом, я понимал, что это одна из лучших минут ее теперешней жизни, так она была рада, что у нее есть публика. Я ее спросил, продолжает ли она петь, а она ответила, что мода на эти песни прошла, потому что в них идет речь о несчастьях прошлой жизни, надо было бы найти новые, но молодых это не вдохновляет, а везде теперь командуют молодые, особенно в музыке. И вообще, она уже слишком стара, чтобы петь.

— Это зависит от того, мадемуазель Кора, как понимать слово «старый» или «старая». Вот месье Соломону скоро будет восемьдесят пять, но, поверьте, он еще крепко стоит на ногах.

Я сказал это вовсе не из вежливости, она в самом деле прекрасно выглядела. Надо видеть, как она двигается, ей никак нельзя дать больше шестидесяти пяти, чувствуется, что она еще женщина и не утратила в себе женской уверенности. Если за женщиной много ухаживали в дни ее молодости, у нее от этого что-то остается, она как бы знает себе цену. Когда она ходила по комнате, упершись рукой в бедро, чувствовалось, что она еще не отвыкла кокетничать. Она ощущала свое тело, как прежде, была, как говорится, оптимисткой, хорошо помнила себя молодой, эта мадемуазель Кора. Пока она убирала пластинку, я огляделся по сторонам, но везде было понаставлено слишком много разных мелких предметов, всевозможных безделушек, не имеющих никакого смысла, от них лишь рябило в глазах, и я ничего не смог разглядеть, кроме фотографий на стенах, там были одни только знаменитости. Я узнал Жозефину Бейкер, Мистенгет, Мориса Шевалье, Ремю и Жюля Берри. Она заметила, что меня это интересует, и назвала остальных: Дранем, Жорж Мильтон, Алибер, Макс Дирли, Морисэ и еще кого-то. Я ей объяснил, что часто хожу в фильмотеку, там хорошо сохраняют и воссоздают прошлое, это поддерживает славу бывших знаменитостей. Квартира была выкрашена в белый цвет, а кое-где и в розовый и казалась веселой, несмотря на все эти фотографии умерших людей на стенах. Я сидел у нее уже больше часа, и говорить нам было не о чем. Мадемуазель Кора отнесла поднос на кухню, а я тем временем бросил взгляд в соседнюю комнату, где стояла кровать, покрытая покрывалом из розового шелка, и на ней сбоку, чтобы оставалось рядом место, лежал большой полишинель, одетый в черно-белые одежды. Мне показалось странным, что у нее нет маленькой собачки. Часто видишь на улице старых женщин с совсем маленькими собачками, потому что чем старше становишься, тем больше нуждаешься в чьем-то присутствии. По спальне было разбросано еще несколько кукол, а в кресле сидел большой медведь коала — такие водятся в Австралии и едят листья эвкалиптов, там они очень распространены.

— Это Гастон.

Мадемуазель Кора вернулась из кухни. Мне было неловко, что я заглянул в ее спальню, но ее это ничуть не смутило, напротив, она была довольна.

— Это Гастон, моя старая кукла. Мне его подарили в сорок первом после праздничного концерта в Тулоне. С тех пор прошло много лет, и его пришлось уже несколько раз перетягивать.

Она снова стала как-то странно на меня смотреть, как вначале, когда теребила прядь волос на лбу.

— Ты мне напоминаешь одного человека,— сказала она, как-то смущенно засмеялась и опять села на пуф.— Садись.

— Мне надо идти.

Она меня не слушала.

— Ты не похож на современных молодых людей. Тебя как, собственно, зовут?

— Жан.

— Ты не похож на современных молодых людей, Жанно. У тебя физиономия старого времени. Даже обидно, что ты носишь джинсы и майку. Французы перестали быть на себя похожи. Они утратили народный тип. А ты по виду уличный мальчишка, настоящий, из предместья. Смотришь на тебя и говоришь себе: «Все же нашелся хоть один, который этого избежал».

— Избежал чего, мадемуазель Кора?

Она пожала плечами:

— Не знаю, как сказать. Теперь больше нет настоящих парней. Даже бандиты выглядят как бизнесмены.

Она вздохнула. Я стоял, ждал, когда можно будет уйти, но она меня не видела. Она глубоко задумалась, теребя свою прядь. Она мысленно вернулась в мир своих песен, где были апаши и панели. Но я понимал, что она имела в виду, говоря о моей физиономии. Как кинолюбитель, я знал старые фильмы. Я видел «Золотую маску», «Дети райка» и «Папашу Моко». Смешно, до чего я на себя не похож.

— Мадемуазель Кора...

Она не хотела, чтобы я уходил. На комоде лежала коробка шоколадных конфет, и она встала, чтобы меня угостить. Я взял конфету, а она настаивала, чтобы я взял еще и еще.

— Я не ем шоколада. С моей профессией надо сохранять форму. Сейчас мода на ретро, может, мне удастся съездить на гастроли в провинцию. Со мной об этом вели переговоры. Молодежь интересуется историей песни. Пожалуйста, возьми еще конфету.

Она со смехом тоже взяла одну.

— Зря вы так себя ограничиваете, мадемуазель Кора. Надо пользоваться жизнью.

— Нет, я должна сохранять форму. Не только ради публики, но и ради себя самой. Достаточно того, что я и так оскорбленная женщина.

— Как «оскорбленная»?

— Оскорбленная    годами,— объяснила она, мы оба посмеялись, и она проводила меня до двери.

— Приходи еще.

И я пришел. Я почувствовал, что у нее никого нет. Так часто бывает, если ты кем-то был, а потом стал никем. И всякий раз надо было пить с ней сидр, и она мне рассказывала о своих былых успехах. Если бы не война, уверяла она, и не оккупация, у нее была бы всенародная слава, как у Пиаф. Она мне ставила свои пластинки, и это хороший способ общения, когда не о чем говорить, так сразу образуется что-то общее. Я запомнил песню месье Робера Малерона, музыка Жюэля и Маргерит Монно — надо помнить имена тех, кто вам дарит свой талант. Пока пластинка крутилась, мадемуазель Кора ей подпевала удовольствия ради.

> Милый ангел нежданный,
> Белокурый и странный,
> Улыбается мне.
>
> И светлы его очи,
> Точно белые ночи
> В чужедальней стране...

Подпевая, она мне улыбалась, будто я был тем парнем, о котором шла речь, так всегда себя ведут с публикой.

> Он пришел издалече,
> Что за чудная встреча...

Она мне улыбалась, но я прекрасно понимал, что в этом не было ничего личного, хотя все же был несколько смущен.

Однажды она меня спросила:

— А царь Соломон? Ты уверен, что это не он тебя ко мне посылает? Он как будто любит одаривать людей.

— Нет, мадемуазель Кора, я прихожу сам по себе.

Она отпила немного сидра.

— Ему скоро должно исполниться восемьдесят пять лет.

— Да. Это немало.

— Ему стоило бы поторопиться.

Я не понимал, почему месье Соломону, в его-то возрасте, следует торопиться. Напротив, в его интересах было не торопиться. Я его очень любил и хотел бы, чтобы он прожил как можно дольше.

# Глава VII

Я не видел мадемуазель Кору довольно долго, две или три недели. Я иногда думал о ней, понимал, как трудно должно быть женщине, у которой жизнь все отняла, особенно если она прежде имела успех у публики. Как-то вечером она позвонила в SOS, чтобы вызвать меня как таксиста, но это был не мой черед, поехал Тонг, и он мне рассказал, что она была недовольна и почти не разговаривала с ним, только спросила, что я делаю в жизни, правда ли, что я хожу чинить домашнюю технику, и как я могу работать на SOS, ведь для этого надо обладать психологическими знаниями и интеллектуальным развитием, которых у меня явно не было. Меня это рассмешило, и я вспомнил, что месье Соломон спросил меня в свое время, не сидел ли я в тюрьме. Короче, обо мне судили по моей физиономии. Тонг объяснил ей, что я из тех ребят, которые никак не могут найти свое место в жизни, и что меня волнуют проблемы окружающей среды. Это было правдой, а еще меня интересовали разные виды животных, особенно те, которые вымирали, и что именно по этой причине я так привязался к месье Соломону. Тонг попытался было поговорить с мадемуазель Корой о восточной религии, где жизнь считается священной, и не только жизнь коров, как в Индии, но даже мельчайших букашек, но это не вызвало у мадемуазель Коры никакого интереса, она думала о чем-то совсем другом, и он перестал говорить, чтобы ей не надоедать. Мы обсуждали все это в нашей конуре, и Чак, который занимался за столом у окна, спросил, о чем мы говорим. Я ему вкратце объяснил:

— Это женщина, которой, должно быть, лет шестьдесят пять, а может, и больше и которая прежде имела известность. Она забавная, потому что сохранила свои старые привычки.

— Какие?

— Быть молодой и красивой. В общем, нравиться. Все проходит, но не это.

— Нет ничего более печального, чем женщина, которая цепляется за прошлое.

— Ты попал пальцем в небо. Мадемуазель Кора не цепляется, она не жеманничает, она ведет себя с достоинством. Лицо у нее, конечно, заметно увяло, время прошлось по нему, как положено, и, наверное, поэтому месье Соломон послал ей корзинку глазированных фруктов из Ниццы. Она будто бы спасла ему жизнь во время оккупации — ведь он еврей.

— Ну он дает! — воскликнул Чак, которого месье Соломон очень любил как своеобразное явление.— Мне сказали, что он тратит каждый месяц не меньше лимона на свои благодеяния, и все это старикам, б/у, как он их называет. Он думает только о себе.

— Если ты хочешь этим сказать: он, мол, по собственному опыту знает, что значит быть старым и одиноким...

— У него это стремление к власти. Все благодетели жаждут царить над людьми. Он был брючным королем так долго, что теперь вообразил себя просто королем. Царь Соломон, как тот, другой, из Библии.

Когда Чак ушел, я посмотрел в толковом словаре. Я прочел, что тот царь Соломон был наследником Давида, строил крепости, вооружил свою армию колесницами, нашел союзников, но все равно умер и стал ничем, никем. В маленьком Ларуссе говорится, что его мудрость слывет легендарной на всем Востоке и в Ветхом Завете. Он прославился также своими праздниками, и в этом он был похож на месье Соломона, который тоже обрушивал на людей свою щедрость. Я думал об этом не раз, когда отвозил его подарки тем, кто уже ничего не ждал. Многие настолько привыкли быть всеми забытыми, что когда я оставлял у их дверей эти анонимные дары, они думали, что все это упало с небес, что Тот, кто там, наверху, вдруг вспомнил о них. Я не считаю, что месье Соломоном движет желание власти, безумное представление о своем величии, но, может быть, Чак прав, когда утверждает, что это вежливая форма критиковать Небо, желание вызвать у Небожителя раскаяние.

Как-то я ездил по магазинам с мадемуазель Корой, которая заказала такси накануне, и я помог ей отнести наверх ее пакеты. Она меня снова напоила сидром, а когда я хотел уйти, она сказала:

— Садись. Мне надо с тобой поговорить.

Я сел на стул, а она на белый пуф, и я стал ждать, а она в это время медленно потягивала сидр, погрузившись в какие-то размышления, вид у нее был озабоченный и серьезный, словно она собиралась предложить мне какое-то дело.

— Послушай, Жанно. Я наблюдала за тобой. Поэтому я и звала тебя приходить ко мне, мне было необходимо удостовериться... Внешность у тебя такая, как надо. Я это сразу заметила. У тебя есть то, что называется животным магнетизмом. Поверь мне, я в этом разбираюсь. Это из области моей профессии, я понимаю, что к чему. Такой внешности, как у тебя, теперь у актеров нет. Сцену захватил шоу-бизнес, и прежний тип потерян. После молодого Габена никого нет. Бельмондо мог бы стать таким, но он потерял вес. Лино[1] — да, но он уже стар. Я займусь тобой, сделаю из тебя звезду, ты покоришь экран. Ни у кого теперь нет животного магнетизма. Все они юнцы, пижоны. Все легчайшего веса. Доверься мне. Я давно уже хочу заняться кем-нибудь, дать шанс на успех. Но все молодые люди, которых я вижу, какие-то липовые. Нету настоящих парней. А вот у тебя есть от природы то, что надо. Я это сразу почувствовала, как только тебя увидела. Я могу тебе помочь.

Я оказался в затруднительном положении. Испытываешь неловкость, когда ви-

---

[1] Имеется в виду французский киноактер Лино Вентура.

дишь, что пожилой человек в такой безысходной беде, что предлагает тебе помочь. Для себя она уже ни о чем не могла мечтать, вот она и принялась мечтать для меня. Слава, очереди в кассы, повсюду фотографии. Все то, что она хотела бы иметь для себя, но ее поезд уже ушел.

— У тебя богатая натура, Жанно. Обаятельная внешность человека из народной гущи. Теперь это редко встречается, не знаю почему, но это куда-то делось. Посуди сам, ни один француз не хочет заниматься физическим трудом, это делают только алжирцы или негры, словом, кто угодно, но не французы. На сцене выступают теперь какие-то слабаки. Они не дышат полнокровно, не выкладываются до седьмого пота, у них нет нутра, за ними не чувствуешь жизни их квартала, их улицы. Дай мне год-два сроку, и все антрепренеры будут у твоих ног.

Я сидел со своей самой дурацкой улыбкой на губах и даже сжимал коленки, словно красна девица. Я понимал, что это она просто размечталась у меня за спиной и что нельзя ее разочаровывать. Если хочешь помочь другому, то главное — не разрушать его мечты.

— Знаешь, Пиаф ведь сделала Азнавура и Монтана и еще этого... как его, не помню

**77**

имени, она стольким помогла стать артистами. Нет более прекрасного занятия, чем помочь молодому человеку найти свой путь.

— Послушайте, мадемуазель Кора, я готов, но...

— Но что?

Она рассмеялась:

— Но шутки в сторону, ты же не думаешь, что у меня в голове всякие глупости, это в моем-то возрасте? Чего-чего, а мужиков у меня было с избытком, в них я недостатка не испытывала, поверь. Но со всем этим делом я давно завязала. Ты будешь мне платить двадцать процентов своих гонораров, и все. Не десять, как остальные, а двадцать, потому что у меня будут лишние расходы.

Я был согласен на все, чтобы ей помочь. Я всегда был готов делать что угодно, лишь бы другой не страдал. Во мне это есть — дурацкое желание защитить природу и те виды животных, которым грозит вымирание, тут ничего не поделаешь. Чак говорит, что, будь у меня возможность, я стал бы первым христианином. Но мне кажется, что это я делаю из эгоизма, я думаю о других, чтобы не думать о себе, потому что такие мысли меня пугают больше всего на свете. Как только я начинаю думать о себе, меня охватывает тоска...

— Что ж, я согласен, мадемуазель Кора. Я очень люблю кино.

— Тогда доверься мне. Я еще многих знаю в артистическом мире. Но ты сам понимаешь, что спешить не надо, карьера не делается за два дня. Приходи ко мне почаще, и надо, чтобы я всегда могла тебя найти, если подвернется подходящий случай. Ты заработаешь миллионы, и твои фотографии будут повсюду. Поверь, у меня есть нюх на такие вещи.— Она была довольна.— Я сразу увидела. У тебя физиономия любви, так это называют.

— Есть такой фильм с Жаном Габеном — «Физиономия любви».

— Я знала Габена до войны, когда он снимался в «Папаше Моко». Мирей Бален была моей товаркой, как раньше говорили. Ее тоже забыли, она умерла в полной безвестности. Тебе здорово повезло, что встретил меня. Считай, ты родился в рубашке.

Я сказал осторожно, чтобы это выглядело правдоподобно:

— Посмотрим.— И даже добавил, чтобы она подумала, что я поверил: — Двадцать процентов — это все же слишком.

— У меня будут расходы. Прежде всего надо будет заказать хорошие фотографии. И у известного фотографа, с именем.

Она пошла за своей сумочкой. В туфлях на высоком каблуке она выглядела еще очень женственно. И ноги не были одеревенелыми, как это обычно бывает у женщин ее возраста. При ходьбе она естественно опиралась рукой о бедро. Годы читались только на лице. Она вынула из сумки несколько купюр и протянула их мне просто так, даже не пересчитав. У меня заныл живот, и мне едва удалось сохранить на лице свою знаменитую улыбку. Мадемуазель Кора была в состоянии паники, Бог весть, что с ней творилось, если она в это верила.

— Возьми. Я знаю хорошего фотографа, Симкена. По-моему, он еще жив. Он был самым лучшим. И всех снимал: Ремю, Габена, Гарри Бора.

Голос ее дрожал. Она протягивала мне купюры с таким видом, словно просила милостыню. Я не мог их не взять.

— Я не заставлю тебя заниматься дикцией, это ни к чему. Ты говоришь как надо. По-парижски, как уличные парни, это необходимо сохранить. Правильная дикция будет неестественной, насилием. А теперь беги. И будь спокоен.

И тут она сказала нечто невероятное:
— Я тебя не брошу.

Я ушел. Зашел в первое попавшееся бистро и выпил две рюмки коньяка, чтобы взбодриться. Если бы мое состояние могло материализоваться, у меня капала бы кровь на стойку. Я чувствовал себя как пойманная собака, которая смотрит сквозь решетку на волю. У собак бывает особый взгляд. В нем мольба. Негодяи называют это сентиментальностью.

# Глава VIII

Я не видел мадемуазель Кору десять дней. Она три раза звонила мне в SOS, но я не хотел часто приходить, чтобы она к этому не привыкла. Она размечталась на мой счет, но я понимал, что сильно поощрять ее не следовало, только чуть-чуть, потому что иначе можно погибнуть. Я часто о ней думал, я хотел ей помочь найти какое-нибудь место для выступлений, снова выйти на подмостки — так это у них называется. В один из этих дней мне в очередной раз довелось везти крупнейшего кинопродюсера месье Сальвера. Заказ был сделан накануне, он хорошо ко мне относился, и во время езды мы всегда разговаривали о кино. Я как раз незадолго до этого еще раз посмотрел в «Мак-Магоне» «Суп из утки». Там есть эпизод, поражающий своим великим презрением к опасности, когда Граучо[1], после того как в комнату через окно влетает бейсбольный мяч, вскакивает на стул, не отложив сигары, и задергивает занавеску, чтобы не ворвался следующий. При этом он становится живым воплощением неодолимого презрения, лучше сыграть это невозможно. Нужно обладать воистину неслыханной, святой наглостью, чтобы так обращаться с пушечными передачами убойной силы, но Граучо этой святой наглости было не занимать. Смерть больше всего не выносит, когда к ней относятся с презрением, когда ею полностью пренебрегают, и это роскошно умел Граучо Маркс. К слову сказать, он уже умер... Так вот, когда я вез в своем такси месье Сальвера в Руасси, у нас было время поговорить, и я им воспользовался, чтобы спросить, знает ли он Кору Ламенэр, звезду довоенных лет. Он сам был из того времени и всю свою жизнь имел дело с актерами.

— Кора Ламенэр? Что-то знакомое.

— Она была жанровой певицей.

— Она умерла?

— Нет, но она больше не выступает. Думаю, потому, что пела только про несчастья. Это вышло из моды.

---

[1] Граучо Маркс — один из знаменитых братьев-киноактеров гротескного плана.

**83**

— Кора Ламенэр, Кора... Ну конечно. Тридцатые годы, время Рины Кетти. *Я те-бя всю жизнь бу-ду ждать.* Она еще жива?

— Она вовсе не такая уж старая, месье Сальвер. Думаю, ей никак не больше шестидесяти пяти.

Он засмеялся:

— Во всяком случае, моложе меня... Почему вы спрашиваете? Вы что, с ней знакомы?

— Мне бы хотелось дать ей возможность снова выступать, месье Сальвер. Перед публикой. Вы, может быть, могли бы ей найти какой-нибудь ангажемент?

— В песне теперь господствуют молодые, мой мальчик. Как, впрочем, и во всем остальном.

— Я думал, ретро снова стало модным.

— Это уже прошло.

— Снять зал — это дорого?

— Зал надо наполнить публикой, а кто пойдет слушать старую да к тому же никому не известную даму?

— Маленький зал, где-нибудь в провинции, один-единственный раз, это не должно стоить миллионы. У меня отложено немного денег. И у меня есть богатый друг, царь Соломон, вы знаете.

— Царь Соломон?

— Ну да, он прежде был брючным королем. Магазины готового платья. Он очень щедрый. Он, как говорится, осыпает людей дождем благодеяний.

— Да? Так говорится? Я не слыхал такого выражения.

— Уверяю вас, это человек удивительной щедрости. Неужели совсем невозможно снять какой-то зал и собрать немного публики? Это просто отвратительно, месье Сальвер, забывать людей, которые были знаменитыми, как, скажем, Рита Хейворт, Гедди Ламар или Дита Парло.

Месье Сальвер был явно поражен.

— Ну вы даете! Таких кинолюбителей, как вы, днем с огнем не сыщешь!

— Может, все же удастся дать ей возможность хоть раз выступить, я готов потратить на это все свои сбережения.

Я видел в зеркале лицо месье Сальвера. Глаза его округлились.

— Друг мой, такого удивительного шофера такси, как вы, я еще не встречал!

Я засмеялся:

— Я это нарочно, месье Сальвер. Вербую клиентов.

— Я не шучу. Это удивительно! Одно то, что вы знаете имя Гедди Ламар и... кого вы еще назвали?..

— Дита Парло.

— Да. Но оставьте в покое вашу подопечную. Она провалилась бы с треском, и это ее убило бы. Пусть живет воспоминаниями, так куда лучше. К тому же это была певица второго сорта.

Я не стал возражать только из вежливости, но мне его слова не понравились. Он едва вспомнил имя мадемуазель Коры, так откуда ему знать, какого сорта она певица — первого, второго или третьего. Если кого-то совсем забыли, то нечего пасть разевать. А мадемуазель Кора сохранила свой голос, странный голос с каким-то забавным дребезжанием. Я считал, что он не имеет никакого права ее оценивать.

Я был по-настоящему расстроен тем, что мне не удавалось помочь мадемуазель Коре, не мог смириться с мыслью, что ей так и не придется больше никогда выступить. Месье Сальвер, видимо, известный продюсер, но он не настоящий кинолюбитель, раз он даже не помнит имени Диты Парло. Я был в бешенстве и перестал с ним разговаривать. Я довез его до аэропорта, оставил машину в гараже для Тонга, сел на свой велик и отправился в муниципальную библиотеку Иври, взял толстый толковый словарь и четыре часа кряду, а то и больше, читал слова, полные смысла. Я настоящий фанат словарей. Это единственное место в мире, где все объясняется, где торжествует трезвый взгляд на вещи. Те, кто составляет словари, во всем абсолютно уверены. Вы ищете слово «Бог», и вы его находите, да еще приводятся примеры, чтобы отмести любые сомнения: *Вечное существо, создатель и властитель, Владыка Вселенной (в этом смысле пишется с заглавной буквы), стоящий над человеком, благожелательно защищающий все живое.* Так прямо и написано, надо только посмотреть на букву «б», между «Бобыль» и «Богаделенка» — уменьшительное от «Богадельня». Есть еще и другое слово, которое я очень люблю и часто им наслаждаюсь, открывая на нем мой карманный словарь Бюдэ — я вожу его с собой в такси, чтобы всегда был под рукой: *Бессмертный — тот, что не подвержен смерти.* Это слово мне всегда доставляет радость, и приятно знать, что оно вот тут рядом, в словаре. Это как раз то, что мне хотелось бы добыть для мадемуазель Коры и месье Соломона, и я собираюсь подарить ему в день его восьмидесятипятилетия толковый словарь.

# Глава IX

Каждый вечер в семь часов я отправлялся на улицу Мениль и ждал, когда из магазина выйдет Алина. Проходя мимо, она мне всегда улыбалась, ну просто так, дружески. А в один прекрасный день она вдруг перестала мне улыбаться и проходила мимо, глядя прямо перед собой, словно не видя меня. Это было хорошим знаком и означало, что теперь она стала в самом деле обращать на меня внимание. Я не собирался ее кадрить, хотел потянуть немного. Всегда хорошо, если что-то можно себе вообразить. Правда, случается, что так заходишь слишком далеко и потом можно погибнуть. Я уже не раз замечал, что поддерживать соотношение между реальным и воображаемым не так-то просто. И вот в какой-то вечер она вышла из магазина и прямо направилась ко мне, словно заранее знала, что я буду стоять у двери, словно об этом думала.

— Добрый день. Мы получили новый словарь, который может вас заинтересовать. Вышли уже все тома.— Она улыбнулась.— Но, конечно, если вы сами точно не знаете, что именно вы ищете...

— По-моему, так и должно быть, разве нет? Когда знаешь, что именно ищешь, то начинает казаться, что ты уже это как бы нашел...

— Вы студент?

— Я? Нет. Хотя можно сказать, что да, как все. Я самоучка.— Я засмеялся, чтобы разрядить обстановку.— У меня есть товарищ, Чак, так он говорит, что я самоучка страхов.

Она окинула меня внимательным взглядом. С головы до ног. Словно раздела донага. Разве что не попросила мочу для анализа.

— Интересно.

И ушла. А я остался стоять. И терзаться. «Интересно». Черт-те что.

Я плохо спал, а наутро заехал за месье Соломоном, чтобы отвезти его к зубному врачу, как договорились. Он решил переделать все зубы, чтобы были совсем новенькие. Он мне сказал, что теперь делают коронки, которые не выходят из строя двадцать пять лет, а то и больше, настолько усовершенствовалось производство зубных протезов. Так что месье Соломону придется их поменять, только когда ему будет сто десять лет. Никогда не встречал человека, который так твердо решил бы не умирать, как он. Новые коронки будут стоить ему два с половиной миллиона, и я недоумевал, зачем они ему нужны там, где его уже ждут. И зачем ему все шить по мерке, причем из материалов лучшего качества, которые долго носятся? Когда он заканчивает свой туалет перед зеркалом, то кажется, что он хочет еще нравиться женщинам, и он всегда вкалывает в галстук булавку с большой жемчужиной, чтобы выглядеть еще элегантней.

Пока он готовился к выходу, я рассказывал ему о мадемуазель Коре.

— Ах да, я и забыл... Как у вас все получилось?

— Она мне сказала, что внешностью я похож на героев ее песен и кого-то ей напоминаю. Она поставила пластинку, где речь шла о всяких несчастьях людей из народа. Все это пели еще раньше, чем она стала выступать, но она любила петь именно эти песни. Апаши, всякие подозрительные улицы, последняя ява и в конце — пуля в сердце. Мне кажется, что это на самом-то деле было совсем неплохое время, потому что только тогда, когда нет настоящих забот, можно придумывать всю эту белиберду.

Похоже, мой рассказ позабавил месье Соломона. У него даже вырвался радостный смешок, словно я доставил ему большое удовольствие. А потом он меня просто удивил, потому что принялся хохотать так, как я еще ни разу не видел, от всего сердца, и заявил:

— Бедняга Кора. Она не изменилась. Так я и думал. Я не ошибся.

Вот тогда я понял, что он знает мадемуазель Кору куда лучше, чем делает вид. Я вспомнил, что во времена немцев она спасла ему, еврею, жизнь, и я бы дорого дал, чтобы понять, почему он на нее за это сердился, словно ей не следовало так поступать.

— Я думаю, вы должны ее по-прежнему навещать, Жанно.

Я спросил его, правда ли, что она была когда-то знаменитой?

— Насколько я знаю, она была известной певицей. Нет ничего печальнее забытой славы и ушедшего обожания толпы. Приносите ей время от времени цветы, ей это доставит удовольствие... Возьмите.

Он вынул из бумажника несколько стофранковых купюр и, держа двумя пальцами, протянул их мне.

— Ей, наверно, нелегко приходится... Годы бегут, и когда нет никого... Она в свое время сделала завидную карьеру, у нее был такой странный, хрипловатый, чуть дребезжащий голос...

Он умолк, словно прислушиваясь в памяти к хрипловатому, чуть дребезжащему голосу мадемуазель Коры.

— Несколько дней назад я нашел на Блошином рынке одну из ее старых пластинок. Совершенно случайно. У нее был свой особый жанр. Его трудно было забыть, поверьте. Да, приносите ей цветы, чтобы помочь ей вспомнить то время. Она могла бы продолжить свою карьеру, но у нее было глупое сердце.

— Не понимаю, каким еще может быть сердце. Если оно не глупое, значит, его просто нет.

Он был удивлен моими словами и очень внимательно посмотрел на меня, и я тогда подумал, что до этой минуты он меня как бы вообще не видел.

— Это весьма точно, весьма верно, Жанно. Но одно дело иметь глупое сердце, а другое — иметь абсолютно идиотское. Идиотское сердце может принести большие несчастья, и не только себе, но и другим. Оно

может сломать жизнь и даже две жизни...
Впрочем, я ее очень мало знал.

— Говорят, она спасла вам жизнь, месье
Соломон.

— *Что?*

— Да, говорят, что она спасла вам жизнь
как еврею, когда здесь были немцы.

Я не должен был этого говорить, ни за
что не должен был. Когда я это вспоминаю,
у меня и теперь еще холодеют руки и ноги.
Я подумал, что месье Соломона сейчас хватит
инсульт. Он весь напрягся, как бы одеревенел, а голова его стала судорожно трястись,
хотя этот человек никогда, ни при каких об-
стоятельствах не дрожал, напротив. Лицо
стало сперва серым, а потом каменным, таким твердокаменным, что я как бы засек
момент, когда наступает полная неподвижность, словно я превратил его в статую. Брови сдвинуты, челюсти сжаты, он был в такой
нечеловеческой ярости, что, казалось, в своем божественном гневе вот-вот начнет метать молнии с небес.

— Месье Соломон! — завопил я не своим
голосом.— Что с вами? Вы меня пугаете!

Он чуть отошел, потом еще немного,
а потом молча улыбнулся, но мне эта улыбка
тоже не понравилась, потому что она была
очень горькой.

— Она болтает всякие глупости,— сказал он наконец,— но все же приносите ей цветы.

Он встал с кресла, слегка опершись руками о подлокотники, но без особого усилия, и сделал несколько шагов, чтобы размять ноги. Остановился посреди своего просторного кабинета. На нем был серый костюм в мелкую клеточку. Он взял свою безупречную шляпу, перчатки и трость с серебряной головой лошади — месье Соломон был завсегдатаем ипподрома. Он постоял еще несколько мгновений в задумчивости, разглядывая свои ботинки.

— В общем, такие вещи случаются,— сказал он.

Он не уточнил, какие именно, потому что если перечислять, что случается, конца этому не будет.

Он вздохнул и повернулся к окну, выходящему на бульвар Осман. На той стороне бульвара над парикмахерской на втором этаже была школа танцев. В окне мелькали пары, они танцевали здесь уже пятьдесят лет, с тех пор как месье Соломон выбрал себе эту квартиру в начале своих больших успехов в области брюк. Он говорил, что не перестает удивляться, думая о всем том, что произошло в мире за время этих танцев. Впрочем, по воскресеньям школа была закрыта, их надо вычесть из этого срока. Музыки слышно не было, были только видны танцующие пары. Эта школа была создана итальянцем из Генуи, которого месье Соломон хорошо знал. Он покончил с собой в 1942 году из антифашистских соображений, хотя все соседи считали его простым альфонсом. У месье Соломона в кабинете висела его фотография в серебряной рамке, он мог бы стать его другом, если бы не исторические события, которые заставили месье Соломона, как еврея, просидеть четыре года в подвале на Елисейских полях, а итальянца повеситься. Нельзя было представить себе человека, меньше похожего на антифашиста, чем этот Сильвио Больдини. Его всегда густо напомаженные волосы были разделены пополам пробором, и будь он менее уродлив, он походил бы на Рудольфо Валентино. Это он поместил месье Соломона в тот подвал на Елисейских полях, прежде чем повеситься, поэтому месье Соломон испытывал к нему самые дружеские чувства и вечную благодарность. Месье Соломон рассказывал, что итальянец одевался очень броско, носил только розовые рубашки и был чересчур маленького роста для человека, живущего за счет женщин,— относительно этого сомнений ни у кого не было.

Лишь гораздо позже выяснилось, что на самом-то деле он был активным антифашистом — это узнали из подпольной прессы, издававшейся во времена Виши. А школу танца после его смерти перенял кто-то другой. Может вызвать удивление у читателя, с какой стати я вспомнил здесь о нем, когда в мире хватает других несчастий, которые ждут своей очереди, чтобы о них рассказали, но ведь всегда надо помнить, что жизнь человека может начаться и кончиться где попало, поэтому на соблюдение какой-либо очередности рассчитывать не приходится.

— Надо ее навещать, надо ее навещать,— рассеянно повторял месье Соломон, держа в одной руке свою элегантную шляпу, а в другой — перчатки и трость с лошадиной головой; он уже был готов выйти на улицу, но все еще следил глазами за парами, вот уже пятьдесят лет кружившимися в школе танцев.

Резким движением он надел шляпу, чуть сдвинув ее набок для большей элегантности, и мы вышли из дома, чтобы отправиться к зубному врачу, где ему сделают новые коронки, которым не будет сноса всю его жизнь. В такси, сидя на заднем сиденье, месье Соломон оперся руками, в которых держал перчатки, на красивую лошадиную голову своей трости и заметил:

— Знаете ли вы, Жанно, что выясняется, когда ожидаешь появления вдали, на горизонте, старости — а это вскоре будет мой случай?

— Месье Соломон, вам еще рано думать о старости.

— Нет, о ней надо думать, чтобы привыкнуть к этой перспективе. Если ничего неожиданного не случится, то в июле мне исполнится восемьдесят пять лет, и пора уже примириться с мыслью, что где-то там меня поджидает старость. Ей сопутствуют, как я слышал, провалы в памяти и сонливость, теряется интерес к женщинам, но зато возникает безмятежность, обретаешь душевный покой, выходит, в этом есть и своя хорошая сторона.

Мы оба посмеялись. Лучшее, что осталось у евреев в результате их массового истребления, — это чувство юмора. Как кинолюбитель я уверен, что мировое кино много потеряло бы, не будь евреи вынуждены смеяться.

— Знаешь, что тебе открывается, когда ты стареешь, Жанно? — Впервые месье Соломон обратился ко мне на ты, и меня это сильно взволновало, я еще ни разу не слышал, чтобы он кому-нибудь говорил «ты». Я увидел в этом проявление дружеских чувств, и мне это было приятно.— Вдруг обнаруживаешь свою молодость. Если я признался бы, что я, находящийся здесь Соломон Рубинштейн, хотел бы посидеть в саду, а может быть, даже в городском сквере, где цветет сирень и мимозы, впрочем, это даже не обязательно, и нежно держать в своей руке руку девушки, люди померли бы со смеху.

Мы оба умолкли, впрочем, я и прежде молчал.

— Вот почему я тебя прошу время от времени навещать эту бедную Кору Ламенэр,— сказал месье Соломон после минуты молчания.— Нет ничего печальнее б/у, Жанно. «Бывшие» во времена Французской революции — ты, может, о ней слышал,— это те люди, которые перестали быть теми, какими были прежде. Они потеряли молодость, красоту, любовь, мечты, а часто и зубы. Вот, например, молодая женщина, ее любили, обожали, ее окружали поклонники, все ею восхищались, и вдруг она оказывается б/у, все теряет, становится как бы другой, хотя она все та же. Раньше стоило ей появиться, как все поворачивались к ней, а теперь, когда она проходит, никто не смотрит ей вслед. Она вынуждена показывать старые фотографии, чтобы доказать, что она кем-то была. У нее за спиной произносят ужасные слова: «Говорят, она *была красива*, говорят, она *была знаменита*, говорят, она *была* кем-то». Так приносите ей цветы, чтобы она вспомнила. Надо относиться...

— С жалостью?

— Вовсе нет. С почтением. То, что прежде называли «уважение к личности». Жалость всегда унижает, в ней есть доля снисхождения. Мне мало что известно про эту мадемуазель Кору, помимо того, что она испытывала слабость к темным личностям и причинила много горя одному моему другу своими ветреными любовными похождениями, но все мы всегда повинны в том, что не приходим на помощь тем, кто в опасности, а чаще всего мы даже не знаем этого, так что если мы случайно узнаем, что кто-то в тяжелом положении, как, скажем, эта дама, о которой мы говорим, надо сделать все, что в наших силах, чтобы ей помочь жить.

# Глава X

На следующее утро я купил большой букет цветов и отправился к ней. Я позвонил, и мадемуазель Кора крикнула: кто там? А когда я сказал, что это я, она с удивлением открыла дверь. Она была еще не одета и приличия ради запахнула свой пеньюар.

— Морис!

— Это Жанно,— сказал я со смехом, она меня с кем-то спутала.

Она поцеловала меня в обе щеки, а я отдал ей цветы. Я купил полевые цветы, они выглядят более естественно. Радио передавало рекламу. Она впустила меня и пошла выключить приемник.

Она была оживлена и, как всегда, мило двигалась по комнате, опираясь одной рукой о бедро, хотя в ее возрасте этот жест напоминал немного проститутку. Она, видно, прежде была очень уверена в своем женском обаянии, и это ощущение у нее сохранилось. Получалось странно: стоило ей обернуться, и она сразу превращалась в старую женщину. Она улыбалась от удовольствия, глядя на мои цветы, вдыхала их запах, закрыв глаза, и когда она вот так прятала лицо в букет, никто не подумал бы, что она из довоенной эпохи. Времени подлости не занимать, оно сдирает с вас кожу, хотя вы еще живы, как убийцы младенцев тюленей. Я подумал об уничтоженных китах, и знаю почему: потому что это самое крупномасштабное истребление. Она посмотрела на меня очень веселыми глазами, и я был благодарен месье Соломону за то, что он о ней подумал.

— Жанно, как мило с твоей стороны! Только не надо было, это же безумие!

— Это для вас, мадемуазель Кора, значит, никакое не безумие.

Она снова поцеловала меня в обе щеки, и они стали мокрыми, но я не шевельнулся — не хотел, чтобы она заметила, что я их вытираю.

— Что ты стоишь, входи.

Она пошла поставить цветы в вазу, потом усадила меня на белый пуф, который вы уже знаете, рядом с красной рыбкой в аквариуме.

— Зачем держать красную рыбку, мадемуазель Кора, ее даже погладить нельзя.

Она засмеялась:

— Всегда нужно иметь что-то меньшее, чем ты сам.

На стене висела старая афиша «Имперские незабудки» с Ракель Меллер.

— Ты ее знаешь? Она была моей приятельницей, Ракель тоже помогала молодым. Хочешь сидра?

— Нет, спасибо, не хочется.

Она очень сосредоточенно расставляла цветы в вазе. Не знаю почему, но в эту минуту она мне напомнила мать, которая причесывает своих детей. Ей надо было бы иметь детей, маленьких детей вместо красной рыбки.

— Знаешь, я занималась твоими делами, звонила друзьям. Они тобой заинтересовались.

Она думала, что я из-за этого пришел и принес цветы. Прекрасная фотография молодой мадемуазель Коры стояла на этажерке.

— У вас теперь волосы цвета красного дерева.

— Каштановые, говорят «каштановые», а не цвета красного дерева. Эта фотография была сделана сорок пять лет назад.

— Вы еще очень похожи на себя.

— Об этом лучше не думать. Дело не

в том, что я боюсь стареть, от этого ведь никуда не денешься. Но я очень сожалею, что не могу больше петь. Петь для публики. И это очень глупо, потому что тут важен ведь голос, а не все остальное, а голос мой ничуть не изменился. Но что поделаешь...

— Могло быть хуже. Поглядите на Арлетти. Ей восемьдесят лет.

— Да, но у нее куда больше воспоминаний, чем у меня, ее карьера была куда более долгой. Фильмы с ней еще показывают по телеку. Ей есть чем жить, думая о прошлом. А моя карьера так быстро оборвалась.

— Почему?

— О, война, оккупация, все это вместе взятое. Мне не хватило двадцати лет. Пиаф в пятьдесят лет пользовалась всенародным признанием, была гордостью нации, а когда умерла, ее провожала вся страна. Я была на этих похоронах. С ума сойти, сколько там было народу. А у меня все кончилось в двадцать девять лет. Как говорится, не повезло. Может, мне удастся записать пластинку, во всяком случае об этом сейчас идет речь. Нас должно быть несколько человек, чтобы попытаться возродить ту эпоху, те годы, от тридцать пятого до тридцать восьмого, прямо перед войной. Этакое ретро. В моем возрасте трудно снова начинать, теперь без рекламы, без телека, без фотографий ничего не сделаешь, а на фотографиях все видно. Больше всего шансов у меня могло бы быть на радио.

Я издал какой-то неопределенный звук, как бы частично опровергая ее слова, но на самом-то деле спорить тут было не о чем, на ее лице было видно, что по нему проехались «грузовики жизни». Я позаимствовал это выражение «грузовики жизни» из известной пластинки Люка Бодина — большей правды о шоферах дальних маршрутов я нигде не слышал. Я сам одно время работал таким шофером в одной транспортной конторе, и этот диск часто передавали для тех, кто ехал ночью.

Мадемуазель Кора села на софу, поджав ноги, и начала говорить о моем будущем.

— Главное — не проявлять нетерпения, Жанно. Чтобы чего-то добиться, понадобится, возможно, немало времени. Конечно, надо немного удачи, но удача как женщина, ее надо уметь желать. Все складывается как нельзя лучше. Мне как раз необходимо чемто заняться.

Я чуть было не ляпнул глупость. Чуть было не спросил, не было ли у нее детей. Это первое, что приходит на ум, когда видишь пожилую даму, которая живет одна с красной рыбкой. Но я вовремя опомнился, ничего не сказал и внимательно слушал ее рассказ о том, как я стану звездой экрана и сцены. Я не знаю, верила ли она сама в это или говорила только затем, чтобы я снова пришел. Она боялась, что иначе она не представляет для меня никакого интереса. Она чувствовала себя виноватой в том, что ей нечего предложить,— от этой мысли у меня прямо живот схватило. Виноватой в том, что она стала старой калошей и ни для кого не представляет больше интереса, и ей хотелось, чтобы ее простили! Подумать только. Я готов был убить от бешенства кого-нибудь, как эти типы из Красных бригад, но только действительно виноватого, а не случайную жертву. Я сидел, хлопал глазами и улыбался своей известной улыбкой человека, которому на все наплевать. Чак называл это моей защитной мимикрией, как солдаты носят в джунглях пятнистые костюмы, чтобы их сразу не убили. В конце концов, сделав из меня Габена и Бельмондо, она умолкла, затеребила прядь на лбу, нервно засмеялась и сказала:

— С ума можно сойти, до чего ты похож на одного человека!

— На кого, мадемуазель Кора?

**105**

— На Мориса. Это было давным-давно, и ради этого парня я совершила немало безумств, настоящих безумств.

— И что с ним стало?

— Его расстреляли во время Освобождения.

Больше я вопросов не задавал, так было лучше.

Она продолжала теребить прядь.

— Вот только волосы. У него они были совсем темные, а ты скорее блондин. Я всегда любила брюнетов, так что тебе бояться нечего.

Тут мы снова оба посмеялись над ее шуткой. Настало время сматываться. Но потом оказалось, что оно еще не настало, потому что, как только я встал, она стала еще меньше, забившись в угол софы. Я решил подсластить пилюлю и, прежде чем расстаться с ней, спросил:

— Не согласились бы вы, мадемуазель Кора, пойти со мной куда-нибудь в один из ближайших вечеров? Скажем, в «Слюш»?

Тут она на меня посмотрела, но как-то совсем по-особому. Я потом забавы ради поискал в словаре подходящее слово, чтобы определить этот взгляд, и нашел «озадаченный». *Озадаченный — смущенный и, чтобы еще сильнее выразить удивление, сбитый с толку.* Она неподвижно стояла у двери, не выпуская из рук пряди.

— Мы могли бы пойти в «Слюш» потанцевать,— повторил я, и мне показалось, что месье Соломон, склонившись к нам со своих августейших высот, мне одобрительно кивает.

— Я вся заржавела, Жанно. Это место для молодых... Признаюсь тебе честно, мне больше шестидесяти пяти.

— Извините меня, мадемуазель Кора, но мне уже обрыдли ваши разговоры о возрасте. Вы рассуждаете, словно туда запрещено ходить несовершеннолетним. Вот месье Соломону, вы его знаете, насколько я понимаю, скоро исполнится восемьдесят пять лет, а он только что заказал себе новые коронки, словно впереди долгие годы...

Ее это как будто заинтересовало.

— В самом деле?

— Да. Это человек высокого духа, его не согнешь. Теперь другие коронки понадобятся ему не раньше, чем когда ему стукнет сто пятнадцать лет. А может, и сто двадцать. Он одевается необычайно элегантно, каждое утро втыкает цветок в петлицу пиджака, и он заказал новые коронки, чтобы иметь безупречные зубы.

— У него есть кто-то в жизни?

— Нет, только марки и открытки.

— Жаль.

— Зато он обрел безмятежность.

Мадемуазель Кора этого не одобрила.

— Безмятежность, безмятежность,— повторила она,— она не стоит жизни вдвоем, особенно когда молодость уже ушла. Впрочем, если он хочет портить свою жизнь, это его дело.

— Я заеду за вами в среду вечером, после ужина, если вы разрешите, мадемуазель Кора.

— Ты можешь у меня поужинать.

— Нет, спасибо, я поздно заканчиваю в среду. И я вам очень благодарен за все, что вы для меня делаете. Не знаю, есть ли у меня необходимый талант, чтобы попасть на экран, но всегда хорошо надеяться на будущее.

— Доверься мне, Жанно. У меня нюх на актеров.

Она засмеялась:

— И на парней тоже. Я еще ни для кого не делала этого, но вот ты... как только я тебя увидела, я себе сказала: вот у этого есть все, что надо.

Она дала мне адреса людей, к которым я должен обратиться.

Я этим заниматься не стал, вернее, вернулся к этому гораздо позже, когда у мадемуазель Коры уже давно все было в порядке. Я звонил скорее памяти ради, но никого уже не было, помимо некоего месье Новижа, который ее хорошо помнил, в дни ее молодости он действительно был импресарио, но потом стал хозяином гаража. Не думаю, что мадемуазель Кора выдумывала, уверяя, что у нее большие связи в мире шоу, просто время пронеслось куда быстрее, чем ей казалось, и в этом случае тот номер, который вы набираете, уже не отвечает.

Мы расстались настоящими друзьями, но только я не знал, почему я ее пригласил именно в «Слюш». Я всегда склонен к преувеличениям, характер дурной, тебе дают палец, а ты хочешь всю руку. Видимо, мне хотелось заставить мадемуазель Кору поверить в то, что она сохранила свое женское обаяние, и доказать ей, что я ничуть не стыжусь появиться с ней на людях как со своей подругой.

# Глава XI

Я вернулся в нашу конуру и залез на свою койку над койкой Тонга, который лежал и читал. Мы водрузили койки одну над другой, чтобы в комнате было побольше места. Чак спал на верхнем этаже, я — посередине, Тонг — внизу, а Йоко жил в другом месте.

Я люблю Чака, про него никак не скажешь, что он негодяй.

Когда он забирается к себе наверх, под самый потолок, и сидит на койке, подтянув к подбородку свои длиннющие ножищи, то из-за своей худобы, очков и торчащих во все стороны волос, взъерошенных страхом, он похож на очень большую летучую мышь. Он говорит, что Лепелетье прав относительно нашего SOS и что все мы страдаем от избытка информации про нас самих, взять хотя бы историю о старых камбоджийцах, которых убивают ударом палки по голове, поскольку уже нет смысла их кормить. А еще я вспомнил про мать, о которой я прочел в газете. Она заперла своих двоих детей, чтобы они умерли с голоду. На процессе она рассказала, что как-то вошла в комнату посмотреть, наступил ли уже конец, но оказалось, что у одного еще хватило силы сказать «мама». Это сентиментальность. Чак уверяет, что необходимо выдумать некое особое карате против чувствительности, чтобы выработать у себя защитную жестокость, либо надо спасать себя трансцендентной медитацией или философским отстранением, которое у некоторых азиатских народов называется йогой. Он говорит, что для месье Соломона этим особым карате для самозащиты является еврейский юмор; *юмор — шутка, прикрывающая себя внешней серьезностью, с жестокостью и горечью подчеркивающая абсурдность мира*, а слово *еврейский* все это лишь усиливает.

Меня мучила тоска, как всегда, когда я бессилен что-либо изменить. И пытаться не следует, от этого лишь разовьется комплекс фрустрации. *Фрустрация — состояние человека, чьи главные стремления и потребности не удовлетворяются.* Чак говорит также, что надо бы создать Комитет общественного спасения во главе с царем Соломоном, который взял бы жизнь в свои руки либо создал бы на ее месте совсем другую, где во главе угла была бы надежда. Надежда — это самое важное, когда ты молод, и когда стар, тоже необходимо о ней помнить. Можно все потерять — руки, ноги, зрение, речь, но если сохранилась надежда, ничего не потеряно, можно продолжать.

Я позабавился этим рассуждением, и мне захотелось еще раз посмотреть фильм, где играют братья Маркс, чтобы перезарядить мои батареи, но он уже давно сошел с экрана. Я внушал себе, что мне следует заниматься только всякими поделками по дому, чинить людям отопление, краны, обеспечивать минимальные удобства, браться лишь за то, что в самом деле можно починить, наладить, вместо того чтобы заражаться страхами царя Соломона, не пытаться, как он, благожелательностью изменить непоправимое. *Непоправимое — то, из чего нет выхода, что нельзя изменить.*

Чак пришел как раз в тот момент, когда я думал о том, не могу ли я выбрать одного человека, желательно женщину, чтобы всецело ею заняться и дать ей все, что в моих силах, вместо того чтобы носиться то туда, то сюда и помогать людям, о существовании которых я до этого и не подозревал. Он бросил на стол учебники и залез на свою койку, которая была над моей, потому что он любил над всем возвышаться. Голова моя находилась между его кроссовками.

— У тебя ноги воняют.

— Это жизнь.

— Дерьмо.

— Что еще стряслось? У тебя такой вид...

— Мадемуазель Кору знаешь? Ну, бывшую певицу? Та, к которой меня так настойчиво посылал месье Соломон.

— Да, ну и что?

— Мне пришлось пригласить ее пойти со мной куда-нибудь вечером.

— Ну знаешь, ты не был обязан это делать.

— Кто-то же должен быть обязан это делать, не то — Северный полюс.

— Северный полюс?

— Без этого — одни айсберги, пустота и сто градусов ниже нуля.

— Это, парень, твоя проблема.

— Так всегда говорят, чтобы оправдать отсутствие интереса. Когда я ей принес цветы, она покраснела, как девчонка. А ей уже давно стукнуло шестьдесят пять, представляешь! Она подумала, что это от меня.

— А было от него?

**113**

— От него. Еще одно проявление его легендарной щедрости.

— Этот тип в своем стремлении к всемогуществу не знает меры. Он мнит себя Богом Отцом, это ясно. Хорошо, ты ее пригласил, ну и что?

— Ничего. Только есть одна штука, которая не дошла до меня.

— Интересно! А можно ли узнать, что это за штука, помимо всего остального, что не дошло до тебя?

— Нечего изгаляться в остротах. Их и так чересчур много. А не дошло до меня вот что: и в старости можно рассуждать как в двадцать лет.

— Мой бедный друг, это не твое открытие, по этому поводу есть даже выражение, что-то вроде словесного клише: молодость сердца. Не понимаю, что же ты читаешь, когда торчишь в своих библиотеках!

— Ты мне осточертел. Ты не из тех, кто мне помог многое понять, надо тебя выслушать и поступить как раз наоборот — тогда можно быть уверенным, что все правильно. Ты со своим карате в виде панацеи вроде верблюда в пустыне без груза, без людей. Я пригласил не мадемуазель Кору, а ее двадцать лет. В каком-то смысле ей все еще двадцать лет. Никто не имеет права вести себя иначе.

Чак пукнул, Тонг вскочил с койки, кинулся к окну, распахнул его и начал орать. Этот тип не перестает меня удивлять: после всего того, что он пережил в Камбодже, он все еще способен возмущаться пуком.

— Зря ты ее пригласил, старик. Это ее обнадежит. А что ты ей скажешь, если она захочет с тобой переспать?

Я сжал кулаки.

— Зачем ты это говоришь? Нет, скажи, зачем ты это говоришь? Почему ты вечно все доводишь до абсурда? Мадемуазель Кора в свое время имела большой успех, и ей еще хочется, чтобы к ней относились как к женщине, вот и все. А что до постели, то она об этом уже давно забыла.

— Откуда ты знаешь?

— Может, хватит? Просто я подумал, что ей будет приятно вспомнить себя, ведь когда люди теряют себя из виду, что им остается?

Тут Тонг вмешался в наш разговор:

— Не знаю, что остается у вас, на Западе, но мы, когда у нас ничего не остается, ищем спасения в восточной мудрости.

Согласитесь, услышать такое от парня, у которого убили всю семью, в том числе и деда — его прикончили ударами палки по башке, потому что работать он уже был не в силах,— повторяю, услышав такое, можно только смеяться до слез.

Я слез со своей койки и нашел слово «мудрость» в толковом словаре Чака: *Мудрость — вдохновенное знание божественных и человеческих понятий.* Я прочел это вслух, и мы все посмеялись, даже Тонг. Было и такое определение: *совершенное знание того, что доступно человеку.* Тоже неплохо. А еще было: *мудрое поведение, высшая степень спокойствия, опирающаяся на знание.* Давно я так не смеялся, как читая все это. Я даже переписал эти определения для месье Соломона, который нуждался, как никто, в наивысшем спокойствии.

# Глава XII

Потом я отправился в гимнастический зал на улице Комер и бил там по груше, пока не онемела рука. В такое состояние я прихожу, по мнению Чака, от бессилия или непонимания. Если ему доставляет радость изучать меня, то пожалуйста, я не против. Он говорит, что мои отношения с царем Соломоном — это отношения сына с отсутствующим Отцом и что он никогда не видел парня, который бы так нуждался в готовом платье, как я. Готовое платье — это уже сшитая одежда, которую на себя напяливаешь: семья, папа, мама, Отец небесный — короче, то, что на бирже ценностей называют надежными ценностями, и он считает, что поскольку я ничем из этого не обладаю, я за неимением лучшего привязался к брючному королю. Все это рассуждение ни к черту не годится хотя бы потому, что месье Соломон шил одежду и на заказ, по размеру, и тогда каждый получал то, что ему в точности подходило. Я видел один из его первых рекламных проспектов, забавы ради он вставил его в рамку и повесил на стену кабинета, когда начал искать пути сделать хоть что-то для человечества. Ему тогда пришла в голову вот какая идея: на этом проспекте было напечатано, что каждый, *кто купит шесть пар брюк, получает бесплатно седьмую пару*, сшитую по меркам клиента из материи, которую он сам выберет. Я отмечаю это из-за слов Чака о бессилии, чтобы доказать, что всегда можно найти какой-то выход, что-то сделать, что мы вовсе не приговорены сидеть с голыми задницами. Короче, я как бешеный колотил по груше, и это меня разрядило, я перестал терзать себя вопросом, почему все обстоит именно так, а не иначе и почему, когда вы набираете номер, там никто не отвечает. Потом я пошел к тренеру, месье Гальмишу, лицо которого напоминает глазунью. Его молотили по морде больше, чем кого бы то ни было, и когда он мне улыбается, потому что относится ко мне по-дружески, это особенно видно, но все равно в это трудно поверить.

— Ну что, Жанно, сегодня никак не выбьешь злость?

— Ба... Сколько вам лет, месье Луи?

— Семьдесят два. Я дебютировал в тридцать втором против Марселя Тиля.

— Да, давно это было. Много раз, похоже, вы получали по морде.

— Удары по морде — без этого человек не обходится. Знаешь, что говорил Жорж Карпантье?

— Это кто? — Он был чуть ли не оскорблен.

— Да тот парень, который первым перелетел через Атлантический океан, черт подери!

— Понятно. Так что говорил этот тип?

— Что сперва были удары, а лишь потом появилась морда, потому что орган рождается от функций.

— Что это значит?

Он одобрительно кивнул:

— Ладно, малыш. Ты хорошо защищаешься.

— У меня есть друг, который куда старше вас, месье Луи, и он тоже защищается, чтобы не пасть духом, защищается тем, что называют «еврейским юмором». Я поискал в словаре, чтобы найти еще что-то, что могло бы его ободрить. Должно же там быть что-то в помощь тем, кто уходит. Я уже смотрел слова «безмятежность» и «философская отстраненность», а потом посмотрел «мудрость». И знаете, что я нашел?

— А ты скажи. Может, там есть что-то, на что я не обратил внимания.

— *Мудрость — вдохновенное знание божественных и человеческих понятий. Совершенное знание того, что доступно человеку. Высшая степень спокойствия, опирающегося на знание.* А?

Месье Гальмиш никогда не сердится, этот рубеж он давно прошел. Он слегка сжал челюсти и посопел носом, точнее тем, что от него осталось.

— Ты из-за этого так колошматил по груше?

— Пожалуй.

— Ну и молодец. Куда лучше бить по мешку, чем кидать бомбы, как делают многие ребята твоего возраста.

# Глава XIII

Я принял душ, оделся и пошел к месье Соломону, чтобы убедиться, что он жив. Я попытался было незаметно проскользнуть мимо квартиры консьержа, месье Тапю, который меня терпеть не может и, увидев меня, никогда не упускает случая выбежать на лестницу и обдать меня скопившейся в нем ненавистью. Есть что-то в моей внешности, что далеко не всем нравится. Как только я появляюсь, он тут как тут, и ничего с этим не поделаешь. Я стараюсь его избегать, мне лучше его не видеть, хоть от этого себя оградить, но едва я открываю входную дверь, как у меня за спиной раздается: «А вот и мы!» — и мне волей-неволей приходится с ним сталкиваться. Когда я вижу мудака, настоящего мудака, я всякий раз испытываю волнение и даже уважение, потому что наконец-то есть хоть какое-то объяснение, становится понятно, почему все обстоит так, как обстоит. Чак говорит, что мудизм меня так волнует потому, что я испытываю подобострастное чувство ко всему святому и непреходящему. И он мне даже процитировал строку из стихотворения Виктора Гюго: *Душа стремится в храм пред Вечностью склониться.* Чак говорит, что в Сорбонне нет ни одной диссертации о мудизме, и это свидетельствует об упадке мысли на Западе.

— Ну что, навещаем короля евреев?

Сперва я пытался говорить с ним по-хорошему, но от этого он только еще сильнее зверел. Чем больше я рассыпался перед ним: «Да, месье Тапю», «Нет, месье Тапю», «Я этого больше не сделаю, месье Тапю», «Я не нарочно, месье Тапю», тем больше он ко мне цеплялся. Тогда я начал ему подыгрывать. Всю жизнь ненавидеть самого себя невозможно, необходимо иметь объект ненависти. Чак, например, говорит, что если бы евреев здесь больше не было, если бы хулиганы не приставали к пожилым людям, если бы все коммунисты сгинули, а эмигрантов-рабочих отправили бы назад на их родину, то месье Тапю лишился бы всех эмоций, очутился бы в пустыне чувств. Я испытывал к нему жалость и нарочно придумывал всякие штуки, чтобы дать ему повод нападать на меня,

**122**

отрывал, скажем, металлическую палочку, крепившую ковровую дорожку на лестнице, или разбивал стекло, или не закрывал дверь лифта, чтобы он получал удовлетворение. Этот тип нуждался в такого рода помощи. Когда озлобление душит так, что не знаешь, куда податься, к чему прицепиться, когда это чувство охватывает всю вселенную, то если ты находишь зримую тому причину, пусть даже самую скромную, в виде брошенного на ковер окурка или открытой двери лифта, становится все же легче на душе. Я был нужен месье Тапю, ему было необходимо адресовать свою ненависть кому-то лично, иначе получалось, что он ненавидит весь мир, а мир чересчур велик. Ему надо было найти для этой цели кого-то или что-то осязаемое, конкретное, желательно какого-нибудь пустозвона, которого он не боялся бы, почтенный господин для этой роли был непригоден. На первых порах, когда я предлагал ему помочь — передвинуть бак с помойкой или подмести тротуар, я уподоблялся для него алжирским рабочим, которые отличаются мягким характером, ведут себя мило, не прибегают к насилию и поэтому всегда оказываются виноватыми в том, что не поддерживают своих гонителей, не поставляя им необходимый для обвинения материал. Когда я наконец понял, что я ему нужен совсем в другом качестве, я стал ему активно помогать. Начал с того, что помочился на лестнице, у стены. Он этого не видел, но сразу понял, что это моя работа. Когда я спустился вниз, он меня уже поджидал.

— Это вы сделали?

Я мог бы сказать: «Да, это я, чтобы сослужить вам службу», но этого было недостаточно, ему еще надо было уличить меня во лжи. Я подтянул брюки, как бы говоря: «Вы мне осточертели», и ответил:

— Вы это видели? Конечно нет, вас не было на месте. Вы всегда отсутствуете, когда нужны.

Я отдал ему честь и ушел. С тех пор он радуется, когда меня видит, потому что знает, что я убью месье Соломона, чтобы украсть у него деньги и филателистические сокровища. Во мне его не удовлетворяет только одно — то, что я не алжирский рабочий,— вот это было бы пределом мечтаний. *Когда де Голль отдал Алжир, я сразу понял, что произойдет, и оказался прав; пока мы были там, алжирцев было восемь миллионов, а после того, как мы ушли, их стало двадцать миллионов. Вы меня поняли, ни слова об этом, рот на замок, не то меня обвинят в геноциде, но подумайте, двадцать миллионов, видите, что сделал де Голль и что еще будет. Я всегда был за маршала Петена, хотя мой кузен пал в антибольше-вистском легионе, я редко ошибаюсь.* Чак попытался было взять у месье Тапю интервью для своей диссертации о мудачестве, но они мало что успели записать, потому что Чака стали мучить ночные кошмары, он во сне звал на помощь, и карате, которым он занимался, чтобы закалить свой характер, видно, оказалось не очень-то пригодным средством самозащиты.

Итак, месье Тапю стоял у дверей своей квартиры консьержа, как всегда, в берете, с зажатым в зубах окурком и с выражением хитрости и всезнайства на лице: ведь когда мудизм освещает мир, то думаешь — ты все знаешь и все понял. Я даже вдруг испытал к нему дружеское тепло, потому что таким мудакам, как Тапю, мы многим обязаны: когда их видишь и слышишь, страхи утихают, начинаешь понимать, почему все обстоит так, как обстоит, благодаря им есть, так сказать, хоть частичное объяснение. Я стоял на восьмой ступеньке лестницы, и лицо мое так и сияло от избытка понимания, симпатии, чуть ли не поклонения, я испытывал чувство глубокого почтения, словно пришел в храм «пред Вечностью склониться». Месье

Тапю был даже обеспокоен моей лучезарностью.

— Что это с вами? — недоверчиво спросил он.

— Я прочел в журнале «ВСД» [1], что в Африке нашли череп, по виду совсем свежий, который лежал в земле восемь миллионов лет, а это все же некий срок. Правда, Чак говорит, что в те давние времена мудизма не существовало, потому что еще не было алфавита.

Я веселился, а месье Тапю так и корежило от ненависти.

— Я не позволю! — орал он, потому что смеха они боятся больше всего.

— Извините меня, месье Тапю, вы наш отец родной и наша мать, да, для нас всех.— Так я ему сказал.— Хочу только одного — приходить к вам время от времени и любоваться вами — это такое прекрасное, вдохновляющее занятие!

Я спустился — напоминаю, я стоял на восьмой ступеньке, может, потом, в историческом далеко, по этому поводу возникнут сомнения и споры — и протянул месье Тапю руку дружбы. Этот момент заслуживает быть зафиксированным — может, в дальнейшем

[1] Французский еженедельник «Vendredi, samedi, dimanche» — «Пятница, суббота, воскресенье».

фотографы так и поступят, если представится случай. Но ему было бы легче сдохнуть, чем протянуть мне в ответ руку. Поэтому я постоял, как дурак, с протянутой рукой, потом помахал ему, как обычно, в знак приветствия и поднялся в квартиру месье Соломона с приятным чувством, что мне удалось перезарядить батарейки месье Тапю. Я был этому искренне рад — ведь не каждый день удается помочь человеку жить.

Я был уже на втором этаже, а он все продолжал орать, задрав вверх голову и угрожая мне кулаком:

— Негодяй! Козел! Наркоман! Сраный левак!

Я был доволен. Этот тип нуждался в посторонней помощи.

# Глава XIV

Я застал месье Соломона одетым для праздничного выхода. Он в самом деле поражал своей исключительной элегантностью, на нем был классный костюм, и он мог бы прослужить еще пятьдесят лет, а то и больше, если не вешать его во влажном помещении. Месье Соломон был доволен, увидев, что я восхищаюсь материей.

— Мне его сшили в Лондоне, на заказ.

Я пощупал.

— Вот это да! Пятьдесят лет будете носить, не меньше.

Это сильнее меня. Я не в силах заставить себя обходить эту тему. Стоит мне удержаться от намека в одной фразе, как в следующей обязательно что-то ляпну. Я попытался как-то выйти из положения.

— Они нашли в Эквадоре долину, где люди живут сто двадцать лет,— сказал я.

Помимо парикмахера и маникюрши, которые всегда приходили на дом, я застал у него какого-то типа небольшого росточка с кожаным портфелем в руке. А на письменном столе лежали какие-то документы с подписью месье Соломона. Говорят, есть люди, которые постоянно переделывают свое завещание из страха, что забыли что-то включить. Я всегда задавал себе вопрос, как месье Соломон собирается распорядиться такси после смерти. Возможно, есть особый закон для такси, которые остались одни на свете, потеряли хозяина. Я слышал по радио, что где-то за городом в хижине нашли труп какого-то бродяги, уже весь вздувшийся. Но для средства передвижения на четырех колесах, скорее всего, что-то придумали. У древних народов были идолы, и им приносили в жертву кур и овощи, чтобы задобрить, но это уже связано с верованиями. Я никак не могу примириться с неизбежностью конца, и не только для старых людей и для месье Соломона, которого так нежно люблю, но вообще для всех. Чак мне все внушает, что зря я об этом все время думаю. Он говорит, что смерть — вещь безысходная и поэтому здесь не о чем думать. Это неправда, я вовсе не думаю все время о смерти, наоборот, это она обо мне все время думает.

— Я только что купил коллекцию марок Фриуль,— сообщил мне месье Соломон, указывая на документы и альбомы на письменном столе.— Она не представляет большой ценности, кроме пятисантимовой розовой марки Мадагаскара, это редчайшая марка, но они не хотели продавать ее отдельно.

И вот тогда месье Соломон сказал нечто совсем невероятное, просто царственное. Вы, может, подумаете, что я преувеличиваю, но нет, вы только послушайте:

— Для меня почтовые марки, да, только почтовые марки, стали теперь единственным ценным пристанищем.

Он произнес это слово. Он стоял посреди кабинета, тщательно подстриженный и причесанный, со свежим маникюром, он держался на редкость прямо в свои восемьдесят четыре года, на нем был костюм из особой английской шерсти, которому пятьдесят лет не будет сноса, и он с добродушием наблюдал за мной, не сводя с меня взгляда своих черных глаз, в которых был царственный вызов, так подымавший его надо всем, что смерть не могла себе позволить... Чак говорит, что в армии такого рода вещи называют психопатическим воздействием, и к нему прибегают, чтобы заставить врага отступить. Потом месье Соломон подошел к письменному столу, взял лежавший там конверт и поднес к свету, чтобы показать мне. И правда, это, бесспорно, была розовая пятисантимовая марка Мадагаскара.

— Месье Соломон, я вас поздравляю.

— Верно, Жанно, нужно только подумать, и становится ясно, что марка является сегодня единственным ценным пристанищем...

Он все еще держал конверт на свету и не сводил с меня глаз, а в его черных зрачках то и дело вспыхивали искры. Чак уверяет, что еврейский юмор может заменить обезболивающее, когда рвут зубы, именно поэтому в Америке лучшие дантисты евреи. Он считает, что английский юмор тоже неплох для самозащиты, он подобен холодному оружию. Английский юмор помогает вам оставаться джентльменом до самого конца, даже если вам отрубают руки и ноги. То, что от вас останется, все равно будет джентльменом. Чак может рассуждать о юморе часами, потому что его тоже терзают всевозможные страхи. Он утверждает, что еврейский юмор — предмет первой необходимости для всех, кто живет во власти страхов, и что месье Тапю, возможно, прав, считая, что я ожидовел, я и в самом деле заразился от месье Соломона его страхами и поэтому все время смеюсь.

Этим я и занимался, пока месье Соломон держал на свету свою ценность-пристанище и разглядывал ее улыбаясь. Его улыбка была особенной — казалось, его губы давным-давно растянулись в улыбку, растянулись раз и навсегда. Поэтому нельзя понять, сейчас ли он улыбается или улыбнулся тысячу лет назад и улыбка так и застыла на его лице. Глаза у него очень теплые и живые, катаракта их пощадила. При свете в них вспыхивают искорки веселья, они выражают всю его неукротимость. Черты его лица лишены этнических признаков. Он не полысел, у него по-прежнему густые волосы, но они стали совсем седыми — он их зачесывает назад гребешком. Иногда он носит очень короткую бородку, которую парикмахер каждый день подправляет, он отращивает ее некоторое время, потом сбривает и от этого молодеет. Тонг, который лучше нас знает стариков, потому что на Востоке они имеют больший вес в обществе, и который кончил лицей в Пномпене, считает, что у месье Соломона лицо испанского гранда из «Похорон графа Оргасского»[1] или Жозе Марии Эредиа в «Завоевателях». Я бросил школу очень рано и не проходил всего этого, но

---

[1] Название картины Эль Греко.

уверен, что месье Соломон ни на кого не похож. Вот если бы Христос дожил до почтенного возраста и состарился бы на военной службе, если бы нос у него был покороче, а подбородок более жестко очерченный, возможно, были бы основания говорить о сходстве, да и то... Его серый шелковый галстук был украшен булавкой с жемчужиной того же тона. В помещении он никогда не надевал очки. Белый цветок с желтым клювом вылезал из петлицы пиджака словно птичка, а еще он приколол ленточку ордена «За заслуги», которым его наградили по справедливости.

— Жанно, такси у подъезда?

Я не перевариваю, когда меня называют «Жанно», потому что это заячья кличка, и девушки часто не стеснялись этим позабавиться. Если девушка гладила меня по волосам и нежно говорила «Жанно, мой Зайчик», мне всегда хотелось бежать, уж очень это было по-матерински. Материнское чувство — вещь хорошая, но только когда оно к месту.

— Нет, месье Соломон. Моя смена кончилась утром. Сегодня на нем работает Тонг.

— Что ж, тогда поедем на нашем семейном «ситроене». Мне нужно на улицу Камбиж. Я не люблю теперь сам водить машину по Парижу, слишком медленно приходится ехать. Прежде у меня была «бюгатти». Теперь ее можно выставлять в музее.

Он взял перчатки, шляпу и свою трость с серебряным набалдашником в виде лошадиной головы. Его движения из-за артрита получались более резкими, чем ему хотелось.

— Я был бы рад как-нибудь снова сесть за руль моей «бюгатти» и погонять ее по загородным дорогам. Мне этого не хватает.

Я мысленно представил месье Соломона за рулем «бюгатти», которая мчится со скоростью сто километров в час, мне было приятно убедиться, что у него еще есть потребность водить машину. Мы спустились в гараж, и я помог ему сесть в семейный «ситроен». Семьи у месье Соломона не было, но он распорядился, чтобы «ситроен» был всегда на ходу, если вдруг представится случай. Сесть в «ситроен» я помог месье Соломону исключительно из вежливости, потому что, уж поверьте мне, он прекрасно мог сам сесть в машину. Она была просторной, там легко могли бы разместиться еще жена и трое детей. Пока мы ехали, я время от времени поворачивался к нему, чтобы составить компанию. Положив на набалдашник трости перчатки и сложенные руки, он слегка покачивался. Было много вопросов, которые мне надо было бы ему задать, но в тот момент они не приходили мне в голову, и я молчал. Когда то, что хочешь сказать, идет не от головы, а от сердца, то уложить это в вопрос, даже в тысячу вопросов, невозможно, в таком случае даже слóва не удается выговорить. Чак, когда он отправился на пятнадцать дней в Непал, прислал мне оттуда открытку, в которой написал: «Здесь все то же самое». Ладно, согласен, но все же, черт побери, есть же там хотя бы местный колорит.

— Как поживает мадемуазель Кора?

— Хорошо. Я пригласил ее пойти со мной потанцевать сегодня вечером.

Месье Соломон поглядел на меня с сомнением:

— Жанно, будь осторожен.

— Я буду осторожен, но знаете, она не такая уж старая. Она сказала мне, что ей шестьдесят пять, и так оно, наверно, и есть, ей нет никакого смысла приуменьшать свой возраст. Я с ней немного потанцую, но буду все время начеку. Просто необходимо составить ей компанию. Она мне сказала, что обожала, когда была молодой, подрыгаться, это значит, месье Соломон, танцевать.

— Знаю. Вы ее часто видите?

**135**

— Нет. Она вполне способна быть одна. Но для тех, кто привык иметь успех у публики, одиночество куда тяжелее, чем для тех, кто ни к чему не привык.

— Да,— согласился месье Соломон.— Ваше замечание верное. В прежнее время она пользовалась большим успехом. В тридцатые годы.

— В тридцатые годы? Я думал, позже.

— Она была тогда еще совсем моленькой.

— Я видел фотографии.

— Очень мило с вашей стороны так себя вести по отношению к ней,— сказал месье Соломон, постукивая по набалдашнику своей трости.

— О, поверьте, я так себя веду не по отношению к ней, я вообще так себя веду.

И тут месье Соломон вдруг озарился каким-то внутренним светом. Мне нравится, когда царь Соломон вот так озаряется, это так же внезапно, как солнце, вдруг осветившее древние серые камни, или как пробуждение жизни. Это выражение из песни Шарля Тренэ, у него, правда, «пробуждение любви». Любовь, жизнь — это, по сути, одно и то же, а песня прекрасная.

Месье Соломон разглядывал меня.

— У вас острое чувство человечности, мой мальчик, и оно приносит боль. Весьма редкая форма интуитивного понимания, которую также называют «даром симпатии». В старое время из вас получился бы прекрасный миссионер... в то далекое время, когда их еще ели.

— Я неверующий, месье Соломон, должен в этом признаться, хоть и боюсь вас этим обидеть.

— Ничуть вы меня не обидели, ничуть. Да, к слову сказать, если у вас появились лишние расходы из-за мадемуазель Коры, я охотно возьму их на себя. Это прелестная женщина, ее очень любили. Так что разрешите мне возместить вам ваши траты.

— Нет, месье Соломон, все в порядке. У меня на это денег хватит. А ей будет приятно немного потанцевать, хотя теперь танцуют совсем другое, чем в дни ее молодости, то было время чарльстона и шимми, я видел в немых фильмах.

— Я вижу, Жанно, что у вас солидные знания по истории. Но должен заметить, что чарльстон и шимми — это скорее моя молодость, а не молодость мадемуазель Коры.

Я не мог себе представить месье Соломона, отплясывающего чарльстон или шимми. С ума можно сойти!

— Молодость мадемуазель Ламенэр не так далека от нас, как вы думаете. Тогда танцевали танго и фокстрот.

Он снова задумался.

— Но будьте осторожны, Жан.

— Она не умрет от того, что потанцует немножко.

— Я не об этом. Вы роскошный парень и... Ну предположим, что я, например, встретил бы прелестную молодую женщину, которая проявила бы ко мне интерес. Так вот, если я вдруг понял бы, что интерес ее носит чисто гуманитарный характер, я был бы глубоко огорчен. Каждый из нас одновремено и старше и моложе, чем полагает. Мадемуазель Кора наверняка не утратила привычки быть женщиной. Поэтому вы можете ее очень жестоко ранить. Предположим еще раз, что я, например, знакомлюсь с прелестной молодой женщиной лет двадцати восьми—тридцати, ростом метр шестьдесят два сантиметра, белокурой, с голубыми глазами, нежной и жизнерадостной, любящей, умеющей готовить, и она явно проявляет ко мне интерес. Я мог бы потерять голову и...

Он умолк. Я не смел смотреть на него даже в зеркало заднего вида. Мысль, что царь Соломон может влюбиться в молодое существо, притом что у него уже не было

**138**

почти ничего общего с большинством смертных... Я не знаю, о чем надо думать, когда тебе восемьдесят четыре года, но уж наверняка не о прелестной молодой блондинке. Я все же бросил быстрый взгляд в зеркало, чтобы убедиться, что это не издевка, но тут же опустил глаза. Месье Соломон и не думал смеяться надо мной, над своей старостью, над самим собой от отчаяния. Ничуть не бывало. Вид у месье Соломона был мечтательный. Не могу выразить, какое впечатление производит человек, доживший до глубокой старости, величественный в этом возрасте патриарха и как бы озаренный покоем близкого конца пути, когда он вот так сидит, опершись обеими руками на лошадиный набалдашник своей трости и устремив свой взгляд куда-то вдаль, весь во власти мечты о третьей возможности встречи.

— Итак, предположим на минуту, потому что надо разобрать все возможные случаи, поскольку жизнь богата чудесами разнообразными, что эта молодая женщина пригласит меня пойти с ней танцевать джерк и вообще проявляет ко мне такой интерес, что легко ошибиться насчет его характера. Я, конечно, не смог бы помешать себе питать в этой связи какие-то надежды, строить планы на будущее, короче, отдаться во власть сентиментальным чувствам. Так вот, если в дальнейшем выяснится, что интерес этот чисто гуманитарный или, еще хуже, организован, я буду, разумеется, глубоко разочарован, больно ранен... Поэтому прошу вас, будьте осторожны с мадемуазель Корой Ламенэр, не допустите, чтобы она потеряла голову. Ну вот, мы и приехали. Вот это современное здание.

Я помог ему выйти из машины так, чтобы это выглядело жестом вежливости, а не помощью тому, кто в ней нуждается.

# Глава XV

Я проводил его на пятый этаж, он остановился у двери справа, и вот тут-то я прямо ахнул от изумления. На металлической дощечке там было выгравировано: *Мадам Жоли, ясновидящая, гадалка. Прием только по предварительной договоренности.* И он позвонил. Сперва я еще надеялся, что он пришел условиться для кого-то другого, но оказалось, что ничего подобного.

— Говорят, она никогда не ошибается,— сказал он.— Посмотрим. Умираю от любопытства! Да, мне в самом деле не терпится узнать, что меня ожидает.

У него даже щеки порозовели от нетерпения.

Я стоял, разинув от удивления рот. Черт-те что! Этот тип, которому скоро стукнет восемьдесят пять, идет к гадалке, чтобы узнать, что его ждет впереди! И тут я вспомнил, что он мне сказал в машине по поводу нежной молодой блондинки, умеющей готовить, и у меня кожа покрылась мурашками при мысли, что он, возможно, хотел бы узнать у гадалки, суждено ли ему еще любить и быть любимым в этой жизни. Я поглядел ему в глаза, надеясь увидеть в них обычные иронические всплески, убедиться, что он издевается над всеми, над самим собой, над столь ненавистной ему старостью. Поди пойми! Он стоял, опираясь на свою трость с серебряным набалдашником, на нем был безупречный костюм, который и за пятьдесят лет не сносить, стоял, высоко подняв голову и сдвинув шляпу на один глаз, перед дверью знаменитой ясновидящей, живущей на пятом этаже большого дома на улице Камбиж, и лицо его выражало вызов, брошенный всему миру.

— Месье Соломон, я горжусь тем, что знаком с вами. Я всегда буду думать о вас с волнением.

Он положил мне руку на плечо, и мы, растроганные, постояли так несколько мгновений, глядя друг другу в глаза,— это было похоже на минуту молчания. Чак не раз говорил мне, что у евреев юмор умирает последним.

Месье Соломон позвонил еще раз.

Лестница была очень светлой из-за окон на каждом этаже, и лицо месье Соломона было освещено солнцем. Я вспомнил картину, репродукцию которой он повесил на стене в прихожей. Это один из бессмертных шедевров мировой живописи, он повсеместно известен. Говорят, что художнику, когда он написал этот автопортрет, было уже больше девяноста лет, поэтому, видимо, месье Соломон и повесил его на стене прихожей. Он же написал и «Джоконду» для Лувра, однажды Чак затащил меня туда, чтобы я убедился, что там немало и других картин. Лицо месье Соломона было цвета серого камня, и когда он слегка повернулся к двери, которая по-прежнему не открывалась, я не мог понять, почему оно стало таким — оттого ли, что на лестнице потемнело, или от печали. Я решил, что в следующий раз займусь не стариками, а детьми — в них нет еще ничего окончательного.

— Месье Соломон, вы античный герой!

Он по-прежнему держал руку у меня на плече. Он любил этот жест, потому что в нем было что-то поучительное. Я было подумал, что сейчас он мне скажет что-то такое, чего еще никогда мне не говорил, или даже, может быть, что-то такое, чего вообще никто еще никому не говорил, ну как бог из рекламного ролика, когда попрекает рыбака за то, что он стирал не с тем отбеливателем, с каким надо, и называет нужную марку. Но месье Соломон сказал всего лишь:

— Вот еще один звонок, который не работает.

И он три раза ударил тростью в дверь. Это и надо было сделать с самого начала, потому что дверь тут же открылась. Африканка с огромными грудями ввела нас в приемную.

— Вы договаривались о свидании?

— Да,— сказал месье Соломон.— О свидании я договаривался, а ваш звонок не работает.

— Подождите немного, у нее посетитель.

Мы сели. Африканка вышла. Я размышлял над тем, как ясновидящая выйдет из того трудного положения, в котором окажется, что она ему предскажет, когда и так все совершенно ясно. Но месье Соломон не проявлял никакого беспокойства, он держался очень прямо, шляпа и перчатки покоились у него на коленях, а сложенными руками он опирался о лошадиную голову трости. Он пришел узнать, что его ждет впереди, потому что жизнь полна приятных сюрпризов.

Я решил, что в конечном счете он прав, желая узнать будущее, ведь счет можно вести не только годами, но и месяцами и даже неделями.

И вот тут мадам Жоли вошла в приемную. У нее были очень черные крашеные волосы, собранные на затылке, и проницательные глаза, что естественно для ясновидящей. Бросив взгляд на месье Соломона, она как-то растерялась, и у меня даже мелькнула мысль, что она откажется его принимать.

Мы встали.

— Мадам,— проговорил месье Соломон изысканным тоном.

— Месье...

— Мне назначено свидание.

— Догадываюсь.

Еще один персонаж, который позволяет себе лишнее.

— Извините, что я вас так внимательно разглядываю, но в моей профессии первое впечатление очень важно.

— Я вас прекрасно понимаю.

— Входите, входите.

Она с любезным видом повернулась ко мне:

— Месье, вы ждете своей очереди?

Черт подери!

— Естественно, мадам, я жду своей очереди, мы все ждем своей очереди, но для этого мне консультация не нужна, так что я с тем же успехом могу ждать на улице.

Я ждал сорок минут. Сорок минут, чтобы предсказать будущее типу, которому восемьдесят четыре года.

Когда месье Соломон спустился, вид у него был довольный.

— У нас была хорошая беседа.

— Что же она вам предсказала?

— Особых подробностей она мне не сообщила, потому что видимость была неважная, как она объяснила. Но волноваться мне не надо. Я на пороге долгого периода спокойной жизни. А перед этим мне предстоит встреча. А также большое путешествие...

У меня похолодела спина, и я бросил торопливый взгляд в зеркальце заднего вида, но нет, никакой иронии, он глядел на мир со своей обычной доброй улыбкой.

— Я подумаю о том, что она говорила.

— Не надо об этом думать, месье Соломон.

— Я не очень-то люблю коллективные путешествия.

— Вы можете поехать один.

— Мне хотелось бы увидеть оазисы на юге Туниса...

У меня заныло сердце.

— Вы их посетите, месье Соломон. Это не проблема. Оазисы на месте, они ждут вас. Вы еще успеете увидеть все, что захотите, и даже то, чего не хотите. Не знаю, что она вам сказала, эта ясновидящая, но я вам говорю, что вы их увидите, эти оазисы, ручаюсь, и все тут. В нужный день вы всегда, слава Богу, сумеете купить билет, в них нет недостатка. Вы даже можете взять билет с открытой датой, если захотите, и тогда вы не будете вынуждены уехать в какой-то заранее определенный день. Поедете когда захочется.

— Вы в самом деле думаете, что Средиземноморский клуб...

— Не знаю, занимается ли этим Средиземноморский клуб, но у него нет монополии. Вы вовсе не обязаны быть в какой-то группе, вы можете уехать один.

Я проводил его домой, поставил машину в гараж и вернулся к себе. Я застал Чака, который хотел заниматься, и Йоко, который хотел играть на гармонике, это был настоящий конфликт взаимоисключающих интересов, никто не желал уступать, и они тут же наорали друг на друга. Я им рассказал, что месье Соломона настолько терзают страхи, что он пошел к ясновидящей, но им на это было явно наплевать. Что ж, они и я — мы решаем не одну и ту же задачу.

Я поднял с пола журнал, там был набранный крупным шрифтом заголовок: «Я видел, как плакали спасатели от своего бессилия», и я снова представил себе, просто увидел, как у меня на глазах умирают двадцать пять тысяч птиц в Бретани, погрязших в мазуте. И тут я почему-то вспомнил мадемуазель Кору и прикинул, что уже почти пора идти к ней. Я принял душ, надел чистую рубашку и куртку. Как бы то ни было, ехать в Бретань бессмысленно, птицы все равно обречены. В статье даже перечисляют породы: тупики, бакланы, пингвины и олуши из Бассана; были там названы еще и другие породы, но я не хотел их запоминать. Когда не знаешь названий, получается не так лично и кажется их меньше. Если бы я не повстречал в жизни месье Соломона, мадемуазель Кору и всех остальных, я, наверное, меньше думал бы об этих птицах. Когда вы видите на улице очень старую женщину, у которой ноги почти отказали, но она все же вышла за покупками и передвигается крошечными шажками, не сгибая коленок, ток-ток-ток, вы обращаете на нее внимание, но в самом общем виде, не задерживаетесь на этой мысли и не кидаетесь к ней со своим, так сказать, готовым платьем, чтобы помочь. Вот я, например, знаю, что киты скоро совсем исчезнут, и королевские бенгальские тигры тоже, и что с большими обезьянами дело дрянь, но вас это задевает куда больше, если эти беды происходят с кем-то, кого вы знаете лично. Нет никаких сомнений в том, что если я буду продолжать возиться со всеми, кто звонит по телефону, то дело кончится тем, что я тоже стану королем готового платья. Одной симпатии на самом-то деле тут недостаточно, надо бы найти что-то другое, делать куда больше, вместо того чтобы умирать как дураки.

А что до готового платья, то на днях я увидел на улице Барон нечто весьма забавное. Там прежде было похоронное бюро, а в его витрине красовались фотографии гробов высшего качества. Потом там сделали ремонт, и знаете, что теперь на месте похоронного бюро? Магазин готового платья. Этим все сказано.

# Глава XVI

Я забежал в закусочную, чтобы что-то съесть. Было уже девять вечера. Тонг закончил свою смену, и такси стояло в гараже.

Я поработал на нем безо всякого толка с полчаса, потом выключил счетчик и поехал за мадемуазель Корой. Я принес ей букет цветов в духе тех, которые ей когда-то дарили. Надо иметь в виду, что цветы играют важную роль в жизни женщин, когда их им преподносят, но еще более важную, когда их уже не преподносят. Сперва все реже и реже, а потом и совсем прекращают.

Когда я вручил мадемуазель Коре букет, который хозяйка цветочного магазина на улице Менар сама составила, она тут же погрузила свое улыбающееся лицо в незабудки, и в эту минуту из-за тонкой талии, сохранившейся женственности фигуры и еще из-за того, что лицо ее было скрыто цветами, аромат которых она вдыхала, она выглядела молоденькой девушкой. На ней было темно-зеленое платье с поясом янтарного цвета, украшенное маленькой брошкой в виде ее знака Зодиака. Мадемуазель Кора была Рыбой. Она долго простояла вот так, вдыхая аромат цветов, и клянусь вам, я ей доставил удовольствие. Конечно, когда она в конце концов подняла лицо, сразу стало видно, что жизнь проехалась по нему. Но я тут же взял ее за руку, чтобы дать почувствовать, что это не имеет никакого значения. Плевать мне было на то, сколько ей уже стукнуло — шестьдесят три или шестьдесят пять, мне ни к чему было в это вникать, это как с большими обезьянами, китами или бенгальскими королевскими тиграми, вам не важно знать, сколько им лет, чтобы возмущаться, протестовать, пытаться их защитить от полного истребления. Я за защиту всех видов живого безо всякого исключения, именно этого нам не хватает.

Единственное, что мне было в тягость, это избыток косметики на лице мадемуазель Коры. Думаю, это от привычки гримироваться перед выступлением на сцене, а не из желания скрыть свой возраст, но, так или иначе, меня это смущало. Она так густо намазала губы ярко-красной жирной помадой

**151**

да еще увлажняла их все время языком, наложила столько слоев краски на веки — черным, синим и белым карандашами, особенно синим и белым, да так обильно покрыла каждую ресничку в отдельности черной тушью, что легко было ошибиться по поводу моей профессии. Я был просто в бешенстве. Но потом я сказал себе, что женщина, которая уже не похожа на себя, оказывается, наверное, в очень трудном положении, коварным образом, так сказать исподтишка, она стала другой, и произошло это настолько постепенно, что она об этом просто забыла, не в силах этого учесть. У мадемуазель Коры сохранилась привычка быть молодой, она злоупотребляла косметикой подобно тому, как некоторые люди одеваются не по сезону, носят зимой легкие весенние платья и ужасно простужаются. И мне стало стыдно. Не из-за мадемуазель Коры, а просто — стыдно. Это ее право — попытаться защитить себя, а я просто жалкая тварь, и у меня не хватает мужества отстаивать свои убеждения.

Мадемуазель Кора заметила, что удивила меня, и тихонько провела рукой по своим волосам, шее и заулыбалась от радости. Я взял обе ее руки в свои и свистнул по-американски.

— Как вы хорошо выглядите, мадемуазель Кора!

— В этом платье я год назад выступала по телевизору,— сказала она.— Был фестиваль жанровой песни, и тогда они вспомнили обо мне.

Теперь, обдумав все как следует, я нахожу, что радио правильно советовало тем, кто хочет бороться с пролитой в океан нефтью, приезжать не поодиночке, а группами человек в тридцать.

Она еще раз подошла к зеркалу, чтобы убедиться, что все в порядке.

Я мысленно пытался прикинуть, на что она, собственно говоря, живет. Воспоминания дохода не приносят. Она не могла откладывать деньги на черный день, потому что это стало теперь невозможным. Однако было видно, что она ни в чем не нуждается.

Ей пришла вдруг в голову новая идея, она подбежала к стенному шкафу, открыла ящик, вынула шарф янтарного цвета и обвязала им шею.

— Поедем на моей машине?

— Я приехал на своем такси, мадемуазель Кора. Нет смысла брать вашу.

В машине она снова вся отдалась воспоминаниям. Она начала ходить на танцы в шестнадцать лет. Это было время аккордеона.

У отца было небольшое бистро неподалеку от Бастилии, которое он продал, когда мать его бросила.

— Она была костюмершей в Казино де Пари. Когда мне было лет десять, я постоянно торчала за кулисами. Это и правда была великая эпоха, такого больше никогда не повторится: Жозефина Бейкер, Морис Шевалье, Мистенгет...

Она засмеялась, а потом запела: *Мой избранник*...

Я знал, что она пела, только чтобы просветить меня по истории тех лет, но все же она при этом время от времени бросала на меня многозначительные взгляды, а когда кончила петь, глаз не отвела, словно я ей кого-то напоминал своей простонародной физиономией. Потом она вздохнула, а я совсем не знаю, что полагается говорить в таком случае. Я нажал на акселератор и стал описывать бедственное положение Бретани из-за загрязнения ее прибрежных вод нефтью, чтобы переключить внимание мадемуазель Коры на другую тему.

— Большего экологического свинства у нас и вообразить нельзя, мадемуазель Кора,— говорил я.— Страшный удар по всему живому в море... Устрицы дохнут как мухи... У морских птиц там были свои убежища...

места, где они могли надежно укрыться от всего... Так вот, представляете, из-за этой плавающей нефти погибло больше двадцати пяти тысяч особей.

Я надеялся, что мои разговоры помогут ей не думать о себе.

— Случаются экологические катастрофы, избежать которых невозможно, но тем более необходимо не допускать тех, которые можно предотвратить. Бывает, что все складывается так, а не иначе, это закон, и никуда тут не денешься, но в данном случае этого вполне могло бы и не произойти.

— Да, это очень печально, все эти птицы,— сказала она.

— И рыбы.

— Да, и рыбы тоже.

— У меня есть африканский друг Йоко, он уверяет, что мы слишком мало думаем о чужих несчастьях, поэтому мы всегда недовольны.

Она удивилась:

— Странное рассуждение... Я что-то не понимаю. Чтобы быть довольным, надо думать о чужих несчастьях? Послушайте, ваш друг мне совсем не нравится. Низкая душа.

— Да нет, вовсе не так. Но просто когда думаешь о всех этих тварях, обреченных на вымирание, то твоя личная судьба уже не кажется такой несчастной.

Ее это не убедило.

— Такое объяснение нас может далеко завести.

— Конечно далеко, но нельзя же беспокоиться только о себе, не то и вправду спятишь. Когда думаешь о Камбодже и тому подобных вещах, меньше сосредоточиваешься на себе. А когда мало думаешь о других, то уделяешь слишком много внимания тому, что происходит лично с тобой, мадемуазель Кора.

Я замолчал и спросил себя, что я, собственно говоря, здесь делаю с этой тетенькой, которая пока еще всецело занята собой и не имеет никакого представления о размахе постигшего нас бедствия. В результате я замкнулся и стал смотреть в одну точку, и это тоже никуда не годилось, потому что получалось, будто нам нечего сказать друг другу. Потом я украдкой взглянул на нее, чтобы выяснить, не огорчена ли мадемуазель Кора, но я сразу увидел, что нет, она мне весело улыбалась, вид у нее был совсем праздничный, и я тут же себя тоже хорошо почувствовал, я не зря терял время, хотя и не входил в группу из тридцати спасателей.

Мы оба расхохотались, потому что нам было приятно быть вместе.

— Ну так что, мадемуазель Кора?

— Ну так что, мой маленький Жанно?

И мы снова рассмеялись.

— Мадемуазель Кора, знаете ли вы, почему цапля, когда стоит, всегда поднимает вверх одну ногу?

— Нет, а почему?

— Если бы она задирала обе, то сломала бы себе шею.

Она чуть не умерла со смеху. Она наклонилась, положила руку на сердце, так безудержно она хохотала.

— А знаете ли вы, почему, когда целишься, всегда закрываешь один глаз?

Она покачала головой, говорить она не могла, настолько ее наперед смешил мой вопрос.

— Потому что если закрыть оба глаза, то вообще ничего не увидишь.

Это было выше ее сил. Она просто плакала от смеху. А я еще минуту назад думал, что нам нечего сказать друг другу.

# Глава XVII

В «Слюш» я заглядываю каждую неделю, а то и чаще, и, естественно, всех там знаю. Такого рода баров в городе хоть отбавляй, и, конечно, было бы лучше выбрать такой, где меня не знают. Но мне было наплевать, что мое появление там с женщиной, которая годилась мне в матери и даже чуть ли не в бабушки, могло вызвать глумливую улыбку. И если мне это и было неприятно, то исключительно из-за мадемуазель Коры. Она взяла меня под руку и слегка прижалась ко мне, а за стойкой как раз сидела знакомая мне девчонка Кати, и ее губы скривились в ту самую улыбочку, о которой я вам говорил. Эта стерва, взгромоздившись на табурет, изображала из себя блядь, хотя на самом-то деле работает в булочной своего отца на улице Понтьё. Когда мы проходили мимо нее, она смерила мадемуазель Кору таким взглядом, что, будь я ее отцом, я ей влепил бы хорошую оплеуху. Она пялила глаза на мадемуазель Кору, разглядывала с головы до ног, будто тем, кто старше шестидесяти лет, вход сюда заказан, и я почувствовал себя так, словно сделал что-то непристойное. Я с Кати переспал раза три или, может, четыре, но это еще не основание, чтобы так себя вести. Мы не успели дойти до столика, как она обернулась к Карлосу, который стоял за стойкой бара, и стала ему что-то нашептывать, не спуская с нас глаз. Есть такие отвратительные определения типа «бабуся с приветом», которые невозможно проглотить молча, а мне показалось, что я слышу именно это.

— Извините, мадемуазель Кора.

Я ее чуть отодвинул от себя и подошел к Кати:

— Что-нибудь не так?

— Да ты что?

— Я-то ничего.

— Ну ты даешь!

— Ух, как бы я тебе сейчас по роже врезал!

Карлос громко хохотал, а у стойки стояли еще два или три типа, готовых разделить его веселье. Я мог бы разбить им всем морды, так я был взбешен.

Они разом перестали смеяться, они прекрасно видели, что мне надо было разрядиться, а вокруг, кроме них, никого не было, так что они тут же сообразили, что они могут мне сгодиться.

— Не будь сукой, Кати!

Я не дал ей возможности ответить — когда начинается обмен любезностями, этому нет конца. Я вернулся к мадемуазель Коре, которая разглядывала афишу «Шесть пистолей», висевшую на двери туалета.

— Извините меня, мадемуазель Кора.

— Это подруга?

— Да нет, мы просто переспали несколько раз.

— Я перестала понимать молодых. Вы совсем не такие, какими были мы. Для вас как бы больше не существует землетрясений.

— Это из-за пилюли.

— Очень жаль.

— Не будем сожалеть о землетрясениях, мадемуазель Кора.

Я посадил ее в глубине зала, в уголке, но за соседним столиком тут же начали перешептываться, глядя на нее.

— Наверное, они меня узнали,— сказала она.

— Вы когда перестали петь, мадемуазель Кора?

— О, меня еще видели по телевизору полтора года назад, когда был фестиваль жанровой песни. А два года назад я участвовала в гала-концерте в Безье. Я уверена, что жанровая песня снова войдет в моду.

Я взял ее за руку. В этом жесте не было ничего личного, но ведь нельзя же взять за руку весь мир.

Три девицы, сидевшие за соседним столиком, наверняка подумали, что я таскаюсь с мадемуазель Корой, чтобы заработать себе на жизнь. Это первое, что приходит на ум, когда его нет. Здесь меня привыкли видеть с красивыми девчонками, и меня это радовало из-за мадемуазель Коры, потому что таким образом она занимала хорошее место. Я расселся на скамейке, как барин, и положил ей руку на плечи. Она деликатно отстранилась.

— Не надо, Жанно. На нас смотрят.

— Мадемуазель Кора... была такая кинозвезда Кора... Кора Ласерсери.

— Господи, откуда ты это знаешь? Это было очень давно, задолго до твоего рождения.

— Это не повод ее забыть. Если бы я мог, я помнил бы всех, всех, кто когда-то жил. Без этого какое-то свинство получается.

— Без чего?

— Без того, что про тебя не забывают.

— Мое настоящее имя Королина Беда́, но
я его поменяла на Ламенэр.

— Почему? Беда звучит совсем неплохо.

— Получается беда, и мой отец все повторял это, когда я была маленькой, потому
что в жизни у него были одни неприятности.

— Что, болел много?

— Нет, но моя мать ему все время изме-
няла и в конце концов ушла совсем. Он уверял, что все дело в фамилии, он был обречен
на проклятье. Мне тогда было десять лет.
Он напивался, сидел за столом с бутылкой,
стучал по столу и все повторял: беда, беда.
На меня это произвело впечатление. Я стала
думать, что, может быть, над нами и вправду
тяготеет какой-то рок из-за этой фамилии.
Вот я и стала Корой Ламенэр.

— Вам надо было взять фамилию Дюран
или Дюпон.

— Почему?

— Потому что это не имеет никакого
значения, что Дюран, что Дюпон. В фильмотеке я видел потрясающий фильм Фрица
Ланга «Проклятый».

— Это про любовь?

— Нет, совсем не про любовь. Сердце не
разрывается. Но эффект тот же. Чем меньше

говоришь о сердце, тем больше удается сказать по существу вопроса, когда вы видите, что происходит вокруг. Есть вещи, отсутствие которых так ярко видно, что солнце может смело спрятаться. Не знаю, видели ли вы фотографию канадского охотника, который замахивается дубинкой на новорожденного тюленя, а тот смотрит на него и ждет удара? Скажите, это сентиментальность?

И тут она проделала нечто, что заставило бы меня покраснеть до корней волос, не будь здесь такого шума, который все притуплял. Она взяла мою руку и поднесла ее к своим губам, поцеловала и прижалась к ней щекой. К счастью, поставили пластинку «Love me so sweet» Стига Уэлдера, она эмоциональней любой другой, а барабан там бьет так громко, что ни думать, ни что-либо чувствовать просто невозможно. Мадемуазель Кора все еще прижимала мою руку к своей щеке, но я ничего не слышал, кроме барабанной дроби. Ту, что отбивал Стиг Уэлдер, а не мое сердце.

— Мадемуазель Кора, если я когда-нибудь прославлюсь, то стану Марсель Беда. На афише будет эффектно выглядеть.

— А почему не Жан?

— Жан очень быстро превращается в Жанно.

Освещение в баре все время меняло цвета, оно было то синим, то лиловым, то зеленым, то красным, и у всех здесь сидящих лица стали разноцветными, как у мадемуазель Коры из-за избытка косметики. Она ею явно злоупотребила. Подошел официант, она заказала, не колеблясь, шампанское, и официант посмотрел на меня, словно желая узнать, что я об этом думаю, а я подмигнул ему с улыбкой, как бы говорящей: не я, мол, плачу, приятель. И у нас на столике тут же появилась бутылка «Кордон руж» [1] в ведерке со льдом, а мне только *это и было нужно*. Половина девчонок и пацанов знали меня, и мне казалось, что я слышу, как они говорят: «Что ж, Жанно, похоже, ты нашел золотую жилу». Клянусь, так и слышу.

Я снял куртку, настолько было жарко. Вообще-то я не курю, но тут мне захотелось, и я потянулся к пачке мадемуазель Коры, но она сама вынула сигарету, прикурила и сунула мне в губы. Конечно, мне до лампочки, но в шестьдесят пять годочков этого уже не делают. Работало шампанское.

— Не думай, что я про тебя забыла, Жанно. Я тобой занимаюсь. Я звонила продюсерам, агентам, я еще знаю многих людей...

---

[1]  Марка дорогого шампанского.

Она пыталась убедить меня в том, что я с ней не теряю время даром. Она не переставала говорить о моей внешности, я якобы обладаю тем животным магнетизмом, которого так не хватает французскому кино. Она говорила без умолку, а так как столики в этом баре были тесно сдвинуты, недостатка в слушателях не было. Мне наплевать, что меня сочтут смешным, но это вовсе не значит, что я готов стать посмешищем.

— Мадемуазель Кора, я вас ни о чем не прошу.

— Я знаю, но нет ничего прекраснее, чем помочь другому завоевать успех. Я так понимаю Пиаф, которая столько сделала для Монтана и Азнавура.

У мадемуазель Коры был красивый голос, хотя и не без некоторой хрипоты. Наверное, она была очень чувственной. Я внимательно смотрел на нее, пытаясь вообразить, какой она была в молодости. Мне представлялось небольшое личико а-ля Гаврош, усеянное веснушками, с тонкими забавными чертами и детской прядью волос, свисающей на лоб. Голос, видимо, мало изменился, он и сейчас веселый, энергичный, словно все вокруг изумляет ее и жизнь полна сюрпризов. Она была из тех, кого называют «маленькой женщинкой».

**165**

— Тебе не очень скучно со мной? У тебя такой задумчивый вид.

— Что вы, мадемуазель Кора! Это из-за грохота. Музыка диско, значит, гремят большие барабаны. От этих бесконечных бум-бум-бум в конце концов уши болят. Не пойти ли нам в более спокойное местечко?

— Я не испытываю недостатка в покое, Жанно. Вот уже тридцать лет, как я живу в полном покое.

— Почему вы так рано прекратили выступать, мадемуазель Кора? Тридцать лет назад вы были еще молоды.

Она не сразу ответила.

— О, да это уже не секрет,— сказала она в конце концов.— Уже давно об этом не говорят, все забыто, и слава Богу, но поскольку одновременно и меня забыли...— Она отпила немного шампанского.— Я пела во время оккупации, вот в чем дело.

— Ну и что? Все пели. Был даже фильм не так давно, со знаменитыми артистами...

— Да, но я-то не была знаменитой, поэтому вокруг меня легче было поднять шум. Это длилось не так уж долго, всего два или три года, но потом я заболела туберкулезом... еще три года вынужденного покоя. И с тех пор вот уже почти тридцать лет, как меня окончательно оставили в покое...

Она засмеялась своей шутке, и я тоже, как бы в знак того, что не принимаю всерьез ее слова.

— К счастью, у меня есть на что жить.

Она подчеркнула свою материальную обеспеченность.

— Надо стараться во всем находить хорошую сторону, мадемуазель Кора, хотя, правда, не всегда понятно, какая именно хорошая. В этом нет большой ясности.

— Пожалуйста, не называй меня все время мадемуазель Кора, говори просто Кора.

Она выпила еще шампанского.

— Мне никогда особо не везло в любви...

Этой темы мне совсем не хотелось касаться.

— В сорок первом году я безумно влюбилась в одного негодяя, совсем голову потеряла. Я пела тогда в ночном клубе на улице Лапп, а он был его управляющим. Три девчонки-проститутки работали на него, и я это знала, но что поделаешь...

— Беда!

У нее вырвался короткий смешок, похожий на птичий крик.

— Да, беда. Пути поэзии неисповедимы, а я была целиком в мире жанровой песни... Месье Франсис Карко сочинил лично для меня несколько таких песен. И этот тип с его физиономией апаша и наглыми повадками... Месье Карко иногда к нам заглядывал и говорил мне, чтобы я поостереглась, что не надо смешивать песни с жизнью... Но я все смешала, и так как он работал на Бони и Лафона и их всех расстреляли во время Освобождения, то ничего хорошего для меня из этого не получилось. Налей мне еще шампанского.

Она выпила и забыла обо мне. Я видел, что она всецело ушла в свое прошлое, несмотря на грохот барабана, потом повернулась ко мне и вдруг сказала:

— А знаешь, меня многие очень любили...

Она кинула мне эти слова с упреком, словно я был виноват перед ней в чем-то.

Она поставила свой бокал на стол.

— Пошли танцевать.

Играл медленный танец, она сразу же прижалась ко мне, но я видел, что она закрыла глаза и не я занимал ее мысли. Я крепко держал ее за талию, чтобы помочь ей вспоминать... Играли «Get it green» Рона Фиска, прожектора, чтобы создать атмосферу, тоже переключили цвет, и мы все были зелеными. Парня, который в «Слюше» был диск-жокеем, лучшим из всех, кого я знал, звали Цадиц, и все звали его Цад. На нем было облегающее трико с нарисованным фосфоресцирующими красками скелетом, лицо он прикрыл маской, изображающей череп, а на башку нахлобучил шапокляк. Он скрывал, что у него жена и трое детей, потому что это портило его репутацию. Панк по-английски значит «шпана», тип, для которого нет никаких ценностей, он перешагнул последнюю грань, ничто не имеет для него значения, он ничего не чувствует. Это как неприкасаемые в Индии, их ничто уже не в силах задеть за живое. Чак это называет отключкой или стоицизмом, когда уже решительно на все наплевать, поэтому в «Слюше» всегда можно встретить ребят, которые носят свастики и другие нацистские значки. Цад всем говорит, что на него работают шлюхи и что он уже отсидел в тюряге, но я встретил его как-то в саду Тюильри, младшего сына он нес на спине, а двух других держал за руки, и он сделал вид, будто не узнает меня. Я тоже иногда мечтаю быть последним подонком, таким, который уже ничего не чувствует. Есть ведь такие, которые убили бы отца и мать, чтобы отделаться от самих себя, чтобы потерять всякую чувствительность. Марсель Беда — вот псевдоним, который я возьму при первом удобном случае. Мне очень хотелось бы быть актером, потому что тогда вас все время принимают за кого-то другого, ваш внутренний мир скрыт от чужих глаз. Когда вы становитесь Бельмондо, Делоном или Монтаном, если говорить лишь о живых актерах, вы получаете полное право на анонимность, особенно если у вас настоящий талант и вы становитесь Бельмондо, Делоном или Монтаном по праву. Но в ответ на такое рассуждение Чак лишь пожимает плечами, он считает, что все эти попытки убежать от себя ни к чему не ведут, потому что жизнь вас все равно всегда догонит.

Мадемуазель Кора опустила голову мне на плечо, я ее нежно обнимал — ведь даже если этот ее тип был последним подонком и его расстреляли за дело, то с тех пор прошло уже тридцать лет, и если я мог ей помочь вспоминать, то не было никаких причин лишать ее этой радости. Но именно в эту минуту Цад поставил «See Red», свет в баре из зеленого стал красным, и вот тут-то мадемуазель Кора дала себе полную волю. Более быстрого ритма не бывает; закрыв глаза, она стала подпрыгивать на месте, вертеться, щелкать пальцами, сияя от счастья, но вместо того, чтобы вспоминать себя молодой и своего хахаля, она просто забылась. Было ли здесь дело в шампанском или в музыке, или она просто решила наверстать тридцать поте-

рянных лет, или все вместе взятое, но она
словно с цепи сорвалась. Ребятам вокруг нее
было не больше двадцати лет, но я оказался
не в силах ее удержать. Впрочем, дальше на-
смешливых улыбок и удивленных взглядов
дело не пошло бы, если бы этот негодяй Цад,
чтобы подтвердить свою репутацию, не направил бы на нее прожектор. Он потом мне
клялся, что сделал это не из подлости, а потому, что узнал ее. Он собирал старые пластинки и видел ее по телевизору, на фестива-
ле жанровой песни, и поэтому хотел привлечь
к ней внимание всех, кто был в баре, но я-то
уверен, что он это сделал только ради под-
тверждения своей репутации отпетого подонка, такого, на котором и пробы негде ста-
вить. Итак, он направил прожектор на мадемуазель Кору, и слепящий свет ударил ей
в лицо. Я сперва понадеялся, что он на этом
остановится, однако из-за выпитого шампанского, нахлынувших воспоминаний о восхи-
щении, которое она вызывала, и тридцати
потерянных годах, как только она почувствовала на себе луч прожектора и увидела,
что на нее обращены все взоры, ей и в самом
деле показалось, что она на сцене и владеет
залом, а это чувство, когда оно возвращается, должно быть, сильнее всего остального.
Одну руку она уперла в живот, а другую

**171**

подняла над головой и щелкала пальцами, будто кастаньетами — оле, оле! — я не знаю, что именно она танцевала, было ли это фламенко, пасодобль, танго или румба, да и она сама, скорее всего, этого не знала, но она принялась покачивать бедрами и вертеть задом, а учитывая ее возраст, ничего худшего с ней не могло случиться, а то, что она этого не понимала, делало ситуацию еще ужасней. Сравнить это можно только с жестокостью по отношению к животным. Вокруг раздались смешки, но не злобные, скорее от неловкости или растерянности. Но и это было еще не все. Внезапно она повернулась к Цаду и сделала ему какой-то знак, а этот негодяй тут же сообразил и остановил пластинку — он был счастлив, как последняя сволочь, ведь ему удается сделать настоящую пакость. В этот момент парень, сидевший неподалеку от нас, крикнул мне:

— Сказал бы своей бабуле, что это уж слишком.

Я повернулся было к нему, чтобы разбить ему рожу, но тут я услышал голос мадемуазель Коры по микрофону:

— Эту песню я посвящаю Марселю Беда.

Эти слова меня просто парализовали. Я еще не был Марселем Беда, и это имя вообще знали только она да я, но у меня одеревенели все мышцы, я превратился в соляную статую, так это, кажется, называется.

Мадемуазель Кора сжимала в руке микрофон, а Цад подскочил к пианино. Мои губы скривились в насмешливой улыбке, я всегда прикрываюсь этой улыбкой, когда нет выхода из положения.

> Ай да персики в корзинке
> У красотки аргентинки!
> Подходите, не зевайте,
> Что хотите выбирайте.

Не знаю, сколько минут она пела эту песню. Наверное, меньше, чем мне показалось, потому что в таких случаях время всегда играет с нами злые шутки. Мне показалось, лет тридцать.

> Шальная подружка
> Шепнет вам на ушко:
> «Попробуй, как сладко,
> Как кожица гладка,
> И кончик тугой
> Под нежной рукой».

Когда она пела «кончик тугой», то делала жест рукой, словно касаясь его.

Подонок в желтой рубашке, что сидел поблизости от нас, снова заорал, глядя на меня:

— Хватит! Мы хотим танцевать!

— Не надо мешать артистам,— так я ему сказал.— С тобой ничего не случится, если ты немного подождешь. А потом ты у меня еще запляшешь, обещаю!

Он шагнул в мою сторону. Сидевшая с ним девчонка, у которой сиськи были в два раза больше обычного, удержала его.

— Я не собираюсь тебе мешать зарабатывать себе на жизнь, альфонсик,— сказал он мне.— Но мотай отсюда.

Мне так захотелось дать ему в глаз, что я даже испытал некоторое удовлетворение от того, что сумел сдержаться. Всегда получаешь большое удовольствие, когда удается сдержаться.

Тем временем мадемуазель Кора допела песню, и ей от всего сердца зааплодировали: можно будет снова танцевать. Даже Цад, видно, испугался, что она еще будет петь, потому что поторопился поставить пластинку и сам пригласил мадемуазель Кору на танец. А ребят тоже можно понять: они заплатили по сорок франков каждый, чтобы тут посидеть и потанцевать, а не для того, чтобы помочь ей отдаться своим воспоминаниям.

Цад мигом переключил свет на зеленый, и его совсем не стало видно, только в полутьме маячили его фосфоресцирующий скелет и шапокляк, пока он танцевал с мадемуазель Корой, крепко сжимая ее в объятиях, чтобы она только не начала снова изображать звезду.

Мадемуазель Кора ликовала. Она откинула голову, прикрыла глаза и напевала про себя, а этот подонок Цад наклонял над ней свой фосфоресцирующий скелет и свой череп с нахлобученным шапокляком. Рон Фиск орал «Get it green» своим голосом аншлюса. Я, правда, точно не знаю, что значит слово «аншлюс», но тщательно храню его в памяти, чтобы вставить, когда надо обозначить что-то, не имеющее названия.

Я пошел к стойке и хлопнул две рюмки водки, краешком глаза я видел, что Цад отвел мадемуазель Кору на ее место и даже поцеловал ей руку, чтобы показать, что он обучен хорошим манерам, о которых теперь забыли. Я тут же побежал назад, наступал мой черед. Мадемуазель Кора стоя допивала шампанское.

— Все, хватит, мадемуазель Кора, мы пошли.

Она тихонько покачивалась, и мне пришлось ее поддержать.

— Не могли бы мы пойти куда-нибудь, где танцуют яву?

— Я не знаю, где ее танцуют, да, по правде говоря, и знать не хочу.

Я жестом подозвал официанта, и, когда он подошел, она попыталась заплатить. Я этого не хотел, однако справиться с ней не смог. Она очень настаивала, и я снова понял, что она меня принимает за того, за своего дружка в годы оккупации. Она, видно, привыкла тогда платить за этого подонка, которого любила, и теперь настаивала как бы в память о нем. В конце концов я сдался, я не хотел лишать ее удовольствия.

— У меня кружится голова...

Я взял ее под руку, и мы двинулись к выходу. Проходя мимо микрофона, она замедлила шаг, улыбнулась, как провинившийся ребенок, но я удержал ее — уф! — слава Богу, мы вышли на улицу. Я усадил ее в свое такси.

— Извините, мадемуазель Кора, я забыл кое-что на столике.

Я снова вошел в бар и, пуская в ход локти, протиснулся среди танцующих к типу, вякнувшему: «Сказал бы своей бабуле, что это уж слишком» и «Я не собираюсь мешать тебе зарабатывать себе на жизнь, но мотай отсюда». Парень был из того же теста, что и я, причем отменный экземпляр, крепко скроенный, сразу видно, такому палец в рот не клади, спуску никому не даст, да еще и волосы у него были такие же светлые, как у меня, и это сходство еще больше меня раззадорило, выходит, дважды стоило свести с ним счеты. Он попытался было врезать мне первый, но я так ловко дал ему в глаз, что с тех пор, когда приходится кого-либо бить, такого удовольствия я уже никогда больше не испытываю — как известно, живешь только раз. Правда, я тоже получил несколько оплеух, потому что он был с приятелем из Магриба, и из-за этого я не мог дать тому сдачи, я ведь не расист, если не хочешь быть сволочью, драться можно только с французами.

Когда я уже собрался выходить, я увидел, что мадемуазель Кора не осталась сидеть в такси, она пошла за мной и пыталась вновь взять микрофон, но Цад не давал ей его, и хозяин заведения тоже вмешался и схватил ее сзади. Конечно, она одна выпила всю бутылку шампанского, но дело было не только в этом, словно вся ее пропащая жизнь вновь захватила ее и бороться с этим было свыше ее сил. На меня это произвело такое сильное впечатление, что я совсем перестал ее стыдиться. К тому же, если тебе удалось кого-то как следует избить, чувствуешь себя всегда лучше. Цад держал микрофон на вытянутой руке, а хозяин, Бенно, волок мадемуазель Кору к двери, и все, кто танцевал на площадке, смеялись — таковы уж были здешние завсегдатаи и такова была эта танцплощадка. Короче, жалкое заведение. Я был в отличной форме. Когда я поравнялся с Цадом, он крикнул мне, ничуть не стесняясь присутствия мадемуазель Коры:

— Чтобы духа твоей Фреель [1] здесь больше не было, хватит!

Я по-свойски положил ему руку на плечо:

— Дай ей еще раз спеть.

— О нет, здесь тебе не благотворительная программа для ветеранов, черт возьми!

Тогда я повернулся к Бенно и поднес ему к носу кулак, и он сразу высказался в пользу исторического компромисса:

— Хорошо, пусть споет еще раз, а потом вы мотаете отсюда, и чтобы ты сюда больше ни ногой.

И он сам объявил:

— По всеобщей просьбе в последний раз поет знаменитая звезда эстрады.

Он обернулся ко мне. Я подсказал ему ее имя.

Цад наклонился над микрофоном:

— Кора Ламенэр.

Раздалось шиканье, но его заглушили аплодисменты, хлопали главным образом девушки, им было неловко за нее.

Мадемуазель Кора взяла микрофон.

[1]    Французская певица 20-х годов.

Ее осветили прожектором, и Цад встал позади нее. Он снял с головы свой шапокляк, прижал его к сердцу и стоял так, склонившись за спиной мадемуазель Коры, словно отдавая дань ее былой славе.

— Я спою для человека, который здесь присутствует...

Снова раздались шиканье, и свист, и аплодисменты, но скорее просто из желания приколоться. Они и слыхом не слыхали про Кору Ламенэр, но, вероятно, подумали, что это имя известное. Правда, один парень заорал:

— Мы хотим де Фюнеса! Мы хотим де Фюнеса!

А другой крикнул:

— Верните деньги, верните деньги!

Но на них зашикали, и мадемуазель Кора запела, и надо сказать, что голос был лучшее, чем она обладала.

> Не навек, не жди,
> Крошка-милашка,
> Не навек, не жди,
> ла-ла, ла-ла,
> Сладкие деньки,
> Жаркие ночки,
> Коротки денечки,
> Крошка-милашка,
> Ночки-денечки
> Так коротки...

На этот раз ее слушали в полном молчании. Лицо ее было освещено белым лучом прожектора, всю ее можно было разглядеть во всех подробностях, и было что-то значительное в ее облике, ничего не скажешь. Если долгие годы чем-то занимаешься, то это умение не теряешь. Я стоял рядом с толстяком Бенно, он обливался потом и все время вытирал лоб платком, а Цад, стоя сзади, склонился своим скелетом над мадемуазель Корой. Мадемуазель Кора повернулась ко мне, протянула руку в мою сторону, и, когда я услышал слова ее песни, единственное, что мне оставалось, чтобы отвлечь от себя внимание, это улыбнуться.

> Милый ангел нежданный,
> Белокурый и странный,
> Улыбается мне.
> И светлы его очи,
> Точно белые ночи
> В чужедальней стране...

Вдруг она умолкла. Я не понял, допела ли она песенку до конца или прервала пение, потому что забыла слова или по каким-то другим причинам, которых я не знал, да и не должен был знать, а знала только она. На этот раз она удостоилась настоящих аплодисментов, а не таких, как в первый раз, для проформы. Я тоже хлопал вместе со всеми, и все на меня смотрели. А Бенно ей даже руку поцеловал, но при этом не забывал деликатно подталкивать ее к выходу, все повторяя, чтобы доставить ей удовольствие:

— Браво, браво! Примите мои поздравления. У вас был триумфальный успех. Это все на моей памяти. Великая эпоха! Табу, Греко, Красная Роза! Я думал, вы были еще куда раньше!

И от облегчения, которое он испытал от того, что они были уже у самого выхода, ему захотелось переплюнуть самого себя:

— Ах, если бы можно было соединить на одной афише Пиаф, Фреель, Дамиа и вас, мадемуазель...

Он снова оказался в трудном положении.

— Кора Ламенэр,— подсказал я ему.

— Да, да, Кора Ламенэр... Есть имена, которые нельзя забыть!

И он даже пожал мне руку, настолько он был за исторический компромисс.

Наконец мы оказались на улице.

# Глава XVIII

Я поддержал мадемуазель Кору, которую шатало скорее от волнения, чем от выпитого шампанского.

— Уф! — вырвалось у нее, и она схватилась рукой за сердце, чтобы показать, что задыхается.

Она поцеловала меня, потом откинулась назад, не снимая своих рук с моих плеч, чтобы получше меня разглядеть, поправила мне волосы — все это она сделала ради меня и теперь хотела убедиться, что я ею горжусь. В эту минуту она была похожа на расшалившуюся девчонку, которая знает, что вела себя не так, как надо, и мне очень захотелось дать ей оплеуху, я едва сдержался. Чак говорит, что чувствительность — одна из десяти казней египетских.

— Вы были потрясающи, мадемуазель Кора. Жаль не выступать, имея такой голос.

— Молодежь утратила этот навык. Теперь поют по-другому. Они орут, и все.

— Им необходимо орать, более чем необходимо, мадемуазель Кора.

— Я думаю, что настоящая песня еще вернется. Надо запастись терпением и научиться ждать. Она вернется. Для меня все остановилось на Превере. Марианн Освальд первой стала его петь, это было в тридцать шестом.

И она запела:

> Хмельна
> Волна
> Вина...

Я прикрыл ей рот рукой, но ласково. Она весело засмеялась, потом глубоко вздохнула и вдруг стала грустной.

— Превер умер, и Раймон Кено тоже, а вот Марианн Освальд все еще жива, я видела ее на днях в ресторане «Лютеция»...

Никогда еще не встречал человека, который бы знал столько имен, мне совершенно неизвестных. А потом она добавила с упрямым видом:

— Жанровая песня все равно вернется. В нашей профессии надо уметь ждать.

Я усадил ее в такси и поехал на большой скорости. Она молча глядела вперед. Я поглядывал время от времени на нее, ожидая, что это случится: она плакала. Я взял ее за руку, не зная, что сказать.

— Я была посмешищем!

— Вовсе нет, что это вам взбрело в голову!

— Мне очень трудно привыкнуть к моему теперешнему положению, Жанно.

— Все еще вернется, мадемуазель Кора, просто вы сейчас попали в плохой период, но надо уметь ждать. Все в какой-то момент попадали в плохие периоды, с вашей профессией это неизбежно.

Она меня не слушала. Она еще раз повторила:

— Мне очень трудно привыкнуть к моему теперешнему положению, Жанно.

Я едва не сказал, что согласен с ней, что возраст не знает жалости, но было лучше дать ей выговориться.

— Слишком рано начинается молодость, к ней привыкаешь, Жанно, а потом, когда тебе стукнет пятьдесят и надо менять привычки...

Она была вся мокрая от слез. Я открыл ее сумочку, вынул платок и дал ей его. Аргументов у меня больше не было. Я готов был сделать для нее что угодно, буквально что угодно, потому что это было не личное чувство, а куда большее, куда более общее, что-то касающееся порядка вещей в мире.

**184**

— Неправда, что мы стареем, Жанно, но люди требуют этого от нас. Нас заставляют играть эту роль, не спрашивая нашего мнения на этот счет. Я была посмешищем.

— Нам на это наплевать, мадемуазель Кора. Если ты не имеешь права быть в какой-то момент посмешищем, то и жизни нет.

— Третий возраст, так они это называют, Жанно.

Она помолчала. Я сделал бы для нее все что угодно.

— Это очень несправедливо. Если ты музыкант, играешь на пианино или скрипке, то можешь этим заниматься до восьмидесяти лет, но если ты женщина, то прежде всего и все время имеешь дело с цифрами. Тебя вычисляют. Да, и первое, что делают с женщиной, это ее обсчитывают.

— Это изменится, мадемуазель Кора. Надо уметь ждать.

Но у меня не хватало нужных доводов. И чтобы врать, надо быть оптимистом.

— Правда, что годы берут нас в залог, мадемуазель Кора. Но вы не должны позволять себе привыкать к этому. Послушайте, Жанна Либерман написала книгу в самозащиту: *«Старости не существует»* в серии «Прожитое». Заглавие говорит само за себя, эта женщина в свои семьдесят девять лет кидала нож. В семьдесят втором году имела черный пояс айкидо и занималась кун-фу, а в восемьдесят два года она увлекалась восточными единоборствами. Можете сами навести справки. Об этом писали в газете «Франс-суар».

Она продолжала плакать, но вместе с тем и улыбалась.

— Ты чудной парень, Жанно. И на редкость милый. Никогда не встречала такого. Мне с тобой очень хорошо. Надеюсь, ты это делаешь не только по долгу службы в вашем SOS.

Не знаю, что она имела против Телефона доверия, но она снова начала рыдать. Может быть, оттого, что шампанское перестало действовать и она снова оказалась одна. Я сжал ей руку.

— Мадемуазель Кора, мадемуазель Кора,— твердил я.

Она прислонила голову к моему плечу.

— Женщине так трудно остаться молодой...

— Мадемуазель Кора, вы вовсе не старая. Сегодня шестьдесят пять лет, со всеми новыми средствами, которыми располагает медицина, это не то, что прежде. Даже социальное страхование вам платит в случае болезни. Теперь ведь на Луну летают, черт подери...

— Все кончено, все кончено...

— Вовсе нет. Что кончено? Почему кончено? Есть знаменитое высказывание, которое гласит: пока жизнь не угасла, есть надежда. Надо, чтобы вам написали новые песни, и вас окружат поклонники.

— Я не об этом говорю.

— Де Голль был королем Франции в восемьдесят два года, а мадам Симона Синьоре, которой примерно столько же лет, сколько вам, сыграла главную роль в каком фильме? «Вся жизнь впереди». Да, «Вся жизнь впереди», мадам Синьоре около шестидесяти, и она получила «Оскара», настолько это было правдиво. У нас у всех жизнь впереди, даже у меня, хотя у меня на этот счет нет никаких претензий, клянусь вам.

Я нежно прижал ее к себе, обняв за плечи,— надо уметь себя ограничивать. Впрочем, руки всегда оказываются короче, чем надо. Мне это было даже приятно, я интересовался одним существом, а не всеми истребляемыми животными особями!

— Вы ничего не подписали, мадемуазель Кора. Вы не поставили своей подписи, вы не давали вашего согласия на тот возраст, который вам дает жизнь.

— Надо быть вдвоем,— сказала она.

— Вдвоем или в группе из тридцати человек, как угодно.

— Группа из тридцати человек! Какой ужас!

— Это не я, а радио и телек советуют заниматься этим группами по тридцать человек, мадемуазель Кора.

— Что ты несешь, Жанно? Этого не может быть!

— Если этим заниматься индивидуально, каждый сам по себе, то получился бы настоящий бордель. Ведь надо очистить половину Бретани.

— А, ты говоришь о пролитой нефти...

— Да. Я тоже хотел бы туда поехать, но не могу же я везде быть одновременно. А там у них тысячи добровольцев да еще пять тысяч солдат в помощь.

Одной рукой я обнимал ее за плечи, а другой вел машину, но улицы были пустынны и опасности никакой не было. Она больше не плакала, но шея моя была совсем мокрая от ее слез. Она сидела совсем неподвижно, словно нашла наконец место, где ей было хорошо, и боялась его потерять. Лучше было с ней не разговаривать, чтобы не потревожить. Это было то мгновение, когда кошка начинает мурлыкать. Самое несправедливое для меня здесь то, что есть люди, которые, говоря о ней, сказали бы «старая кошка». Все огни ночью кажутся оранжевы-

ми, но я ехал очень медленно, словно она
меня об этом попросила. Никогда еще не
слышал, чтобы женщина так громко молчала. Когда я был мальчишкой, я тоже выкопал
в саду небольшую яму и бегал туда прятать-
ся, а голову накрывал одеялом, чтобы оказаться в темноте,— я играл в игру «мне хорошо». Именно этим занималась мадемуазель
Кора, когда утыкала свое лицо мне в шею
и обнимала меня,— играла в то, что ей хорошо. Это чисто животное чувство. Таким образом согреваешься, и одно это не так уж
плохо. Впервые я прижимал к себе даму
в возрасте. В этом есть какая-то ужасная
несправедливость — ведь для остального все
предусмотрено, известно, что делать, если
мучает жажда, голод, желание уснуть, а тут
словно природа забыла про самое важное.
Это то, что называют «черными дырами»,
которые, по сути, являются своего рода дырами памяти, забвением, в то время как свет
гонит сон, вода утоляет жажду, фрукты при-
глушают голод. К этому надо еще добавить,
что в нас сильна привычка слушаться, быть
подчиненными, старая женщина и есть старая женщина, она должна это принимать
как данность, и за ней нет никакой закон-
ной силы. Даже я, ощущая дыхание мадемуазель Коры на своей шее и прикосновение

ее щеки и ее руки, обхватившие меня, весь
одеревенел, чтобы она не подумала, что я
отвечаю на ее жесты, я был смущен потому,
что ей было шестьдесят пять лет, что и говорить, черт возьми, это было проявлением
жестокости по отношению к животным
с моей стороны. Когда у вас есть старая собака, которая подходит к вам, чтобы вы ее при-
ласкали, то это считается в порядке вещей,
все это ничуть не смущает, но когда мадемуазель Кора прижимается ко мне, у меня
возникает отвращение, словно ее цифровое
выражение превращает ее из женщины
в мужчину, а я испытываю неприязнь к го-
мосексуализму. Я почувствовал себя настоящей сволочью, когда она меня поцеловала
в шею, маленький торопливый поцелуй,
словно с расчетом на то, что я его не замечу,
и у меня кожа покрылась мурашками от ужа-
са, это мое рабское послушание, тогда как
наш первый долг — отказываться принимать
определенные вещи и идти против природы,
если природа подсовывает нам цифровые
условности, количество лет, которые она от-
мечает на грифельной доске, старость или
смерть, а это запрещенный прием. Я хотел
повернуться к ней и поцеловать ее в губы
как женщину, но я был заблокирован, а ведь

в России, говорят, даже мужчины целуются в губы, не испытывая отвращения. Но этот обычай уходит, видно, в глубь веков, это генотип. Словом, наследственные гены. И нечего тут кричать: «К оружию, граждане!», природе на это наплевать, ее не испугаешь дурацкими надписями на стенах. Мною с такой силой овладела потребность протеста, решительного отказа подчиниться, что я весь напрягся. Я остановил такси, заключил мадемуазель Кору в свои объятия, словно это был не я, а кто-то другой, и поцеловал ее в губы. Я сделал это не ради нее, а из принципа. Она прижалась ко мне всем телом и то ли вскрикнула, то ли зарыдала, никогда не знаешь, может, это на грани отчаяния.

— Нет, нет, не надо... Мы должны быть разумны...

Она слегка откинулась назад и гладила меня по волосам, а тут еще ее косметика, выпитое шампанское и весь тот урон, который нанесла жизнь, пройдясь по ней, а от волнения, которое охватило ее в эту минуту, она постарела еще на десять лет, и я торопливо прилип губами к ее губам, только бы не видеть. Это опять приступ сентиментальности, в духе того, что я испытал из-за той фотографии норвежского или канадского убийцы, замахнувшегося дубинкой над головой детеныша тюленя, который глядит на него,— у нее был тот же взгляд.

— Нет, Жанно, нет, я слишком старая... Это уже невозможно...

— Кто это решил, мадемуазель Кора? Кто издал такой закон? Время — изрядная дрянь, его власть во где сидит!

— Нет, нет... нельзя...

Я поехал дальше. Она рванулась ко мне, снова уткнула свое лицо мне в плечо, и каждый вздох давался ей с невероятным трудом, словно она боролась за него с воздухом. Маленькая девочка, которую загримировали и переодели в старуху и которая не понимает, как это сделали, когда и почему. Ужасно стареть только внешне.

Теперь она плакала уже тихо, от меня она отодвинулась и плакала одна в темноте, как это обычно и бывает.

Газета права, когда требует отмены одиночек.

Я поставил такси на тротуар. В лифте она пробормотала:

— Я, наверно, жутко выгляжу.

А потом она совершила некий поступок. Я знал, что ей необходимо себя как-то защитить. Она открыла сумочку, вынула оттуда три купюры по сто франков и протянула их мне.

— Возьми, Жанно. У тебя были расходы.

Я едва не рассмеялся, но она придерживалась правил своих жанровых песен. Сутенер, перо, африканские батальоны, Сиди-бель-Аббес, легионер, запах раскаленного песка. Не знаю, что пели Фреель и Дамиа, но я постараюсь выяснить. Я взял бабки... Мадемуазель Кору необходимо было успокоить. Если я беру деньги, то все в порядке. Она чувствовала почву под ногами.

Она даже не успела зажечь свет, я обнял ее, и она тут же забормотала «нет, нет» и еще «сумасшедший» и всем телом прижалась ко мне. Я ее не раздел, так было лучше, я приподнял ее и понес в спальню, ударяясь о стены, бросил на кровать и дважды подряд, без перерыва, овладел ею, но на самом деле не только ею, но всем миром — потому что вот оно, бессилие перед порядком вещей. И я почувствовал себя совершенно опустошенным от несправедливости и гнева. Некоторое время она еще стонала, а потом совсем утихла. Во время нашей близости она выкрикивала мое имя, очень громко, и еще «мой дорогой, мой дорогой, мой дорогой», она думала, что это относится лично к ней, но на самом деле это было что-то гораздо большее. Когда она умолкла и уже не двигалась и признаком жизни оставалось лишь ее слабое дыхание, я продолжал ее нежно сжимать в объятиях и искать ее губы и сам не знаю почему, но вспомнил слова Чака о том, что повсюду есть могилы Христа, которые надо освободить. Мы лежали в темноте, поэтому мадемуазель Кора была красивой и молодой, в моих объятиях, в моей душе, в моем сознании ей было восемнадцать лет. Я думал также о царе Соломоне, который в восемьдесят четыре года с высоко поднятой головой шел к ясновидящей, чтобы показать, что нет границ нашей жизни. Я чувствовал, как тело мадемуазель Коры бьет крылами, как птица в бухте, залитой нефтью, которую я видел по телеку,— она тщетно пыталась взлететь. Повсюду убивают, а я не могу быть везде в одно и то же время. Ваш номер не отвечает. Плевать я хотел на камбоджиек, их всех все равно нельзя перетрахать. Марсель Беда, бывший Жанно Зайчишка. На парижских улицах собирают деньги в помощь голодающим в «третьем мире». Чак говорит, что они никогда не убьют Альдо Моро, это было бы слишком литературно. Prima della Revolutione [1]. Надо стать настолько киноманом, чтобы уничтоженные виды животных были бы для тебя всего лишь зрелищем. Они придумали акулу

---

[1]    Перед революцией (*ит.*).

в фильме «Челюсти», чтобы зло творил кто-то другой, а не мы, виновата была на этот раз акула, а не мы. Царь Соломон ошибся этажом. Нужно было телефон вовремя установить в доме на сто миллионов этажей, а коммутатор должен был бы быть в сто миллионов раз мощней. Но ваш номер не отвечает. Я ласкал мадемуазель Кору, снова и снова, так нежно, что и вообразить нельзя. Наконец что-то было в моей власти. Чак говорит, что не надо впадать в отчаяние, потому что в каждом человеке спрятано человеческое существо и рано или поздно оно проявится. Потом я помог ей раздеться, снять платье и остаться голой, даже когда она зажгла свет, потому что я смелый. Я чувствовал себя гораздо спокойнее, чем до этого, когда она бормотала «о да, дорогой», «да, да, сейчас», «да, да, я люблю тебя», и вовсе не из-за этих слов, которые ничьи и все же подтверждают твое присутствие, а из-за ее голоса, который свидетельствовал о том, что она совсем потеряла голову. Я никогда еще никого не делал таким счастливым. Мой отец мне рассказывал, что во время оккупации во всем испытывали недостаток, но на черном рынке можно было достать любую вещь. Говорили «на черном», чтобы подчеркнуть, что это было нелегально, никто не

**195**

имел на это права. Мадемуазель Кора не имела права быть счастливой из-за грифельной доски на спине, где значился ее возраст, но она все-таки была счастлива «по-черному».

— Что такое? Почему ты смеешься?

— Ничего, мадемуазель Кора, просто получается, что мы с вами промышляем на черном рынке...

Но она была слишком взволнована, чтобы смеяться.

— О, не обращайте внимания, мадемуазель Кора, мне хорошо, и в голову лезет всякая чушь...

— Правда? Тебе правда хорошо со мной?

— Конечно.

Она снова погладила меня по волосам.

— Я сделала тебя счастливым?

Тут, честно говоря, у меня глаза на лоб полезли, потому что это уж все же чересчур.

— Конечно, мадемуазель Кора.

Она несколько оживилась, и рука ее стала меня искать, словно она хотела мне доказать, что она мне нравится, а потом она вся целиком этим занялась, нервно, словно впала в панику, и ей было необходимо насчет чего-то успокоиться. Я ее успокоил. Когда девчонка, не имеющая никакого опыта, хочет себе доказать, что она вам нравится, это всегда волнует, а у мадемуазель Коры уже не было никакого опыта. Она все делала крайне неуклюже и судорожно, словно надвигалась катастрофа. Нет ничего более несправедливого, чем женщина, боящаяся, что она утратила свою сексапильность. Все эти мысли им вдалбливают в голову из-за законов рынка, от которых они зависят. Она снова протянула руку в темноту, и тогда я тут же снова начал заниматься с ней любовью, чтобы мучительная пауза не затянулась, не мог же я встать и уйти, бросить ее одну: мол, извините, я лишь заглянул к вам. Я не мог стереть надпись с ее грифельной доски, но ей нечего было извиняться и чувствовать себя виноватой в этом. Счетоводство в бухгалтерских книгах природы выглядит фальшиво. А фальшивки и их употребление должны быть в компетенции судов и прочих высших инстанций. Чак тысячу раз прав, когда говорит, что все это из области эстетики и что женщина может себе позволить иметь увядшую кожу, обвисшую задницу и пустые груди только в искусстве, а в жизни все это ей приносит всегда вред в силу Декларации прав человека. Мадемуазель Кора прилипла губами к моим губам и снова принялась бормотать «мое обожаемое сокровище», «чудо мое, любовь моя», и это было скорее трогательно и согревало сердце, нынешние

**197**

девчонки никогда тебе не скажут «обожаемое сокровище» или «чудо мое, любовь моя». Поэзия теперь стала другой. Потом она еще долго лежала совершенно неподвижно, словно мертвая, но при этом держала мою руку в своей, чтобы, видимо, быть уверенной, что я не улечу. А ей надо было бы знать, что удирать — это не в моем стиле. Это как царь Соломон, который весь обращен в будущее и смотрит ему прямо в глаза и даже сшил себе костюм, которому пятьдесят лет не будет сносу, он спокоен, не знает страха, и когда он говорит: «Мы не знаем, что нам предстоит в будущем», то улыбается от радости, так как знает, что предстоит одно хорошее. Тишина стояла такая, что даже шум машин с улицы не нарушал ее. Бывают же такие хорошие минуты, когда никто ни о ком не думает и на всем свете царит мир. Я был исчерпан, и это всегда уменьшает тревогу. Недаром говорят о пользе физической нагрузки, о благостном воздействии тяжелой работы. Мой отец мне говорил: «Если ты каждый день вкалываешь восемь часов в шахте...» Профессия шахтера — это не просто так...

Она встала, чтобы пойти в ванную комнату — иногда это бывает необходимо. Я протянул руку, чтобы зажечь свет, чего ради оставаться в потемках.

— Нет, нет, не зажигай...

Я зажег. Не ее это вина, черт возьми, ей незачем чувствовать себя виноватой. Это была маленькая лампочка с оранжево-красно-розовым абажуром, но я смотрел бы на нее с не меньшей нежностью, если бы зажег прожектор. Никогда не видел восемнадцатилетнюю девчонку, по которой проехалось время, время — самый беспощадный враг травести.

— Не смотри на меня так, Жанно.

— Почему? Это в правах человека.

Единственное место, где она допустила промашку, это низ живота. Он был совсем серый. Понадобилось несколько секунд, чтобы я понял, в чем дело: она не покрасила там свои волосики, оставила их седыми, потому что потеряла надежду. Она говорила себе, что, так или иначе, никто их никогда больше не увидит.

Я тут же вскочил, сжал ее в своих объятиях и немного побаюкал. Потом пошел пописал и оставил ванную комнату в ее распоряжении. Я взял из ее сумки сигарету и снова лег. Я чувствовал себя хорошо. Спальня мадемуазель Коры была очень женственной. Большой черно-белый полишинель, обычно лежавший на кровати, упал на пол. Я поднял его. Сложить его можно было как угодно. Стены были разрисованы цветами, и повсюду глаз натыкался на разные мелкие предметы вроде тех, что можно увидеть в витрине магазина подарков. В кресле сидел плюшевый мишка коала с широко расставленными лапами. В комнате висели настоящие картины, на которых были изображены кошки и деревья, а также фотография ведущего какого-то ревю с девицами, задирающими ноги; на ней было написано: «Моей большой девочке». А еще я увидел фотографии Ремю, Анри Гара и Жана Габена в фильме «Лик любви». Настоящий музей. На стене напротив кровати висела большая фотография мадемуазель Коры в рамке из черного бархата. До чего же она была тогда молодой и красивой! Однако узнать ее было легко, было семейное сходство между фотографией и ею теперешней, наверное, не один мужик вздыхал по ней, но досталась она в конце концов мне.

Лампочка у кровати освещала все мягким светом, и мне это было приятно. Я часто говорил Тонгу, что мы могли бы совершить небольшое усилие и как-то обставить нашу конуру, вместо того чтобы делать вид, что это не имеет никакого значения. В магазинах выставлено много красивых ламп, и нет причины обходиться без них.

Мадемуазель Кора вошла в спальню. На ней был розовый пеньюар с оборками. Она села на край кровати, и мы взяли друг друга за руки, чтобы убедиться, что мы здесь.

Косметику она сняла. Между ее лицом и лицом других женщин теперь не было большой разницы. Без косметики было, пожалуй, лучше, как-то более доверительно. Все было видно. Стояла подпись. Жизнь любит больше всего оставлять на всем свой автограф.

— Хочешь чего-нибудь выпить?

Черт подери, неужели она опять начнет предлагать сидр?

— Если у вас есть кока...

— Нету, но обещаю, что в следующий раз будет...

Я помолчал. Конечно, я еще приду к ней. Собственно, нет оснований... Я надеялся, что мы останемся друзьями.

— Выпьешь немного сидра?

Видно, это у нее что-то религиозное.

— С удовольствием, спасибо.

Мадемуазель Кора пошла на кухню, а я вдруг впал в отчаяние. Захотелось все бросить и бежать отсюда со всех ног, все это бессмысленно.

Я отправился в ванную комнату и выпил воды из-под крана.

Когда я вернулся в комнату, там уже была мадемуазель Кора с бутылкой сидра и двумя стаканами на подносе. Она разлила сидр.

— Вот увидишь, Жанно, все у нас получится.

— Я не большой поклонник проектов на будущее.

— У меня еще сохранились связи. Я знаю немало людей. Необходимо, чтобы ты брал уроки. Пение и немного танца. Что касается дикции, то мы ее менять не будем. Ты говоришь как раз так, как надо: грубовато, как хулиган, но ярко, находчиво... Одним словом, говор улицы. Если сравнить тебя с теми, кого мы теперь видим в кино или по телевизору, то сразу понимаешь, что ты настоящая находка. Есть еще Лино Вентура, но он уже совсем немолод. А что до певцов, то нет ни одного, который походил бы на настоящего мужчину. Это место вакантно, ты можешь его занять — у тебя все есть для этого.

Она не переставала говорить, словно боясь, что может меня потерять. Первое, что необходимо сделать, это поместить мою фотографию в справочнике актеров. Она этим займется.

— Мне всегда хотелось кем-нибудь заняться, помочь стать настоящей звездой. Вот увидишь.

— Послушайте, мадемуазель Кора, вы не должны давать мне гарантии. Мне на это плевать. Вы и представить себе не можете, до какой степени мне плевать. Не так уж мне хочется быть актером, просто мне совсем не хочется быть самим собой, слишком велика нагрузка, и прежде всего...

Я чуть было не сказал, что это я займусь вами, но это прозвучало бы слишком покровительственно. Я встал, и она сразу испугалась, что, может быть, видит меня в последний раз. Она ничего не понимала. Решительно ничего. И именно это и называют инстинктом самосохранения.

— Мадемуазель Кора, я вас ни о чем не прошу. Хотите, чтобы я сказал, что думаю? Вы плохо к себе относитесь.

Я наклонился к ней и поцеловал ее. Это был глупый, едва ощутимый поцелуй. Такой мимолетный, что его как бы и не было. Но я не сразу разогнулся, а продолжал еще несколько секунд нежно на нее глядеть. Мадемуазель Кора ничего не поняла, она думала, что все это относится лично к ней. Она не поняла, что это жест любви как таковой.

— До свидания, мадемуазель Кора.

— До свидания, Жанно.

Она обняла меня за шею.

— Я еще не могу в это поверить,— сказала она.— Для женщины самое тяжелое — это жить без нежности...

— Не только для женщины, мадемуазель Кора, а для всех. Если ее нет, нам надо как-то выходить из положения. Матери бывают так нежны со своими детьми именно поэтому — чтобы у них потом сохранились хорошие воспоминания.

Я приподнял ее и прижал к себе. Я испугался, что мне снова захочется заниматься с ней любовью, у меня это автоматический рефлекс, а если бы это случилось, она подумала бы, что я таким образом обхожу чувства.

— Ты сделал меня такой счастливой... А я тебе даю хоть капельку счастья, Жанно?

— Да, конечно, я счастлив, мне достаточно на вас посмотреть...

Я положил ее на кровать и ушел.

Я думал о том, что нет необходимости любить кого-то, чтобы его еще больше любить.

# Глава XIX

Когда я вышел из ее подъезда, было шесть утра и бистро напротив дома как раз открывалось. Его лысый хозяин был из тех типов, которым вы до фени. Я с ним поздоровался, а он мне даже не ответил. Я выпил подряд три чашки кофе, а он все на меня посматривал. Любопытно, однако, что есть такие, и их много, которые с первого взгляда не могут меня терпеть. Несомненно, это заслуга моей физиономии. К тому же я всегда начеку, скрываюсь за улыбочкой типа «вооружен и очень опасен». Чак еще добавляет, что в моем облике сильно мужское начало и это не нравится тем, у кого его не хватает. А может быть, это просто естественный антагонизм. Я дважды спросил хозяина, сколько я ему должен, а он в ответ молчал. Я тоже едва мог его выносить, особенно после этой ночи, от которой я едва очухался. Остатки волос у него были тщательно зализаны над ушами, он был в белой рубашке и синем фартуке и расположился на другом конце стойки, словно чувствуя, что я нуждался в дружбе. Не знаю, откуда у меня в характере склонность к благотворительности, не от своих же стариков я это унаследовал. Мой отец всю свою жизнь только и делал, что раздавал пассажирам пробитые им билеты, а мать просто давала всем подряд, Чак считает, что у меня то, что называется «комплексом Спасителя», а этого не прощают. Есть опасность, что я убью человека.

Возле кассы стоял транзистор. Я наклонился и включил его. Хозяин стрельнул в меня глазами.

— Извините меня, если я разрешаю себе лишнее,— говорю я ему,— это из-за утечки мазута в океане. По национальности я бретонец, мой отец дома, в Бретани, он там баклан. Еще один кофе, пожалуйста.

Он обслужил меня с такой поспешностью, как если бы я был Мезрин [1]. Радио сообщило мне, что все птицы, гнездившиеся на островах, погибли, и, странным образом, я почувствовал облегчение — уже делать было нечего. В моей помощи никто не нуж-

---

[1] Знаменитый французский гангстер, прославившийся количеством ограбленных банков и побегов из тюрем.

дался. Уф! Одной заботой меньше. Йоко приколол у нас на стене репродукцию, изображающую святого Георгия, сражающегося с драконом, но он интересовался только Южной Африкой. Будь я меньшим эгоистом, мне было бы наплевать на огорчение, которое они все мне причиняют.

Хозяин был обо мне такого плохого мнения, что мне захотелось в подтверждение унести транзистор. Людям необходимо убеждаться в своей правоте. Но я успокоился на мысли о такой возможности и даже рассмеялся. Я заплатил за последний кофе и ушел, не доставив ему удовлетворения. Было уже половина седьмого, я отвез такси в гараж на улицу Метари, где в семь за ним придет Тонг. Это был его день. Я взял свой велосипед и поехал в Бют-Шомон[1], на улицу Кале, дом 45. Там на пятом этаже в квартире с окнами, выходящими во двор, поселилась моя семья, переехавшая из Амьена в Париж. Там прошли восемнадцать лет моей жизни, там я слышал постоянно «Где это ты шлялся весь день?». Мой отец на меня совсем не похож, не понимаю, как у меня оказался такой отец. Сорок лет своей жизни он пробивал дырки на билетах в метро. Есть люди, которые ездят на метро, а тут метро его заездило.

---

1    Район в Париже.

У него красивое лицо, характерное для наших мест, седые волосы и седые усы. Есть люди, которые становятся красивыми к шестидесяти годам.

Отец открыл мне дверь. Он был в подтяжках. Мы пожали друг другу руки. Он отлично понимает, что я упал далеко от родной яблони. Для него главное — это уважение к труду, политические программы, дискуссии на уровне ячейки. Отец считает, что старость — это проблема социальная, а смерть — явление естественное.

— Ну, Жан, как ты поживаешь?

— Неплохо. Свожу концы с концами.

— По-прежнему такси?

— И еще, при случае, всякие мелкие починки.

Он подогрел мне кофе, и мы сели.

— А помимо этого? По-прежнему живешь с товарищами?

— Да, все с теми же.

— В твоей жизни не хватает женщины.

— Единственной женщине в моей жизни лет шестьдесят пять. Бывшая певица. Она хочет мне помочь стать актером.

Я не хотел его огорчать. Я рассказывал, чтобы самому сориентироваться. Быть может, Кора и я — это и в самом деле что-то очень уродливое. Парни моего возраста слишком просто все понимают. Я доверял отцу. Он знал нормы поведения. Он всегда был профсоюзным активистом.

— Я не стану актером, не огорчайся,— сказал я ему.

Мы сидели за кухонным столом, напротив нас было окно, выходившее во двор, и там все было серым, но лицо отца стало еще более серым.

— Короче, тебя содержит старуха.

— Нет. Мне надо было бы сказать тебе «да», чтобы подтвердить твое мнение, но это не так. Иногда она сует мне какую-нибудь купюру, и я ее беру, но только чтобы ей было легче. Это очень романтическое существо. Ее песни вошли ей в плоть и кровь, она пела про каторгу, гильотину, африканские батальоны, легионеров, бандитов. Ее репертуар куда старше ее. Тебе это, наверное, покажется странным, но когда она мне сует бабки и я их беру, она чувствует себя увереннее. То, что она поет, называют жанровые песни. Про хулиганов, про девиц с незаконнорожденными младенцами, ну и тому подобное. Ее зовут Кора Ламенэр, может, видел афиши в метро, когда был молодым. Вы примерно одного возраста.

Он взял лежавший на столе круглый деревенский хлеб и начал его медленно резать на очень ровные ломти, чтобы укрыться чем-то привычным, домашним. У нас дома он всегда резал хлеб. Это мое первое воспоминание после ухода матери. Он мне сказал: «Твоя мать ушла от нас», а потом начал медленно резать деревенский хлеб красивыми ровными ломтями.

— Ты специально пришел, чтобы мне это сказать? Что тебя содержит старуха?

Он положил хлеб, ломти и нож на клеенку в бело-синюю клетку.

— Мы давно не виделись, вот я тебе и рассказываю.

— Если у тебя возникла потребность поговорить со мной об этом в семь утра, значит, тебя это мучает.

— Не без этого.

— Ничего более ужасного не случилось?

— Нет, ничего.

— Полиция тебя не разыскивает?

— Пока нет. К этому пока еще не относятся как к агрессии против старых людей.

— Нечего дурака валять.

— Я рассказал тебе об этой тетеньке, потому что я и правда не очень ясно понимаю, что я делаю. А вот у тебя четкие нормы поведения. Во всяком случае, бабки здесь ни при чем.

— Ты ищешь себе оправдание.

Продолжать разговор смысла не имело.

— Что поделаешь, мне нравится старая кожа, должно быть, я извращенец.

Он молчал, упершись руками в колени, и глядел на честный, надежный хлеб, лежащий на столе. Просто не верилось, что совсем седой человек шестидесяти лет не понимал, что можно любить стариков.

— Начинают как ты, а потом совершают вооруженные налеты на почтовое отделение. Я не уверен, что этого еще не случилось, раз ты пришел ко мне в такой ранний час.

Я снова ощутил, что меня захлестывает какое-то особое чувство. Оно постепенно подымалось все выше, мне становилось жарко, и я расплылся в улыбке.

— Дай мне десять минут, чтобы уйти, прежде чем позовешь легавых.

Я испытывал нежность к нему и к его деревенскому хлебу, надежному, честному, весомому, но разговаривать смысла не имело: когда любишь, как дышишь, такие, как он, принимают это за болезнь дыхательных путей.

## Глава XX

Я вернулся в нашу конуру. Дома никого не было, не считая святого Георгия, который единоборствовал на стене с драконом. Я залез на свой второй этаж и долго там лежал — ноги мои свисали, а голову я обхватил руками и все старался себя понять, определить, на каком я свете, и что я творю, и куда двигаться дальше, и почему я должен оставаться здесь, а не отправиться куда-то еще, и что мне сделать, чтобы как-то упорядочить свою жизнь и побороть мой дурацкий характер, который вынуждает меня повсюду и одновременно быть добровольцем... А может, мне следует вступить в какой-нибудь монашеский орден?

Возможно, мой отец прав и существует только социальная правда. Тогда можно было бы еще как-то выйти из положения, предпринимая всяческие меры, а в конце сказать, мол, простите, но больше ничего нельзя сделать, мы попали в зону невозможного. Но тогда — к царю Соломону ни ногой. Стариков не навещать — это плохой пример для молодежи. Я взял словарь Чака и посмотрел слово *старость*. Там было: *последний период человеческой жизни, следующий за зрелостью и характеризующийся явлением старческого маразма*. Я посмотрел «старческий маразм», и это оказалось еще хуже. Мне следовало бы любить их издалека, теоретически, не посещая их. Так нет же, мне надо было прожить любовную историю, начав ее с конца!

Я поставил словарь на его постоянное место. Чака очень интересуют мои отношения со словарями. Он наслаждается, когда видит, что я открываю словарь и начинаю искать какое-то слово.

— Ты делаешь это, чтобы отдалиться. Ради отчуждения.

— Что это значит?

— Отойти в сторону, отстраниться от того, что тебя задевает и пугает. Отстраниться от волнения. Это форма самозащиты. Когда ты испытываешь из-за какой-то вещи тревогу, ты ее отодвигаешь от себя, сводя к сухому понятию из словаря. Ты ее, так сказать, охлаждаешь. Возьми для примера слезы. Ты хочешь их избежать, и ты ищешь это слово в словаре.

Он пошел к полке и взял толстый Бюдэн.

— *Слеза — капля влаги, прозрачная и соленая, возникающая из-за активизации деятельности слезных желез*. Вот что такое слезы по словарю. Это их здорово удаляет от нас, верно? Ты прокладываешь себе дорогу к стоицизму, вот что с тобой происходит. Ты очень хотел бы быть стоиком. Бесчувственным. Скрестить руки, обдать холодным взглядом свысока и сказать «до свидания, извините, но я вас всех вижу издалека, едва различая». Ты ищешь слова, чтобы все сгладить.

Меня не трогало, что Чак на мне разрабатывает свои научные теории, он тоже должен жить.

Я все еще валялся, разглядывая свои кроссовки, а ноги мои по-прежнему свисали, когда вдруг появился Чак. Он всю ночь отвечал по телефону службы SOS. Ночью бывает больше всего звонков, и теперь он зашел домой, чтобы переодеться. Мои свисающие ноги были, видно, подобны сигналу бедствия, потому что он тут же кинул на меня животно-равнодушный взгляд. Только он умеет, благодаря своим очкам, держать вас на расстоянии.

— Что случилось, старик?

— А то, что я этой ночью засадил мадемуазель Коре.

— А!

У него особая манера произносить это «а», давая понять, что ничего его не удивляет и что он никак не судит — ни что хорошо, ни что плохо, ни что красиво, ни что уродливо, ни что велико, ни что ничтожно. Этот тип всегда изображает из себя такого бывалого, все перевидавшего мужика, будто ему не двадцать пять лет, а двенадцать.

— Да, я ее поимел.

— Ну и что? Я не вижу тут никакой проблемы. Если ты ее захотел, и она...

— Я ничуть ее не хотел, черт возьми!

— Выходит, ты это сделал по велению любви.

— Да, но она решила, что это лично к ней относится.

Чак высоко поднял брови и проверил, хорошо ли надеты очки,— это максимум, на что он был способен, чтобы показать, что наш разговор ему не безразличен.

— А!

— Да-а! Она не поняла.

— Ты мог ей объяснить.

— Нельзя объяснить женщине, что ты трахал ее из любви к человечеству.

— Всегда есть возможность все сказать по-хорошему.

— По-хорошему... Да пошел ты!.. Это совершенно омерзительно — выбрать себе тетку и потрахаться с ней не любя, только потому, что кругом красивые молодые телки. И так хватает несправедливостей, незачем еще добавлять. Я трахнул мадемуазель Кору, но не лично ее, а лично несправедливость в ее лице. Я в очередной раз стал альтруистом-любителем.

— Ну переспал ты с ней, ничего страшного, она от этого не умрет.

— Я не должен был этого делать. Я мог бы придумать что-нибудь другое.

— Что именно?

— Не знаю, но есть и другие способы проявить симпатию.

У Чака на голове трехэтажная копна волос. И рост у него, должно быть, метр девяносто, уж очень он высокий, зато грудь впалая, а ноги худые, как у розового фламинго. Будь он спортивен, из него получился бы профессиональный баскетболист.

— Я влип в отвратительную историю, Чак. Может, мне лучше уехать на некоторое время из Франции, чтобы было чем оправдаться? Я не намерен продолжать, хотя она на это рассчитывает, но и прекратить я тоже не могу, потому что тогда она почувствует себя очень старой. Я сделал это, поддавшись какому-то порыву, вот и все.

— Вы можете остаться друзьями.

— А как мне ей объяснить? Что я ей скажу? Все равно она будет считать, что все дело в ее возрасте.

Чак говорит с американским акцентом, и от этого любые слова в его устах звучат как-то особенно и кажутся новыми.

— Ты ей объяснишь, что в твоей жизни была другая женщина, что ты потерял голову от мадемуазель Коры, но прежняя все узнала, и так жить невозможно. Конечно, она посчитает тебя донжуаном.

— Ты что, смеешься надо мной? Кстати, я вспомнил, что надо вынести помойное ведро. Сегодня твоя очередь.

— Я знаю. Но шутки в сторону, тебе необходимо перевести эту историю из сексуального аспекта в сентиментальный. Ты ее навещаешь время от времени, берешь за руку, глядишь ей в глаза и говоришь: «Мадемуазель Кора, я вас люблю».

Я ему улыбнулся.

— Бывают минуты, когда мне хочется разбить тебе морду, Чак.

— Да, я знаю это чувство бессилия.

— Что мне делать?

— Быть может, она сама тебя бросит. А в следующий раз, если на тебя найдет такое, прошвырнись по улице и покидай крошки воробьям.

— Будет тебе...

— Неужели такое может взбрести в голову — засадить женщине из жалости!

Мне надо было сдержаться. В самом деле, мне надо было сдержаться.

— Я засадил не из жалости. Я это делал из любви. Ты прекрасно это понимаешь, Чак. Из любви, но лично к ней это не имеет никакого отношения. Ты знаешь, что у меня это вообще любовь.

— Да, любовь к ближнему,— сказал он.

Я вскочил с кровати и вышел из комнаты. Он меня просто доставал. На лестнице я потоптался и вернулся назад. Чак чистил зубы над умывальником.

— Одну вещь мне хотелось бы все же уточнить, старик,— сказал я ему.— Ты из тех типов, которые все перепробовали и не пришли ни к чему. Ты сделал свой вывод. Он заключается в том, что все и ничего — одно и то же. Но в этом случае объясни мне, какого черта ты торчишь два года в Сорбонне? Никто не может тебя ничему научить. Тогда зачем тебе это надо?

Я схватил пачку ксероксов лекций, которые им читают, и его заметки и выкинул все это в окно. Чак заорал так, будто его трахают в задницу,— впервые мне удалось вывести его из себя. Меня это смягчило. Он кинулся вниз по лестнице и орал: «Fucking bastard, son of a bitch» [1], и я побежал и помог ему собрать листочки.

---

[1]    Проклятый ублюдок, сукин сын *(англ.)*.

# Глава XXI

Было уже почти десять часов, и я направился в книжную лавку. Алина уже была там. Как только она меня увидела, она тут же пошла и принесла мне словарь. От каждого ее движения меня обдавала волна приятного запаха. Я взял словарь, но это был не тот, что мне нужен.

— Нет ли у вас медицинского?

Она мне его принесла. Я посмотрел слово «любовь», но не нашел.

— Тут нет того, что мне надо.

— А что вы ищете?

— Я ищу слово «любовь».

Мне хотелось ее рассмешить, потому что, когда над чем-то смеешься, все становится менее серьезным. Но эту девчонку так просто не проведешь, сразу видно. Было видно и то, что я от этого болен. Мне хотелось ей сказать: «Послушайте, я люблю женщину, которую я совсем не люблю, и от этого я ее еще больше люблю, вы можете мне это объяснить?» Я этого не сказал — когда люди еще мало знакомы, трудно выставить себя в смешном виде.

— Вы не найдете «любовь» в медицинском словаре. Обычно это считается естественным стремлением человеческой души.

Я тоже не засмеялся.

Я снова взял словарь Робера.

Я прочел вслух, чтобы и ей была польза:

— *Любовь — предрасположенность желать благополучия не себе, а другому и быть ему всецело преданным...* Вот видите, это же ненормально.

Она молчала и смотрела на меня почти без иронии. Я надеялся, что она это не воспринимает как религиозное проявление с моей стороны. Высокая блондинка, которая не употребляет никакой косметики.

— У вас нет больше словаря?

— Да, здесь краткие формулировки,— сказала она.— Это словарь для постоянного пользования. Чтобы был под рукой. В случае необходимости.

Я воскликнул как Чак:

— А!

— Для скорости. Еще у меня есть большой Робер в шести томах и универсальная

**221**

энциклопедия в двенадцати. И еще несколько других словарей.

— У вас дома, чтобы знать в случае необходимости, или только здесь?

— Не смешите меня... Как вас зовут?

— Марсель. Марсель Беда. А у Зайчиков меня зовут Жанно.

— Пошли.

Она привела меня в комнату в глубине магазина, где все стены были уставлены одними словарями.

Она сняла с полок все на букву «л» и положила на стол передо мной. Скорее, бросила. Пожалуй, чересчур резко. Она не была разгневана, но несколько раздражена.

— Ищите!

Я сел и стал искать.

Алина оставила меня одного, но время от времени возвращалась.

— Вы довольны? Получили то, что вам надо? Или хотите еще другие?

Волосы у нее были очень коротко подстрижены, что было неоправданной расточительностью. На вид они казались поразительно мягкими. Глаза были светло-каштановые, с янтарным оттенком, когда становились веселыми.

— Вот! — Я заложил пальцем.— Вот здесь не меньше чем четыре страницы *любви*.

— Да, они сократили до предела,— сказала она.

Мы оба засмеялись, чтобы ее слова показались смешными.

— И они даже приводят примеры, желая показать, что все это существует,— сказал я.— Послушайте. В живописи *любовь — некий пушок, который делает полотно крайне восприимчивым к клею.*

На этот раз она смеялась по-настоящему, без грусти. Я был доволен, я делаю счастливой еще одну женщину. Говорят, что в СССР есть школы клоунов, где вас учат жить.

Я продолжал в том же духе:

— *Любовь — в каменностроительных работах — особая маслянистость, которую гипс оставляет на пальцах...*

Она так смеялась, что я счел себя общественно полезным.

— Не может быть... Вы меня разыгрываете.

Я показал ей словарь Литтрэ:

— Читайте сами.

— *Любовь — ...особая маслянистость, которую гипс оставляет на пальцах...*

Она смеялась до слез.

А я из кожи вон лез.

— *Любовь в клетке: ботанический термин. Термин соколиной охоты: «летать из*

223

*любви» говорится о птицах, которые лета-
ют в свободном полете, чтобы поддержать
собак...*

— Не может быть!

Я показал пальцем:

— Вот, сами посмотрите... *Чтобы поддержать собак.* И вот еще: *любовь в женском роде имеет единственное число только в поэзии* [1].

Несколькими строками ниже стояло:
*Нету красивой печали и уродливой любви,*
но эту фразу я сохранил для себя, я не прочел ее вслух: это было бы неделикатно по отношению к мадемуазель Коре.

— Что вам больше нравится? *Особая
маслянистость, которую гипс оставляет
на пальцах,* или *некий пушок, который делает полотно крайне восприимчивым к клею?*

— Это правда очень смешно,— сказала
она, но, судя по ее виду, она в этом все больше сомневалась.

— Да, в моей профессии необходимы
хохмы.

— Чем вы занимаетесь?

— Учусь в школе клоунов.

— Интересно. Я и не знала, что такая существует.

[1] Во французском языке слово «любовь» (l'amour) может
быть мужского и женского рода.

— Конечно, существует. Я учусь там уже двадцать первый год. А вы?

В ее взгляде появилось много симпатии.

— Двадцать шестой,— сказала она.

— У меня есть подруга, она учится этому шестьдесят пять лет, а мой друг, месье Соломон, брючный король, восемьдесят четыре.

Я сказал не сразу, чтобы не показаться чересчур уверенным:

— Может, нам вдвоем удалось бы сделать клоунский номер... Скажем, завтра вечером.

— Приходите ко мне в следующую среду. Будут друзья. И спагетти.

— А раньше нельзя?

— Нет, нельзя.

Я не стал настаивать. Спагетти я не очень люблю.

Она написала мне адрес на листочке бумаги, и я ушел. Вы заметили, что «уходить» мое любимое слово?

# Глава XXII

Когда я вышел на улицу, меня снова охватила тоска, и на этот раз с полным основанием. Я нашел себя в словаре. Я не сказал этого Алине, я вовсе не был заинтересован в том, чтобы она меня поняла, я боялся, что разочарую ее. Но я сразу нашел себя в словаре и выучил это определение наизусть, чтобы не ломать голову в следующий раз. *Любовь — предрасположенность желать благополучия не себе, а другому и быть ему всецело преданным.* Я словно дерьма нажрался, словно стал своим собственным врагом и врагом общества номер один. У меня было еще и дополнение. На том, что имеешь предрасположенность желать благополучия не себе, а другому и быть ему всецело преданным, в моем случае дело не кончается, хотя и этого хватает, но совсем невыносимо, когда думаешь о каком-то ките, которого и в глаза-то не видел, о бенгальских тиграх, о чайках в Бретани или о мадемуазель Коре, не говоря уже о месье Соломоне,— все они находятся во взвешенном состоянии, в ожидании... К тому же там стояло еще определение, которое на меня набросилось, как ястреб на птичку: *Любовь — глубокая и бескорыстная привязанность к какой-то ценности*. Эти сволочи даже не говорят, к какой именно. Выходит, с тем же успехом я могу вернуться к своему отцу, сесть справа от него и созерцать с любовью его прекрасный, надежный и честный деревенский хлеб. *Глубокая и бескорыстная привязанность к какой-то ценности*. Я тут же снова примчался в книжную лавку, потому что ценность не может ждать годы. Мне было необходимо найти ее немедленно. Я был уверен, что если буду искать как следует, то между «а» и «я» на двух тысячах страниц что-нибудь да найду.

— Я забыл маленький Робер.

— Вы его берете?

— Да. Я должен продолжить свои поиски. Мне надо бы взять самый большой, в двенадцати томах, там уж наверняка все найдешь, надо только не лениться. Но я тороплюсь, меня подгоняют разные страхи, так что я возьму пока маленький в ожидании лучшего.

— Да,— сказала она.— Я понимаю. Есть столько вещей, которые постепенно теряешь из виду, и тогда словарь может быть очень полезен, он напоминает, что эти вещи существуют.

Она проводила меня до кассы. Ее походка радовала глаз. Жаль, что у нее так коротко подстрижены волосы. Чем больше женщины, тем лучше, нечего волосы так коротко стричь, но зато чем их меньше, тем больше шеи, которая мне у нее тоже нравилась,— увы, всего одновременно не получишь.

— В среду, полдевятого, не забудьте.

— В половине девятого, на спагетти, но если вы захотели бы отменить друзей, то из-за меня не стесняйтесь.

И мы снова рассмеялись, чтобы подчеркнуть, что это не всерьез.

Я вскочил на свой «солекс» и помчался прямо к царю Соломону, чтобы убедиться, что он все еще жив. Когда он утром просыпается, он каждый день должен быть приятно поражен. Не знаю, в каком возрасте начинаешь взаправду считать. Под мышкой у меня был Робер, и я выписывал на своем стареньком велосипеде арабески в форме спагетти, думая о среде вечером.

Мне не повезло, месье Тапю пылесосил лестницу, и я сразу заметил, что он был в своей лучшей форме. В последний раз я видел его таким, когда левые выигрывали выборы — «этим и должно было кончиться, я всегда это говорил, мы все пропали, так нам и надо». Сперва он мне ничего не сказал, он торжествовал молча, чтобы я мог вообразить худшее. Утром в такси я слышал, что в очередном конфликте между палестинцами и евреями погибло несколько сот человек, и, судя по роже месье Тапю, он был в восторге от случившегося. Но это были лишь мои предположения. Истинктивно я подготовился к защите и втянул голову в плечи, потому что никогда не знаешь, какой удар вам нанесет этакий мудак.

— Поглядите-ка на мою находку...

Он вытащил из кармана тщательно сложенную страницу газеты и протянул ее мне.

— Он это обронил в лифте.

— Кто?

— Король евреев, черт побери, только он может себе такое позволить!

Я развернул страницу. Там были объявления. На обеих сторонах. *Молодая блондинка с золотистыми волосами ищет партнера для длительной дружбы... Ищу мужчину правдивого, великодушного, образованного, который мечтает обо мне, не будучи со мной знаком. Сорок, сорок пять лет...* Некоторые из этих объявлений были очерчены красным карандашом. *Красивая молодая женщина мечтает о твердой руке, которая сжимала бы ее руку... Молодая женщина, любящая чтение, музыку, путешествия... Мне тридцать пять лет, и меня считают красивой, люблю умиротворяющие пейзажи и пастельные цвета и хотела бы познакомиться с человеком с ясной душой, чтобы плавать в тихих водах.*

Я не поддался.

— Ну и что?

Тапю так разинул пасть, что стала видна ее глубинная чернота.

— Вы соображаете? Вашему царю Соломону восемьдесят четыре года! И он еще ищет родную душу. Он хотел бы... ха-ха-ха! Нет, это уж слишком! Человек с ясной душой, чтобы плавать в тихих водах... Ну нет! Больше не могу...

— Ну и он не может.

— Нет, вы не понимаете! Он ищет родную душу!

— Что вы об этом знаете? Это можно читать и из...

Я чуть было не сказал «из любви», но он не понял бы, впрочем, я тоже не понимал. Может, месье Соломон читал это если не для того, чтобы бросить вызов, то чтобы наплевать на невозможное и чтобы успокоиться,—

сознание, что не только ты один одинок, успокаивает. Эти объявления давали и те — их было немало,— кто на пятьдесят лет его моложе, они так страдают от одиночества, что видят в этих объявлениях якорь спасения — в маленьких объявлениях, которые гудят, как рог в тумане. *Какая молодая ласковая женщина, умеющая считать лишь до двух, готова разделить жизнь одинокого человека, никогда не имевшего склонности к одиночеству?.. Может ли жизнь мне еще улыбнуться глазами молодой женщины, настроенной на будущее?.. Брюнетка с вьющимися волосами, изящная, хрупкая, челнок, уставший от волн, ищет надежное пристанище.*

— Это можно читать из чувства симпатии, твою мать!

— Симпатии? А я вам говорю, он еще ищет. Вот подчеркнутые им объявления!

Это было правдой. Аккуратно, красным карандашом, сбоку.

— Вы себе представляете? Нет, вы только себе это представьте! Что он воображает? В это просто невозможно поверить, в его-то годы! И у него есть предпочтения. Он их нумерует!

Этот негодяй Тапю не только одерживал верх надо мной, он просто уложил меня на обе лопатки. Потому что сомнений не было. Месье Соломон их действительно пронумеровал в порядке предпочтения. *Номер 1.* Помечено его рукой. *Разведенная женщина без детей, тридцати пяти лет, хотела бы начать новую жизнь с мужчиной пятидесяти — пятидесяти пяти лет, который тоже мечтает построить жизнь заново...*

Тапю наклонился над моим плечом, тыча в текст пальцем:

— И он хочет выдать себя за мужчину пятидесяти — пятидесяти пяти лет, он пытается жульничать, как всегда делал в бизнесе. Он хочет ее обмануть, это сильнее его! Сила привычки. Но, в конце концов, неужели он не понимает, что подошел к самому концу, или он просто издевается над людьми?

Номеру два было тоже тридцать пять лет, она обладала веселыми глазами и чарующим смехом. Всем подчеркнутым претенденткам было между тридцатью и тридцатью девятью. Царь Соломон не остановил свой выбор ни на одной старше сорока. Видимо, он не хотел, чтобы разница между ними была меньше сорока четырех лет. Одно исключение, правда, он сделал, но сомневался в нем. Он это объявление не пронумеровал и не подчеркнул. *Признаюсь, мне пятьдесят лет, хотя мне и не верят. Где он, зрелый мужчина, который взял бы в свою твердую руку руль моей жизни?* В конце объявления стоял вопросительный знак. Месье Соломон тоже поставил его сбоку.

— Посмотрите-ка на это!

Месье Тапю вырвал страницу у меня из рук. Он искал, сопя, как собака ищет место, чтобы помочиться, и сунул мне в лицо объявление посередине страницы, тщательно обведенное красным карандашом: *Независимая молодая женщина, тридцати семи лет, деятельная, любящая все, что связано с интеллектом, и Овернь в осеннее время, ищет нежного человека, располагающего досугом, чтобы совместно противостоять жизни до конца своих дней. Фаллократам воздержаться. Фаллократам воздержаться* было подчеркнуто три раза красным карандашом...

— Фаллократам воздержаться, вы представляете? Нет, скажите, вы себе представляете? Он подчеркнул, это шанс, который нельзя упустить! Фаллократам воздержаться! Конечно, в его возрасте вряд ли еще можно трахаться! И тут он сразу сообразил, что это случай для него! А, каково? Я вам говорю, это уж точно, ваш царь Соломон еще мечтает!

Что и говорить, я был в незавидном положении, но позиций не сдавал.

— Это смеха ради,— сказал я ему.— Он этим занимается, чтобы позабавиться.

— Да, конечно, еврейский юмор, известное дело! — визжал месье Тапю.

— Неужели старый человек не имеет права читать сентиментальные объявления в вечер своей жизни, чтобы вспомнить былое,— орал я.— Он садится в кресло, закуривает сигару и читает трогательные объявления о родных душах, которые разыскивают друг друга, а потом улыбается и бормочет: «Ах, эти молодые» или что-нибудь в этом роде. Всегда чувствуешь себя спокойнее, когда видишь, что есть еще люди, которые чего-то ищут! Ему это помогает обрести душевный покой, черт возьми!

Но Тапю меня полностью раздавил, мне казалось, что он топчет меня ногами.

— А я вам говорю, что он верит в Деда Мороза, ваш еврейский король. И какая порочная натура! Заметьте, он подчеркнул объявления не про старых грымз, а про юных дам! Как ему только не стыдно, в его-то возрасте!

Он даже плюнул на свою лестницу. Я вырвал из его лап газетную страницу и скрылся в лифте. Пока лифт подымался, меня трясло от бешенства, потому что я не смог защитить месье Соломона, который лишь проявлял интерес ко всем жизненным ситуациям и подчеркивал красным карандашом те предложения, которые, как ему казалось, были наиболее заманчивы и вполне могли бы быть осуществлены. И если он их нумеровал, то вовсе не потому, что они интересовали лично его и он собирался в восемьдесят четыре года начать новую жизнь и еще повстречать на своем пути любовь, а просто потому, что в этих маленьких объявлениях проглядывали особо волнующие судьбы, вполне заслуживающие самого гуманного подхода. Я думаю, что Чак ошибается в своем циничном суждении, уверяя, что избыток страданий заставляет месье Соломона издеваться над самим собой, что он король иронии еще в большей мере, чем король брюк, и что, не будь он королем иронии, он не объявил бы себя на своих витринах королем брюк, потому что так назвать себя можно было бы, только не боясь прослыть человеком несерьезным, стать предметом насмешек, взбаламутить библейскую пыль. Чак утверждает, что месье Соломон использует насмешку, чтобы смягчить мысль о неумолимом конце. Я никогда не поверю, что месье Соломону, обладающему умом, который трудно встретить у людей, занимающихся готовым платьем, умом под стать не брючному мастеру, а таким большим людям, как покойный Шарль де Голль или Карл Великий, когда им было столько же лет, подходит определение «иронист», как уверяет свихнувшийся Чак. Прежде всего это мало что дает как способ самозащиты, потому что восточное единоборство тоже имеет границы возможного. Достаточно вспомнить Брюса Ли, который был сильнее всех, но это не спасло его от смерти. Чак всё всегда знает лучше других и говорит, что великой мечтой человечества всегда был стоицизм.

Я все же остановил лифт между этажами и открыл словарь на «стоицизм», потому что месье Соломон прожил так долго, что, возможно, и нашел что-то, позволяющее ему обрести на том пороге, на котором он сейчас находится, какую-то точку опоры. Там было написано: *Стоицизм — мужество, чтобы переносить боль, несчастья, лишения с внешне безразличным видом. Доктрина, которая проповедует безразличие по отношению ко всему, что воздействует на чувствительность человека.* Тут я разом забыл про месье Соломона, потому что чувствительность для меня на самом деле была врагом рода человеческого, если можно было бы от нее избавиться, удалось бы наконец обрести покой.

# Глава XXIII

Я вошел в квартиру, тщательно вытерев ноги,— не сделать этого было единственным способом вывести месье Соломона из себя. Несколько минут я постоял у коммутатора, чтобы узнать новости. Пять альтруистов-любителей отвечали на звонки. Они делали что могли. На этот раз среди них сидела и толстая Жинетт, которую я не выносил, потому что она приходила сюда ради себя. Ее расчет был всем известен: когда она слушала про несчастья, о которых ей рассказывали по телефону, она чувствовала себя лучше и меньше думала о себе — всегда испытываешь облегчение, как говорит религия, когда думаешь о тех, кто несчастнее тебя. Возникает ощущение, что в это время тебя как бы становится меньше. Чак уверял, что это она выбрала себе такой режим для похудения — отвечать на звонки. Это называется терапией.

Конечно, реально она веса не теряла, но ее вес становился для нее менее тяжелым. Я спорил на эту тему с Чаком, пытаясь убедить его, что она дрянь, если приходит сюда только для того, чтобы за чужой счет облегчить свою душу, но он возражал мне, что она сама не отдавала себе отчета в том, что с ней происходит, что это срабатывало подсознание. Она была белобрысой, со стеклянными глазами, конечно, не в самом деле стеклянными, но такого блекло-голубого цвета, что они казались стеклянными. Я думаю, что месье Соломон ее держал потому, что она очень легко плакала, а это было утешением для тех несчастных, кто звонил. Для человека, который нуждается в симпатии, который чувствует себя одиноким, очень важно суметь задеть другого за живое, вызвать эмоциональный отклик. Если твое несчастье выглядит в чужих глазах незначительным, то это последнее дело, просто хуже не бывает. Помимо Жинетт и Лепелетье у коммутатора дежурили двое новичков, которых я не знал. Я слышал, что накануне месье Соломон их проверял, чтобы быть уверенным, что они не ищут личной выгоды. Неделю назад он отказал двум любителям, которые постепенно превратились в бездушных профессионалов, это как в карате, когда тебя много бьют, мышцы становятся твердыми. Лепелетье говорил с каким-то парнем, который не мог больше жить, так как чувствовал, что он — один на свете:

— Это отвратительно, Николя... Тебя зовут Николя, ведь верно? Так вот, отвратительно думать, что ты один на свете, когда четыре миллиарда человек находятся в таком же положении и с каждым днем их становится все больше по демографическим причинам. Когда так себя чувствуешь, то выходит, ты не испытываешь ни к кому сострадания... Что? Подожди, дай мне подумать.

Он прикрывает рукой микрофон и поворачивается ко мне:

— Черт подери! Этот тип мне говорит так: он чувствует, что он — один на свете именно потому, что на Земле живет четыре миллиарда людей и это превращает его в ничто. Что я могу ему сказать в ответ?

— Скажи ему, чтобы он перезвонил тебе через десять минут, а ты пойди посоветуйся с царем Соломоном. У него всегда на все есть ответ. А я не силен в арифметике...

— Так вот же он, нужный ответ... Алло, Николя? Послушай меня, Николя, это не вопрос арифметики. Сколько тебе лет? Семнадцать? Ты уже должен понимать, что когда говорят, что на Земле четыре миллиарда человек, это значит, что это ты и есть четыре миллиарда. Словно на Земле четыре миллиарда тебя. Это делает тебя значительным, ведь верно? Ты понимаешь? Ты не один на свете, ты — четыре миллиарда. Представляешь себе? Это же великолепно! Это все меняет. Ты — француз, ты — африканец, ты — японец... Ты везде, старик, ты по всей Земле! Подумай об этом и перезвони мне. Я буду у телефона в пятницу от пяти часов до полуночи. Меня зовут Жером. Надо научиться по-новому считать, Николя. Тебе семнадцать лет, и ты должен знать новую математику. Один на свете — это старая математика. Тебе кажется, что ты не имеешь значения, потому что ты не умеешь считать. Не забудь мне перезвонить, Николя. Я буду ждать твоего звонка. Слышишь, я буду ждать, не забудь, Николя. Я на тебя рассчитываю, помни об этом.

Это было очень важно — убедить их, что мы ждем их звонков. Важно, когда у тебя депрессия, чувствовать, что кто-то на другом конце телефонного провода тобой интересуется и с тревогой ждет от тебя вестей. Это придает тебе значение. Есть такие, которые не открывают газ, потому что знают — их звонка ждут. Так можно продержать звонящего от одного телефонного разговора до другого, пока у него не пройдет пик кризиса и останется привычный кризис. У месье Соломона работали три психолога и помогали ему своими советами.

Любителя, который сидел рядом с Лепелетье, звали Вейнс. Месье Соломон взял его, потому что в каком-то смысле он был рекордсменом: немцы, когда они были нацистами, уничтожили всю его огромную семью — тридцать одного человека. Месье Соломон говорил, что такое количество жертв в одной семье никому, кроме Вейнса, не выпало на долю, и это несомненно придает ему известный авторитет. Он был старше всех нас, ему уже исполнилось сорок пять, рыжеватый бледный парень с вьющимися волосами, но уже с пролысинами, с веснушками того же цвета, что и волосы, и в очках. Очки были в роговой оправе, а роговую оправу делают из панцирей больших морских черепах и для этого их истребляют. Поди разберись во всем этом! Ему следовало бы носить очки в металлической оправе, учитывая его судьбу. Он был самым терпеливым из всех нас, у него был спокойный, мягкий голос, его месье Соломон нашел первым для своей ассоциации альтруистов-любителей, но он должен был вскоре нас покинуть, он уже десять лет отвечал на звонки, стал сердечным больным, и теперь врач запретил ему слушать рассказы о чужих несчастьях.

Найти людей, пригодных для «SOS альтруисты-любители», было трудно, потому что трудно все время выражать симпатию, не превращаясь постепенно либо в бесчувственный автомат, либо в жертву хронической депрессии. К примеру, у нас был на редкость человечный парень, и он отвечал на звонки исправно в течение многих месяцев. Этот месье Жюстен — так его звали — расстраивался всерьез от каждого звонка, все принимал очень близко к сердцу, а тут обмануть невозможно, собеседник на том конце провода всегда чувствует меру искренности. Так вот, повторяю, от каждого звонка он всерьез волновался. Работал он у нас, скрывая это от своей жены, чтобы она не думала, что он ей изменяет, разговаривая с другими. Может быть и такая точка зрения на это, потому что, говоря с другими, иногда и вправду находишь утешение. Но это не имело ни малейшего отношения к месье Жюстену, который был чрезвычайно bona fide[1]. Это выражение месье Соломон сохранил в памяти со времен своих занятий латынью, и означало оно высокую пробу. Так вот, месье Жюстен из кожи вон лез, чтобы

---

[1] Добросовестный (*лат.*).

помочь тем, с кем говорил, он так и стоит у меня перед глазами, вижу, как он вытирает платком пот со лба. И вот однажды он рухнул. Ему позвонил какой-то тип и сказал, что он больше не может жить, так жестоко его преследует судьба. Он потерял работу, здоровье его совсем расстроилось, дочка принимает наркотики, а жена его бесстыдно обманывает. Месье Жюстен выслушал его не напрягаясь, как обычно, и сказал в ответ:

— Что ж, друг мой, все могло быть куда хуже.

— Что может быть еще хуже, что? — вопил его клиент.— Вы считаете, что всего этого мало?

— Нет, хватает, но могло быть куда хуже, если все эти неприятности были бы у меня.

И он захохотал. Когда начинается приступ депрессии, такое коленце люди, оказывается, часто выкидывают. Это поступок того же сорта, как, скажем, взять и опрокинуть тарелку шпината на голову ни в чем не повинного человека. Эту историю потом всем пересказывали, я ее не выдумал. Такое и не выдумаешь. Но, насколько я знаю, это здорово помогло тому, кто звонил,— он явился к нам, чтобы дать месье Жюстену по морде, в нем вновь пробудилась энергия, а это как раз то, что было нужно.

Вейнс, конечно, заметил, что со мной не все в порядке, но не стал задавать мне вопросы, потому что мы были друзьями. Он передал мне список поручений, такой список бывает каждый день, особенно после ночных дежурств, потому что не все, кто звонит, удовлетворяются телефонным разговором, многие требуют, чтобы к ним пришли, они так и говорят: не придете немедленно, брошусь в окно. На пятьдесят звонков, может, только один выполнит свою угрозу, но и этого достаточно. У нас есть специальные дежурства на эти экстренные случаи. Я сунул список в карман и чуть было не сказал Вейнсу, что провел ночь с человеком, которому нужно было мое присутствие, и что с меня хватит. Но я этого все-таки не сделал, это было бы нечестно по отношению к мадемуазель Коре.

# Глава XXIV

Я вышел из коммутаторской и прошел через маленькую приемную, в которой никогда никого не было, там только стояло шесть всегда пустых кресел. Из-за этих шести всегда пустых кресел мы и называли ее приемной. На одной стене висели картина и букет желтых цветов, а напротив — репродукция автопортрета месье Леонардо да Винчи, который он написал, когда был еще очень старым. Я говорю «еще» потому, что вскоре после этого он умер. Месье Соломон много раз обращал мое внимание на этот портрет, он готов был на него смотреть без устали, потому что месье Леонардо жил шесть веков назад и дожил до девяноста с лишним лет, а ведь с тех пор продолжительность жизни сильно увеличилась благодаря научным достижениям. Месье Соломон смотрел на этот портрет, который был карандашным рисунком, и говорил мне: «Это ведь вселяет надежду, не правда ли?», и, как всегда, я не знал, всерьез ли он так считает или просто смеется надо мной.

Я постучал в дверь кабинета, которая выходила в маленькую приемную. Не знаю, впрочем, почему он называл эту комнату маленькой приемной, быть может, где-то в глубине квартиры была еще и большая приемная, где можно было ждать куда дольше, а это усиливает надежду. Он крикнул мне: «Входите». Я набрался смелости и крепко сжал в руке газету с объявлениями.

Месье Соломон был в сером спортивном костюме, а на груди белыми буквами было начертано: training. Он сидел на корточках, согнув колени и вытянув вперед руки, а перед ним лежала открытая книга с разными гимнастическими позами. Он просидел так довольно долго, а потом стал медленно подниматься, раскидывая руки в стороны, широко раскрывая рот и наполняя грудь воздухом. После этого он занялся бегом на месте и прыжками с поднятыми руками. Я испытал от этого некоторый ужас, особенно когда он сел на пол и попытался коснуться руками пальцев ног, делая при этом ужасную гримасу.

— Бог ты мой, будьте осторожны! — заорал я, но он продолжал корчиться. Я подумал, что он во власти сарказма и что он корчится под его воздействием; сарказм по-латыни «sarcasmus», по-гречески «sarkasmos» — *кусать свою плоть, поднять на смех, издеваться, насмехаться.* Он стискивал зубы так, что у него глаза вылезали из орбит, со лба капал пот, и, быть может, он был во власти бешенства, отчаяния, враждебной старости.

Кто знает!

На несколько мгновений он замер, склонив голову и закрыв глаза, потом бросил на меня взгляд.

— Да, мой друг, я тренируюсь, тренируюсь. Я это делаю по методу, принятому в канадской авиации, по-моему, он лучший.

Я был сыт по горло.

— Зачем вы тренируетесь, месье Соломон? На что это вам там понадобится?

— Что за странный вопрос! Всегда готов противостоять, это мой девиз.

— Готов к чему? Противостоять чему? Там вам ходить пешком не придется, за вами приедут на машине. Вы меня извините, месье Соломон, не думайте только, что я считаю вас мудаком или кем-то подобным, то огромное уважение, которое я к вам испытываю, мне это никогда не позволило бы, но сердце мое просто разрывается на части!

Вы настолько увлеклись иронией, что рискуете сами стать предметом насмешек! Вы — герой, вы четыре года просидели в темном подвале на Елисейских полях во время немецкой оккупации, но теперь, в ваши годы, ради кого или чего вы тренируетесь, разрешите вас все же спросить, месье Соломон, при всем моем почтении к вам.

Я сел, настолько у меня от гнева тряслись колени.

Месье Соломон встал, повернулся к окну и начал глубоко вдыхать и выдыхать воздух. Он надувал свою грудь с начертанным на ней словом training, он вставал на цыпочки, разводил руки и впускал воздух в глубины легких. Потом выдыхал его полностью, не оставляя ничего, как в лопнувшей шине. И снова начинал наполнять себя воздухом до самого нутра, а затем — пс-с-с — опять выдыхал до полной пустоты.

Наконец он остановился.

— Помни, мой юный друг. Вдыхай и выдыхай. Когда ты это проделаешь в течение восьмидесяти четырех лет, как я, что ж, ты станешь мастером в искусстве вдыхать и выдыхать.

Он скрестил руки и стал делать приседания.

— Вам не следует этого делать, месье Соломон, потому что вы можете упасть, а у людей вашего поколения кости хрупкие, это очень опасно. Падая, можно сломать шейку бедра.

Месье Соломон глядел на словарь, который я держал под мышкой.

— Почему вы всегда ищете определение в словарях, Жан?

— Потому что они внушают доверие.

Месье Соломон одобрительно наклонил голову, словно слово «доверие» получило его полное одобрение.

— Это хорошо,— сказал он.— Свою веру надо хранить как зеницу ока. Без этого нельзя жить. И Робер оказывает нам в этом смысле большую помощь.

Он стоял возле окна, и лицо его было ярко освещено. Мне вспомнилось, как Чак мне сказал однажды, что у месье Соломона уже его окончательное лицо. *Окончательное — зафиксированное таким образом, что изменить что-либо уже невозможно. Закрепленный, незыблемый, бесповоротный. Окончательное — решение, которое исчерпывает какой-то вопрос.*

Я подумал о мадемуазель Коре. Я прекрасно понимал, что против «окончательного» не попрешь, бесполезно. Но для нее кое-что сделать можно. Ей можно помочь.

Я снова пойду к мадемуазель Коре и постараюсь сделать все как можно лучше. Для нее это будет легче сделать, чем для месье Соломона, потому что она еще не была в курсе того, что с ней происходит.

Тем временем месье Соломон закончил свои упражнения. Он сел против меня в большое кресло и застыл в неподвижности. Над ним на стене висела большая фотография — он стоял перед своим магазином готового платья, окруженный своими служащими. Он заметил, что я поднял глаза, разглядывая фотографию, слегка повернулся в ее сторону и тоже стал на нее смотреть не без удовольствия.

— Это моя фотография, когда я был в расцвете сил, мужчина хоть куда,— сказал он.— Это были и годы апогея моих деловых успехов...

*Сарказм — от греческого слова «sarkasmos», что значит кусать свою плоть, поднять на смех, насмехаться, издеваться.* Великий актер Граучо Маркс впал к концу своей жизни в сенильный маразм, а месье Соломон страдал всего лишь от потери гибкости в ногах, от боли в суставах, от хрупкости костей и от общего состояния возмущения и неподчинения, что питало его сарказм.

Он все еще с улыбкой смотрел вверх, на фотографию, где можно было прочесть слова: *Соломон Рубинштейн, брючный король.* Этим все сказано, как говорится, ни добавить, ни убавить.

— Да, это был апогей моего величия, зенит успеха...

Мы сидели друг против друга и молчали.

— Правда, вы не стали пианистом-виртуозом, месье Соломон, но ведь брюки тоже очень нужны.

Он барабанил пальцами по ручке кресла. У него были длинные, очень белые пальцы. Я сделал некоторое усилие, напряг башку и увидел его фотографию в рамке на стене — он сидит перед концертным роялем во фраке, а в зале не меньше десяти тысяч человек.

— Да, конечно,— сказал он, и я опустил глаза с тем уважением, которое испытываешь к глубокой мысли.

Я старался не смотреть на него чересчур пристально, как я это обычно делал помимо своей воли, замечая мельчайшие подробности, чтобы потом лучше вспоминать. Я его очень любил и сделал бы все что угодно, чтобы сбавить ему пятьдесят лет и даже больше.

Я встал.

— Вы уронили это в лифте.

Я догадывался, что он не покраснеет, потому что в его возрасте кровообращение такое, что уже не краснеют. Но все же я ожидал, что застану его врасплох. Ничуть не бывало! Вместо того чтобы проявить смущение и искать какие-то оправдания, месье Соломон взял у меня из рук листок с объявлениями с явным удовлетворением, он так при этом оживился, что сомнений быть не могло. Вы, может быть, читали, что в каком-то подземелье нашли головы королей Франции, которых Революция казнила в Нотр-Дам. Так вот, у месье Соломона такая голова, она выбита из камня и достоинства. Я могу вам это еще раз подтвердить, потому что сколько бы это ни повторяли, всегда будет недостаточно,— у него вид величественный. Я знаю, что на этот счет словарь выражает сомнение, поскольку в нем стоит: *Величественный — тот, кто внушает большое уважение, преклонение и кто этого достоин.* И он добавляет ряд синонимов: *великий, благородный, уважаемый, священный, святой, почтенный, почитаемый.* В виде примера в словаре приведены строки месье Виктора Гюго: *Засеет ниву до небес / Руки величественный взмах.* А потом было приведено и другое значение: *тип клоуна.*

Месье Соломон был явно очень рад вновь получить эту страницу с брачными объявлениями, а я вам клянусь, я очень внимательно наблюдал за ним, потому что с ним никогда не знаешь, кто перед тобой в данный момент: сеятель, который величественным жестом расширяет пространство, или своего рода клоун.

— А, вот она, эта страничка! — воскликнул месье Соломон.— А я как раз думал, где же я ее потерял.

И, опираясь обеими руками о кресло, встал, пересек комнату и сел за свой большой письменный стол филателиста.

— Ее нашел месье Тапю.

— Хороший человек, хороший человек,— дважды повторил месье Соломон, видимо, из любви к противоречиям.

— Да, злобный мудак,— подтвердил я.

Месье Соломон не стал настаивать на своем мнении, он предпочел промолчать. Он схватил со стола лупу филателиста и стал снова изучать брачные объявления.

— Идите сюда, Жанно, будете мне советовать.

Иногда он говорит мне «ты», а иногда «вы», это зависит от того, насколько он меня приближает к себе.

— Что советовать, месье Соломон? Вы в самом деле хотите подцепить женщину или просто меня мучаете, да так, что у меня живот болит?

— Пожалуйста, не говорите «подцепить женщину», Жанно, женщина не грипп. Мне хотелось бы, чтобы вы относились к языку Вольтера и Ришелье-Друо с бо́льшим уважением, мой друг. Поглядим-ка...

Всю свою жизнь, а это немалый срок, я буду помнить, как месье Соломон склонился над страничкой с брачными объявлениями. Невозможно себе представить, что такой величественный человек искал забвения в таком смехотворном и пустом занятии по причинам метафизического отчаяния, которые возникли, как утверждает Чак, именно в силу отсутствия метафизики. Я это рассуждение даже записал на своем магнитофоне. В силу отсутствия метафизики — так сказал Чак. Если вам так повезло, что вы чего-то не понимаете, то этот шанс упускать не надо, надо хоть зафиксировать.

— Я уже подчеркнул несколько объявлений, которые могли бы меня заинтересовать. *Ищу крепкое полувековое плечо, которое не против, чтобы на него склонилась нежная, веселая, чувственная головка.* Что вы об этом думаете, Жанно?

— Головка ищет плечо полувекового возраста, месье Соломон.

— Полувекового, полувекового,— пробурчал мой хозяин.— Это ведь можно обсудить, разве нет? Многие забывают, что сейчас кризис, и предъявляют непомерные требования!

У меня снова возникло сомнение, и я окинул его быстрым взглядом, чтобы посмотреть, не смеется ли он над всеми нами, причем в гомерическом масштабе, но нет, ничуть не бывало, царь Соломон был и в самом деле возмущен.

— Это все же невероятно,— гудел он своим красивым голосом, который исходит из его основ, подобных основам солидных зданий, которые строят на тысячу лет.— Просто невероятно!.. Ей нужно плечо пятидесяти лет... Какое отношение возраст имеет к плечу?

— Она хочет быть спокойной, вот и все!

— А почему мое плечо не может ей обеспечить покой? Чем мое плечо в восемьдесят четыре года стало хуже, чем было в пятьдесят? Ведь это же не вопрос качества мяса, надеюсь?

Раз он так ставил вопрос, я захотел разобраться в этом до конца.

Я прочел то, что он мне указал:

— *Франсуаза, 23 года, парикмахерша, очаровательная, 1 метр 65, 50 кило, глаза*

**255**

*голубые...* Двадцать три года... Ну, что вы скажете?

Месье Соломон наблюдал за мной. Потом положил на стол свою лупу и отвел глаза. Я решил не настаивать. Но между нами все же возник холодок. Я искал, что можно было бы сказать ему приятного, и совершил катастрофический ляп.

— Это придется отложить до следующего раза,— прошептал я.

Я хотел только его успокоить. Но когда в голове сидит навязчивая идея и о ней все время думаешь, то получается что-то ужасное. Надо взвешивать каждое слово. Месье Соломон медленно повернулся ко мне, слегка сжал челюсти, и я сразу понял, что возникло недоразумение, и очень серьезное. Прежде всего, евреи не верят в перевоплощение, в это верят камбоджийцы или еще какие-то более далекие народы, у которых, согласно их религии, после смерти каждый умерший снова возвращается на землю и живет новой жизнью. Но только не евреи. Их нельзя утешить, заверяя, что это случится в следующий раз.

— Я вовсе не это хотел сказать,— пробормотал я.

— А что же именно вы хотели сказать,

разрешите мне вас спросить? — произнес месье Соломон с ледяной вежливостью.

— Я никак не хотел оскорбить ваши еврейские религиозные чувства, месье Соломон.

— Какие, к черту, религиозные чувства! — заорал вконец взбешенный месье Соломон.

— Я знаю, что евреи не верят в перевоплощение, месье Соломон. Они в этом отношении как католики, для них не существует следующего раза, надо съесть сейчас или никогда. Я не хотел ни на что намекать. Не надо об этом все время думать, месье Соломон. Когда об этом все время думаешь, то только все ближе приближаешься, вместо того чтобы удаляться, давая задний ход, и дело кончается тем, что начинаешь корчиться и себя кусать. Когда я вам ее обещал в следующий раз, то это вовсе не был с моей стороны сарказм, греческое слово, произведенное от еврейского *sarcazein — кусать свою плоть, рвать на себе волосы, оскорбительное высмеивание, злая насмешка, издевательство.* Я просто хотел вам выразить оптимистические чувства. Я хотел вас заверить, что вы найдете, возможно, ботинки вашего размера в следующий раз, в следующем номере «Нувель обсерватёр», ведь он выходит каждую неделю, а неделя, месье Соломон, это не так уж долго, вы в полном здравии, и нет никаких причин думать, что за это время с вами что-нибудь случится...

Голос у меня дрожал, с каждой фразой я все больше терял почву под ногами. Когда ты во власти страхов, так всегда бывает — теряешь контроль и говоришь как раз то, чего не хочешь.

— Месье Соломон, волноваться нечего. «Нувель обсерватёр» выйдет через неделю. У них это железно, иначе не бывает. Будет следующий раз, через неделю, это пустяки в наше-то время...

Я умолк, но слишком поздно. Я загубил дружбу, которой дорожил больше, чем всем, что можно найти в словаре. У меня были слезы на глазах.

К великому моему удивлению, месье Соломон вдруг сменил гнев на милость, добрая улыбка озарила его лицо, и от этого вокруг глаз образовалось в два раза больше морщин, как всегда бывает, когда старые люди смеются. Он дружески-поучительно положил мне руку на плечо:

— Послушайте, мой юный друг, не надо все время думать о смерти. Придет день, и мудрость поможет вам перестать ее бояться. Терпение! К восьмидесяти или к девяноста годам у вас выработается та внутренняя стойкость, помогающая выстоять при любом испытании и которая есть не что иное, как сила духа,— надеюсь, что оставлю вам о ней память. Сердце не должно унывать. Вспомните бессмертные стихи великого поэта Поля Валери, уже умершего правда, который воскликнул: *«Поднялся ветер!.. Жизнь зовет упорно! / Уже листает книгу вихрь задорный!* [1] */ Не презирай любовь! Живи, лови мгновенья / И розы бытия спеши срывать весной»* [2]. Нет, это сказал вовсе месье Ронсар, тоже умерший. Все они уже умерли, но сила их духа осталась. О, розы жизни! Срывайте, срывайте их! Вся мудрость в этом, Жанно! Срывайте! Есть смерть, и она нас срывает, это так, но есть и мы, и мы срываем розы жизни. Вам следовало бы чаще ездить за город, срывать розы! Дышать кислородом! Вдох, выдох!

Лицо его было освещено светом, льющимся с неба, но хоть я и смотрел во все глаза, я не мог сказать, я не знал, чем он был воодушевлен — бешенством, отчаянием, ненавистной старостью, не издевался ли он

---

[1]  Строки из «Морского кладбища» Поля Валери. *(Перев. Б. Лившица.)*

[2]  Строки стихотворения Пьера Ронсара из сборника «Сонеты к Елене». *(Перев. В. Левика.)*

с крайней свирепостью над самим собой и своей неуемной любовью к жизни, остервенелым желанием пожить еще и еще, без ограничения срока, преступить запрет. У меня не было никаких шансов защитить свою точку зрения, он был мировым чемпионом, в восемьдесят четыре года всегда становишься мировым чемпионом.

— Какие, к чертовой матери, розы жизни! — орал я, потому что только что подумал о мадемуазель Коре и у меня защемило сердце,— никакого отношения к розам жизни это не имело.— Я вам все же скажу, месье Соломон, даже если это вас рассердит, что ваше рассуждение о розах жизни должно прежде всего касаться вас самих. Мне хотелось бы видеть, как вы срываете розы жизни. Я никогда еще ни к кому не испытывал такого уважения, какое я к вам испытываю, из-за того мужества, с которым вы отдаетесь панике, поскольку речь идет о непосредственной близости... об окончательном, а что касается роз жизни, то я не говорю, что вы с вашим носом не способны вдыхать их аромат, но что касается всего остального, то разрешите мне это обойти молчанием.

И я скрестил руки на груди, как это делал мой хозяин в торжественные минуты, весь во власти старомодных привычек, и подражал я ему вовсе не из желания посмеяться над ним, я отдал бы половину своей жизни, чтобы он только мог прожить еще одну.

В одном глазу у месье Соломона была лупа, а в другом — дружеское тепло. Несколько мгновений его руки еще продолжали покоиться на моем плече, а потом он снова склонился над страницей с брачными объявлениями, и мне казалось, что он склоняется к ним с такой высоты, что я и выразить этого не могу.

— На чем я остановился... *Франсуаза... 23... парикмахерша... Очаровательная... 1 метр 65, 50 кило, глаза голубые...*

Он сидел склонившись, но мне кажется, не читал дальше, а вспоминал. Что ж, воспоминания, на них всегда имеешь право. Потом встал сам, мне не пришлось ему помогать, и засеменил к книжным полкам. Палец его скользил по корешкам книг, он искал, глядя в лупу. Все были в переплетах из настоящей кожи, с золотыми обрезами.

— А, вот...— Он взял томик в красном переплете.— Разрешите вам это прочесть, Жанно... Это написано нашим дорогим Виктором Гюго. Слушайте!

И он поднял вверх указательный палец, чтобы привлечь внимание.

А жены думали: «Пусть юноши красивы,—
Величье дивное у старца на челе» [1]

— Не может быть,— завопил я.— Он это
в самом деле написал?
— Посмотрите сами. И еще вот это, читайте...

Он поднял палец еще выше:

Тот возвращается к первичному истоку,
Кто в вечность устремлен от преходящих дней.

Горит огонь в очах у молодых людей,
Но льется ровный свет из старческого ока.

Мы посмотрели друг на друга, потом месье
Соломон положил мне обе руки на плечи,
и мы стали смеяться, согнувшись от смеха
пополам, ну правда, так смеялись, что больше нельзя, а потом оба проделали несколько
танцевальных па, задирая ноги, и мне даже
пришлось его слегка поддержать, чтобы он
не грохнулся и не разбил бы себе физиономию. Никогда еще наши отношения не были
так похожи на отношения отца и сына, месье Соломон и я — мы могли бы даже выступить в эту минуту с семейным номером, как
один американский акробат семидесяти

---

[1] Здесь и ниже цитируются строки из стихотворения В. Гюго
«Спящий Вооз» в переводе Н. Рыковой.

трех лет, месье Валенда, который был кана-тоходцем и упал с высоты тридцати пяти метров прямо на мостовую американской улицы, и его сын тут же встал на его место. В таких профессиях так оно обычно и быва-ет, от отца к сыну.

Потом месье Соломон проводил меня до двери, все еще обхватив меня рукой за плечи.

Когда я уже выходил, он спросил меня:

— Как поживает мадемуазель Кора?

— Я ею занимаюсь.

# Глава XXV

Я знал, что бросить разом мадемуазель Кору я не могу. В таких случаях нужно быть обходительным.

В первый день после нашего выхода в «Слюш», когда я не зашел к ней, она дважды звонила к альтруистам-любителям, чтобы меня найти, но получилось очень неудачно, она попала на Жинетт, которая не знала, что это личный звонок, и предложила ей прислать кого-то другого. Мадемуазель Кора приняла это болезненно. Я выждал еще три дня, не появляясь, потому что в таких случаях также очень важно увеличивать интервал между встречами. Но я не спал по ночам, меня это мучило. Я всегда хотел быть негодяем, которому на все наплевать с высокой горы, но если вы не негодяй, то тут-то вы и начинаете себя чувствовать негодяем, потому что настоящие негодяи вообще ничего не чувствуют. Из чего выходит, что единственный способ не чувствовать себя негодяем — это стать им.

Чем меньше мне хотелось увидеть мадемуазель Кору, тем больше мне хотелось ее увидеть. Самым правильным было бы пойти к ней и объяснить, что мы поддались опьянению того вечера, но что теперь надо, чтобы нормальная жизнь взяла верх. Надо уметь делать различие между голосом плоти и настоящей любовью. Все это я приготовил заранее и обдумал. Но как это скажешь?

В конце концов я подумал, что лучше ничего заранее не готовить и прийти к ней как ни в чем не бывало, будто между нами никогда ничего и не было. Это никак нельзя было больше откладывать, потому что после первых трех дней она звонить перестала и, видимо, решила, что я ее бросил.

Было около трех дня, и когда она открыла дверь и увидела меня, мне стало тепло на сердце, настолько она была счастлива, что я пришел. Нам всегда нужен человек, которому мы нужны. Она обхватила меня руками за шею и прижалась ко мне и ничего не сказала, но улыбнулась так, словно она была уверена, всегда знала, что я в ней нуждаюсь. Она, видимо, много думала, и я почувствовал, что она нашла «объяснение» моему поведению не без помощи психологии. На ней были брюки канареечно-желтого цвета и голубой купальный халат. Она ходила по квартире босиком. Я сел, а она отправилась на кухню, мы ничего друг другу не сказали, но вид у нее был довольный, словно она все поняла. Я немного беспокоился, боясь, что она, возможно, и в самом деле поняла и пошлет меня к черту, потому что, несмотря на свои шестьдесят пять лет, у нее своя женская гордость. Как только она вернулась из кухни с сидром и пирогом, я хотел было объясниться, сказать ей, что она ошибается, что то, что было между нами, не имеет никакого отношения к нашей службе SOS, где любители помогают одиноким людям, поддерживая их душевно, у меня это был не профессиональный поступок, а что-то гораздо более общее, протест против несправедливости. Но когда мы сели к столу, чтобы пить сидр и есть пирог, и она, глядя мне в глаза, протянула руку и прикрыла ею мою руку, меня словно по башке стукнуло — я понял, какое объяснение она нашла с помощью психологии.

— Расскажи мне о своей маме, Жанно.

— Да мне особенно-то сказать о ней нечего, мадемуазель Кора, она оставила о себе добрую память, когда ушла из дому.

— Сколько тебе было лет?

— Одиннадцать, но раньше она не могла уйти. В ее жизни еще не было другого постоянного мужчины.

— Для тебя это был, наверное, ужасный удар.

— Почему, мадемуазель Кора?

— В одиннадцать лет, если уходит мать...

— Послушайте, мадемуазель Кора, не мог же я ее раньше выставить. Я был слишком мал, и мама — это мама. Отец должен был этим заняться, а не я. Мне она ничего плохого не делала, и мне нечего было в это влезать. Иногда, когда отец уходил компостировать билеты в метро, она приводила домой мужика, но у меня всегда было все, что надо, а это касалось только моего отца. Конечно, я считал, что мой отец тряпка, но я предпочел быть с тряпкой, чем с другими. Как-то раз она отвела меня в сторону и стала говорить: я так больше не могу, я не в силах так жить, я ухожу, потом ты меня поймешь. Я и теперь, когда говорю с вами, еще не понял, что значит *так жить*. Всегда так живут. Я видел ее время от времени, у нас сохранились хорошие отношения. Единственная вещь, которую я могу подтвердить, мадемуазель Кора, что по отношению к тряпке это в самом деле несправедливо.

Я был, пожалуй, доволен тем, как она все это выстроила в своей голове: я с ней переспал, потому что мне нужна мама.

— Но тебе ее не хватает?

— Мадемуазель Кора, если начать считать все, чего не хватает... Нужно себя ограничить, потому что нельзя, чтобы одновременно всего хватало.

— У тебя весьма своеобразный способ выражаться, Жанно.

Мне становится смешно. Если вы возьмете маленького Робера, то убедитесь, что там чуть меньше двух тысяч страниц, и этого оказалось достаточно, чтобы вместить все с самого начала исторического времени, и всю жизнь вообще, и даже то, что будет потом. Чак говорит, что я как Таможенник Руссо, но только по отношению к словам, и это правда, я роюсь в словах, как таможенник в вещах, ищу, нет ли в них чего-то спрятанного.

— У вас есть словарь, мадемуазель Кора?

— У меня маленький Ларусс. Хочешь что-то посмотреть?

— Нет, я спросил, чтобы знать, с чем вы живете.

Я подумал: хорошо, ведь есть такие, которые обходятся всего лишь прожиточным минимумом.

— Ты мог бы регулярно приходить ко мне обедать, вместо того чтобы есть что попало.

Я тут же положил вилку. Но потом сдержался. Не стану же я объяснять человеку, который живет с маленьким Ларуссом, что мне не хватает куда большего, чем мамы. А ведь она, наверное, слушает время от времени последние известия. Те, что называют городскими. В углу гостиной у нее стоял телевизор, должно быть ради эстрадных программ. Эстрадные программы — это, конечно, хорошо... А вот накануне показали труп Альдо Моро и убитых из экспедиционного корпуса в Ливане, да и в других местах, да еще первым планом забитого мальчишку в Кольвези. Но это верно, я мог бы приходить регулярно к ней обедать, вместо того чтобы есть что попало.

Она встала и подошла к буфету, где лежали те глазированные фрукты из Ниццы, которые ей послал месье Соломон. Они все еще не были съедены. Глазированные фрукты могут лежать сколько угодно.

— Я хотела бы задать тебе один вопрос...

— Задавайте!

— Я ведь уже совсем не молодая и...

Она стояла ко мне спиной. Когда спиной, то легче. Мне ничего не оставалось, как встать, подойти к ней, развернуть ее лицом к себе, обнять и поцеловать. Мне не очень-то хотелось целовать ее в губы, но так как это было бы несправедливо, я поцеловал ее в губы. В постели она говорила что-то вроде «как бы я хотела сделать тебя счастливым» и «любовь моя», «моя нежная любовь» и изо всех сил пыталась сделать невозможное, лишь бы мне было хорошо. Ее движения тазом были такими необузданными и резкими, что я боялся, как бы она себе что-нибудь не повредила.

— Почему я, Жанно? Ты можешь иметь любую молодую красивую девушку.

Я лежал на спине и курил. Я не мог ей объяснить. Нельзя объяснить женщине, которую нежно любишь, что это чувство адресовано не лично ей, что я нежно люблю вообще, так люблю, что готов умереть. В таких случаях лучше выбирать среди готового платья, чем пытаться давать объяснения по мерке.

# Глава XXVI

Это длилось в течение трех недель. Всякий раз я обещал себе, что это в последний раз, но остановиться оказывалось невозможным. Я все больше погружался в эту невозможность. Она мне больше не задавала никаких вопросов, мы почти не разговаривали, и она прекрасно видела, что мама мне не нужна.

Почти каждый вечер я оставался ночевать у Алины. Волосы она по моей просьбе отпускала. Мы мало разговаривали, нам не надо было друг друга ни в чем уверять. Я был с ней все время, даже когда мы расставались. Я все спрашивал себя, как это я мог прежде жить так долго, не зная ее, жить в неведении. Как только мы расставались, она начинала заметно расти. Я шагал по улице и всем улыбался, потому что я ее как бы все время видел. Я знал, что все умирают из-за любви, в ней все испытывают самый большой недостаток, но лично я перестал умирать, я начинал жить.

Я даже перенес к Алине кое-какие вещи. Постепенно, чтобы ее не пугать. Прежде всего зубную щетку, потому что это самый маленький предмет. Потом трусы, рубашку, и она тоже не возражала. Тогда я набрался храбрости и принес целую сумку. Я умирал от страха, когда входил с сумкой в руке, получалось, я совсем обнаглел, и я остановился на площадке с видом мудака. Когда она открыла мне дверь, у меня, должно быть, был такой встревоженный вид, что она рассмеялась. Груди у нее были очень маленькие, словно они только что родились. Ночью, когда я ее пять или шесть часов не выпускал из объятий, она говорила:

— Твоя внешность выбрала себе не того клиента.

Я согнул руку и дал ей пощупать мускулы.

— Чувствуешь?

— Ты прав, Жанно, мой Зайчик. Чтобы жить счастливо, нам нужно укрыться от людей.

Она была единственной девчонкой из всех, кого я знал, которая, едва переступив порог дома, не ставила пластинку или не включала радио. А у многих были и стереосистемы, и звуки нападали на вас со всех сторон. А еще у нее везде лежали книги и даже стояла всеобщая энциклопедия в двенадцати томах. Мне хотелось ее посмотреть, но я сдержался, чтобы она не подумала, что я интересуюсь чем-то помимо нее.

Посещения мадемуазель Коры я свел к одному-двум разам в неделю, чтобы она постепенно от меня отвыкала. Мне следовало бы раньше рассказать об этом Алине, но ведь здесь не могло быть и речи о ревности между женщинами. Она мне всегда оставляла ключ под половиком у входной двери. Однажды ночью, возвращаясь от мадемуазель Коры, я разбудил Алину. Я сел на кровать, не глядя на нее.

— Алина, я впутался в любовную историю с женщиной, которой шестьдесят пять лет, если не больше, и я не знаю, как из нее выбраться.

Я сразу назвал возраст, чтобы она не ревновала.

— Но если это любовная история...

— Это любовная история в общем смысле, не лично с ней.

— Из жалости?

— О нет, я же не негодяй. Я с ней по любви, просто есть вещи, которые я не могу допустить. Я не могу смириться с тем, что становишься старым и одиноким... Я с ней стал спать в порыве возмущения, а теперь не знаю, как из этого выпутаться. Когда я не появляюсь день или два, она сходит с ума... Она решит, что я ее бросил потому, что она старая, а ведь на самом деле как раз наоборот, я начал с ней поэтому, и бросаю вовсе не потому, что она старая...

Алина встала, трижды обошла комнату, а потом снова легла.

— Как долго это тянется?

— Не знаю. Надо посмотреть в твоей энциклопедии...

— Не валяй дурака!

— Послушай, Алина, клянусь тебе, если бы нашелся тип, который смог бы меня сейчас рассмешить, я в благодарность пошел бы к тем, кто распределяет за это стипендии, и замолвил бы за него словечко. Это называется «Стипендия за Призвание».

— Что ты будешь делать?

— Что ж, если ты скажешь: либо ты, либо она...

— Не рассчитывай на меня. Это слишком легко. Кто она?

— Бывшая певица. Кора Ламенэр.

— Не слыхала.

— Естественно, она пела до войны.

— Когда ты видел ее в последний раз?

Я не ответил.

— Когда?

— Я от нее.

— Интересно! Похоже, там у тебя дело спорится...

— Алина, не будь гадюкой. Если бы ты меня выгнала и сказала бы «прощай», я тебя понял бы, но гадюкой быть не надо.

— Извини.

— Ты ведешь себя, будто я тебе изменяю с другой женщиной. Но это ведь совсем не то.

— Потому что она уже не в счет, она перестала быть женщиной?

Я сперва помолчал, а потом все же спросил:

— Ты слышала про виды животных, которым грозит полное исчезновение с лица земли?

— Ах вот что, ты действуешь по экологическим соображениям?

— Не будь гадюкой, Алина, не будь гадюкой. Я ведь даже чуть было не уехал в Бретань из-за пролитой в океане нефти, но оказалось, что туда можно ехать только группой в тридцать человек, а вот здесь...

Она не спускала с меня глаз. Никогда еще ни одна женщина не смотрела на меня так пристально.

— Какая она?

— Не очень видно, сколько ей. Зависит, конечно, от того, как смотреть. Если у тебя злой глаз... Если у тебя глаз ищущий, то всегда можно что-то найти. Конечно, морщины, кожа увядшая, вялая, обвисшая... В этом виновата реклама.

— Реклама?

— Да, реклама. Все бабы ей верят... Все хотят иметь самые красивые волосы, самую гладкую кожу, свежий румянец... Не знаю, право... Мадемуазель Кора, если не придираться, если забыть про ее грифельную доску...

— Господи, что ты несешь? Какая грифельная доска?

Я встал и взял с полки словарь. Я тут же, как чемпион, нашел нужное слово и прочел:

— *Грифельная доска — счет продуктов и выпивки, взятых в кредит. Примеры. Он весь в долгах, у него везде грифельные доски. Цвет синеватый, пепельный.* Понимаешь? Мадемуазель Кора вся в долгах. Шестьдесят четыре года, даже больше, я думаю, она тут не вполне честна. Так вот, учитывая синеватый, пепельный цвет этого камня... Получается тяжело. Жизнь открыла ей счет, и он все возрастает.

— И ты пытаешься его уменьшить?

— Я сам не знаю, Алина, что я пытаюсь.

Может, так и лучше. Иногда мне кажется, что это жизнь против нас в долгу и не желает нам ничего возмещать...

— Надо говорить «в долгу у нас», а не «против нас».

— У нас в Квебеке говорят «против нас».

— Ты что, из Квебека?

— Я из Бют-Шомона, но все равно, в Квебеке говорят иначе. Пойди посмотри фильм «Горячая вода, холодная вода», он идет сейчас в кинотеатре «Пагод», на улице Бабилон, и ты увидишь, что есть разные возможности выразить одно и то же. Еще не все унифицировано. Все это лишь затем, чтобы тебе объяснить, что жизнь берет у тебя многое в долг, а ты все ждешь, что она тебе его отдаст, и...

— ...И это называется мечтать.

— ...а потом наступает момент, как с мадемуазель Корой, когда ты начинаешь чувствовать, что теперь поздно, что жизнь никогда тебе не возместит того, что должна, и тогда тебя начинают терзать страхи... Это то, что мы, альтруисты-любители, называем «страхи царя Соломона».

Я стоял возле книжной полки и был голый, хотя я чувствую себя голым и когда одет, поскольку прикрыть себя все равно нечем. Алина снова встала и снова трижды обошла комнату, скрестив на груди руки, а потом остановилась передо мной.

— И тогда ты решил отдать долг мадемуазель... как ее?

— Кора. Кора Ламенэр. А меня зовут Марсель Беда.

Я напрасно пытался заставить ее засмеяться.

— Короче, ты пытаешься вернуть мадемуазель Коре то, что ей задолжала жизнь, поскольку в шестьдесят пять лет уже нельзя ждать, пока жизнь с ней сама рассчитается?

— Надо попробовать, что поделаешь. Вот уже шесть месяцев, как я работаю на SOS, это вопрос профессиональной совести.

Она с минуту помолчала, разглядывая мое лицо во всех подробностях.

— И теперь ты чувствуешь, что зашел слишком далеко, и не знаешь, как из этого выпутаться?

— Заметь, я сам понимаю, что это сугубо временная ситуация. Она знает, что я негодяй и что в конце концов ее брошу. Это такой репертуар.

— Да что ты несешь? Нет, скажи, что ты несешь? Какой репертуар?

— Так все происходит в жанровой песне. Это ее репертуар. Она только их и пела, мадемуазель Кора. Она сама мне сказала, что в этих песнях всегда все плохо кончается. Этого требует жанр. Женщина там либо бросается в Сену со своим новорожденным ребеночком, либо ее парень начинает играть ножом, либо он приканчивает ее, либо дело кончается гильотиной, либо туберкулезом и каторгой, либо все это происходит одновременно. Тут ничего не поделаешь, можно только слезы лить.

— Да ну тебя к черту, ты нагоняешь на меня тоску.

— Зря песни изменились, теперь поют совсем другие.

Она еще пристальней поглядела на меня.

— Послушай, ты тоже неплохо играешь ножом...

— Это же смеха ради.

Мне кажется, что начиная с этого «смеха ради» мы стали по-настоящему понимать друг друга. В ту ночь мы к этому больше не возвращались. Мы вообще больше не говорили. Ни о чем. Царила тишина. Но другая. Не та, которую я хорошо знал, тишина, которая вопила. Новая тишина. Обычно, когда я ночью просыпаюсь, тишина тут же начинает вопить, и я стараюсь как можно скорее снова уснуть. Но в эту ночь, с Алиной, я специально просыпался, чтобы не потерять ни минуты. Всякий раз, когда я снова засыпал, это было так, точно у меня что-то крали. Я говорил себе, что, быть может, это такая особая, исключительная ночь и что на это в дальнейшем рассчитывать не приходится. А еще я себе говорил, что это была такая одна везучая ночь и не надо думать, что это вообще достигнуто. Это было то, что называют фантазмами. Я даже встал и зажег свет, чтобы быть уверенным. *Фантазм — усилие воображения, благодаря которому «я» пытается вырваться за пределы реальности.*

— Что ты ищешь, Жан?

— Фантазм.

— Ну и что?

— Я счастлив.

Она подождала, пока я снова лягу к ней.

— Конечно. Я знаю, я понимаю. Но не надо бояться.

— Я не привык. И еще у меня есть друг, месье Соломон, брючный король, который достал меня своими страхами, суетой сует, прахом и погоней за ветром Екклесиаста. У него все это понять еще можно, когда тебе восемьдесят четыре года, то плевок в колодец приносит облегчение, это философический поступок. Чак это называет «находить убежище на философских вершинах и бросать оттуда величественный взгляд на все, что творится в низком мире». Но это неверно. Месье Соломон так любит жизнь, что он даже просидел четыре года в темном подвале на Елисейских полях, чтобы ее спасти. И когда ты счастлив, ну в самом деле по-настоящему счастлив, ты еще больше боишься, потому что ты к этому не привык. Я думаю, кто похитрее, должен постараться быть всю свою жизнь самым несчастным, тогда он не будет бояться умереть. А я даже спать не могу. Мандраж. Мы с тобой счастливы, хорошо, но это же не причина, чтобы расстаться?

— Дать тебе успокоительную таблетку?

— Я не хочу принимать таблетки оттого, что я счастлив, черт возьми. Иди сюда.

— Жизнь не накажет тебя за то, что ты счастлив.

— Не знаю. У нее меткий глаз, поверь. Счастливый парень — это заметно.

На следующий день, когда я пошел навестить мадемуазель Кору, Алина сама мне выбрала цветы. Она сама составила букет, дала его мне и поцеловала с сердечным весельем в обе щеки на улице Бюси, перед лавкой, и в ее глазах было столько нежности, что я почувствовал себя хорошим мальчиком.

## Глава XXVII

Когда я пришел к мадемуазель Коре с букетом, я застал ее в слезах.

— Что случилось, мадемуазель Кора?

Мне все еще не удавалось называть ее просто Кора. Лицо ее было в разводах косметики, а глаза, казалось, звали на помощь.

— Арлетти...

Она помотала головой, она не могла говорить. Я сел рядом с ней и нежно прижал к себе. Так ей стало немного лучше, она взяла журнал, лежавший у нее на коленях.

— Послушай...

И она мне прочла, что мадемуазель Арлетти сказала в журнале «Пуан»: *Жаль, что мы позволяем прошлому уйти, не пытаясь даже хоть что-то от него удержать...*

Потом ее голос оборвался, и она заплакала, как в песне месье Жана Риктуса — у нее была эта пластинка — «Ничего тут не поделаешь, можно только плакать». В эту ночь я пытался ее удержать, как еще никогда прежде. Борьба в эту ночь шла между «Ничего тут не поделаешь» и мной. Я не мог ни вернуть мадемуазель Коре ее двадцать лет, ни поставить ее в первый ряд в народной памяти, рядом с Арлетти, Пиаф, Дамиа и Фреель, но я все же удержал ее немножко как женщину, а потом я пошел к Алине, и она заключила меня в свои объятия и нежно, губами, закрыла мне глаза.

# Глава XXVIII

Это длилось, насколько у меня хватило сил. Я удерживал мадемуазель Кору с таким усердием, с которым я еще никогда ничего не пытался делать в своей жизни. Но невозможно любить что-то больше всего на свете, когда это что-то — женщина, которую ты не любишь. Никогда не следует любить кого-то, если ты не любишь лично его, любить вообще, в пику несправедливости. Объяснить в этом случае ничего нельзя, удрать также, из малодушия боишься причинить боль. Я продолжал изо всех сил удерживать мадемуазель Кору на плаву, но это была уже только физическая близость. Потом я чувствовал потребность немедленно побежать к Алине, чтобы сменить атмосферу. Это все становилось гадким, гадким, гадким. Я занимался любовью с Алиной, чтобы отмыться. И я стал замечать в лице Алины жесткость, которая меня пугала.

— Надеюсь, ты все же не ревнуешь?

— Не говори глупостей. Речь идет не о мадемуазель Коре. И также не обо мне.

— Тогда о чем? Ты дуешься.

— Защитники и благодетели женщин, старых и молодых,— осточертело...

Она пальцем коснулась моих яичек.

— Ты со своим прожиточным минимумом слегка рехнулся. Все это дерьмо. Тебя толкает жалость...

— Нет, это то, что называют слабость сильных.

# Глава XXIX

Однажды ночью, когда мадемуазель Кора спала в моих объятиях, мне стало страшно, по-настоящему страшно, потому что я почувствовал, что мне легче задушить ее, когда она счастлива, чем бросить. Мне надо было только чуть крепче ее сжать, и мне больше не пришлось бы причинять ей горе. Я поспешно оделся. Перед тем как выйти, чтобы быть уверенным, что все в порядке, я оглянулся, нет, нет, я ничего не сделал, она спокойно спала. Я не мог пойти разбудить царя Соломона, довериться его легендарной мудрости, спросить у него совета. Перед глазами у меня все время стоял образ чайки, увязшей в нефти у берегов Бретани, и я уже не знал, олицетворял ли этот бред меня или мадемуазель Кору. Я кружил ночью на своем велике по городу, а потом решил, как и многие другие, которые так кружат, позвонить в службу SOS. Я остановился у закусочной «Пицца Миа» на Монмартре, которая открыта всю ночь, спустился в подвал и позвонил. Я не сразу дозвонился, потому что было около двух часов ночи, а в это время звонят больше всего, но в конце концов мне ответили:

— «SOS альтруисты-любители».

Черт возьми! Это был месье Соломон. Я мог бы это предположить, я знал, что он часто встает ночью и сам садится к телефону, освобождая своих сотрудников, потому что ночью страхи его всегда усиливаются, и, когда он чувствует себя наиболее одиноким, ему особенно нужен кто-нибудь, кому нужен он.

— Алло, SOS вас слушает.

— Месье Соломон, это я.

— Жанно! С вами что-то случилось?

— Месье Соломон, я предпочитаю вам это сказать издалека, на расстоянии, но я трахнул мадемуазель Кору, чтобы ее удержать...

Он совсем не был удивлен. Мне даже показалось, честное слово, я слышал, как он довольно засмеялся. Но я, похоже, совсем растерялся. Потом он меня спросил как бы с научным интересом:

— Ее удержать? Что значит ее удержать, Жанно?

— Это потому, что мадемуазель Арлетти пишет в журнале: *Жаль, что мы позволяем прошлому уйти, не пытаясь даже хоть что-то от него удержать.*

Месье Соломон долго молчал. Я даже подумал, что он от волнения покинул нас.

— Месье Соломон! Вы здесь? Месье Соломон!

— Я здесь,— раздался голос месье Соломона, и от ночного времени он был более глубоким, чем всегда.— Я хорошо себя чувствую, я здесь, я еще не умер, что бы ни говорили. Вы весь во власти страхов, мой юный друг.

Я хотел было ему сказать, что это он мне передал свои страхи, но не станем же мы вступать в спор, чтобы выяснить, кто был первым, возможно, эти страхи уже были задолго до всех нас.

— Малыш,— сказал он, и я никогда еще не слышал столько волнения в его голосе, я представил себе его там, на конце провода, представил себе, как он склонился к нам со своих величественных высот.

— Да, месье Соломон. Что мне делать? Я люблю, люблю одну девушку. Я не люблю мадемуазель Кору, и поэтому я ее, конечно, еще больше люблю. Короче, я ее люблю, но не лично ее, а в общем виде. Вы понимаете?

Месье Соломон, вы все еще здесь? Месье Соломон!

— Твою мать! — заорал месье Соломон, и у меня мороз пробежал по коже.— Я еще здесь и не собираюсь не быть здесь, я буду здесь столько, сколько захочу, даже если никто больше в это не верит.

Он снова замолчал, и на этот раз я не стал прерывать его молчание.

— Как звучит эта фраза мадемуазель Арлетти?

— *Жаль, что мы позволяем прошлому уйти, не пытаясь даже хоть что-то от него удержать...*

Царь Соломон молчал на том конце провода, а потом я услышал глубокий вздох.

— Очень верно, очень точно...

И вдруг он снова рассердился и заорал:

— Я не виноват, если эта мудачка...

Он прервал себя и кашлянул:

— Извините. В общем, я сделал что мог. Но у нее птичьи мозги и...

Я думаю, он говорил о мадемуазель Коре. Но он снова прервал себя:

— Одним словом, вы ее... Как это вы выразились?

— Я ее трахнул.

— Вот именно. Я так и думал. Судя по вашему типу...

— Если вы думаете, что я сутенер, месье Соломон, то смею вас уверить, это не моя профессия.

— Вовсе нет, вовсе нет. Я просто хотел сказать, что ваш тип внешности не мог ей не понравиться, что она потеряла от него голову. Ничего плохого здесь нет.

— Да, но как мне из этого выпутаться?

Месье Соломон подумал, а потом сказал что-то совсем нелепое:

— Что ж, может, она влюбится еще в кого-нибудь.

Это меня возмутило. Он просто издевался надо мной среди ночи.

— Вы глумитесь надо мной, месье Соломон. Это не очень-то любезно, я вас с великим почтением всегда, не можете не быть в курсе.

— Жанно, следите за тем, как вы говорите, язык надо уважать. Не пытайтесь и его трахнуть. Ребенка вы ему не сделаете, смею вас уверить. Самые большие писатели пробовали, как вы знаете, но ничего хорошего у них не родилось. Обойти тут что-либо невозможно. Грамматика безжалостна, и пунктуация тоже. Мадемуазель Кора, быть может, все же найдет себе другого, менее молодого. Спокойной ночи.

И он повесил трубку, что никогда не делают в SOS, вешать должен всякий раз тот, кто звонит, чтобы он не подумал, что его отшивают.

Я несколько секунд еще послушал гудки — это было приятнее, чем тишина,— а потом вернулся к Алине. Она не спала. Разговаривать с ней было не нужно, она и так все понимала. Она сварила кофе. Мы посидели несколько минут не разговаривая, но казалось, что разговариваем. В конце концов она улыбнулась:

— Она этого ждет, поверь. Она должна чувствовать, что длиться это не может, что это не...

Она не сказала последнего слова, а отхлебнула кофе. Я сказал его вместо нее:

— ...что это неестественно? Ты это хотела сказать?

— Да, неестественно.

— Именно это самое отвратительное в природе.

— Не спорю, но ты не можешь изменить природу.

— Почему? Почему не изменить ее, эту бля? Она уже столько веков обращается с нами как с пустым местом. Может, она фашистка, эта природа? А мы должны все молча терпеть?

— Что ж, обратись к своему другу месье Соломону, брючному королю, и попроси его скроить нам природу по тем меркам, какие мы ему дадим, а не по шаблонам готового платья. Либо обратись к другому царю Соломону, к тому, что стоит выше, которого давно уже нет и которому возносят мольбы уже несколько тысячелетий. О'кей?

— Я прекрасно понимаю, что тут ничего не поделаешь: у месье Жана Риктуса есть такая песня.

— Поговори об этом с мадемуазель Корой. Она в этом разбирается. Ты сам мне сказал, что это ее репертуар.

— Репертуар, надрывающий сердце,— осточертело! А если она поступит как героини ее жанровых песен и бросится в Сену?

Алина рассердилась:

— Замолчи. Конечно, я ее не знаю, но... Послушай, ты должен понять, что дело тут не во мне, Жанно. Мне безразлично, что ты с ней спишь. Это не имеет значения. Но то, что имеет значение, этого ты ей дать не можешь. Это несправедливо ни по отношению к ней, ни вообще.

— Для женщин вообще?

— Не будем залезать в такие дебри, Жанно. Бывают ситуации, в которых доброта превращается в милостыню. И еще мне кажется, что ты судишь обо всем этом исходя из своей чувствительности, а для нее все это может оказаться совсем другим.— И она добавила, улыбнувшись: — Тебе не приходила, например, в голову мысль, что она взяла тебя *за неимением лучшего?*

Я посмотрел на нее, но не возразил. Я вдруг испугался, что Алина меня тоже взяла за неимением лучшего. И что все мы за неимением лучшего. Твою мать! Я допил кофе и закрыл свою пасть, так будет лучше.

— Что она взяла тебя за неимением лучшего и что ей больше всего нужен покой, чье-то общество, главное, не быть в одиночестве?..

Быть может, это верно. Быть может, я для мадемуазель Коры тот, про кого говорят: «Сойдет на худой конец».

# Глава XXX[1]

Мадемуазель Кора купила на следующий вечер билеты на «Королевские фиалки», а потом мы с ней должны были пойти ужинать в одно бистро, где у нее были все свои. Эти самые «Фиалки» были, как раньше говорили, «опереткой». Мадемуазель Кора видела ее еще до войны с Ракель Меллер, которую она обожала. Она вообще знала всех звезд эстрады того времени, когда сама была еще девчонкой и поджидала их всех у артистического входа: Ракель Меллер, Мод Лоти и Мистенгет — теперь их афиши можно найти на лотках у букинистов.

— Мисс еще и в семьдесят лет танцевала. Ну, правда, ее поддерживали три партнера.

В антракте она потащила меня за кулисы. Там у нее был один знакомый человечек, этакий упитанный живчик, звали его Фер-

---

1   Главы XXX—XXXV — перевод Н. Мавлевич.

нандо, не помню, как дальше. Мадемуазель Кору он встретил довольно кисло. А на меня посмотрел с тем же чувством, что и я на него: дескать, не было печали... это очень сближает — такая взаимность.

Мадемуазель Кора чмокнула его в щечку:

— Фернандо, котик, привет! Сто лет не виделись...

Фернандо явно обошелся бы без этого свидания еще лет пятьдесят и ответил сдержанно:

— Здравствуй, Кора, здравствуй...

— Последний раз, помнится... Постой, когда же это было...

— Да-да, я отлично помню.

Он сопел, скрипел зубами — сдерживался изо всех сил, чтобы оставаться в рамках вежливости.

— Извини, Кора, я страшно занят...

— Я только хотела...

Я взял ее за талию:

— Пойдем, Кора...

— Я только хотела представить тебе молодого актера, которого я опекаю...

Я протянул руку:

— Марсель Беда. Очень приятно.

Этот самый Фернандо посмотрел на меня как на представителя древнейшей профессии.

— Я защищаю его интересы,— сказала мадемуазель Кора.

Фернандо пожал мою руку, глядя в пол.

— Кора, извини, но сейчас у меня ничего нет. Статистов и так предостаточно... Ну, если вдруг будет нехватка...

Я понял, что разыгрывается классическая сцена. Сакраментальная. Почувствовал амплуа и с ходу вошел в роль:

— Я могу принести вырезки из прессы.

— Да-да.

— Я певец, танцор, эксцентрик, говноглотатель. Могу, если хотите, прямо сейчас показать смертельное сальто...

Я принялся снимать куртку.

— Только не здесь! — взмолился Фернандо.— Да что с вами!

Я запричитал:

— А франка у вас не найдется?

Фернандо благоразумно промолчал — видно, почувствовал, что следующим номером будет оплеуха. Мадемуазель Кора между тем так и светилась, это надо было видеть: она была так счастлива снова очутиться в артистической среде, где ее еще помнили и ценили.

— Пойдемте, мадемуазель Кора.

— А как же второе действие?

— На сегодня хватит. Досмотрим в другой раз.

— Тебе известно, что Жан Габен начинал танцовщиком в Фоли-Бержер? Ты слишком застенчив, Жанно. Но ты произвел на него впечатление. Я сразу заметила.

Бистро находилось на улице Доль, около площади Бастилии, которую мадемуазель Кора называла «Бастош». Едва войдя, она кинулась обниматься с краснолицым, пропитого вида хозяином в серых в мелкую клеточку брюках и табачном кашемировом пуловере. Повсюду висели портреты велосипедистов и боксеров. На почетном месте, над баром — Марсель Сердан, который в расцвете славы разбился на самолете, а вдоль по стенам — победители Тур де Франс: Коппи, Антонен Мань, Шарль Пелисье, Андре Ледюк. Были также прыгуны, герои снежных трасс: чемпионы по прыжкам с трамплина, по бегу на короткие и длинные дистанции. Покорители дорог. Призеры автогонок по Монако с именами внизу: Нюловари, Широн, Дрейфус, Вимиль. Славный малый этот хозяин, подумал я. Память о людях так быстро стирается, особенно когда их не знаешь. Фотографии — их спасение, но мы редко думаем об их жизни за кадром.

Мадемуазель Кора отлучилась в туалет, хозяин тем временем предложил мне выпить.

— Мадемуазель Кора в свое время была знаменитостью,— сказал он мне для поднятия духа.— Талант! Тяжело, когда после такой славы тебя забывают.

Он и сам был велогонщиком, трижды участвовал в Тур де Франс.

— Вы до сих пор тренируетесь?

— Только иногда по воскресеньям. Ноги уже не те. Скорее так, по старой памяти. А вы, похоже, тоже спортсмен?

— Да, боксер. Марсель Беда.

— О, конечно, простите! Еще рюмочку?

— Нет, спасибо, надо держать форму.

— Она, то есть мадемуазель Кора, приходит сюда каждую среду, когда у нас подают зайца в вине. Так, значит, бокс? — сказал он и непроизвольно прибавил: — Как Пиаф и Сердан... Для меня эта пара — образец самой возвышенной любви.

— Он бьет, она поет.

— Что-что?

— Есть такой фильм.

— Если бы Сердан не разбился, они бы всегда были вместе.

— Что делать, такова жизнь.

— А мадемуазель Кора лет десять назад, я уж думал, совсем пропадет. Она нанялась прислугой в туалет при пивной. И это Кора Ламенэр — шутка сказать! Угораздило ее связаться при немцах с этим подонком! Но, на счастье, она встретила одного из своих бывших поклонников, и тот о ней позаботился. Определил ей приличную ренту. Так что она ни в чем не нуждается.

Тут он доверительно на меня взглянул, словно намекая, что и я не буду ни в чем нуждаться.

— Он вроде бы король готовой одежды. Какой-то еврей.

Я усмехнулся:

— Точно.

— Вы его знаете?

— Не иначе!

У меня поднялось настроение.

— Пожалуй, выпью еще аперитива.

Хозяин встал:

— Только это между нами, ладно? Мадемуазель Кора ужасно стыдится этой своей работы в туалете. Никак не забудет унижения.

Он принес графинчик аперитива и пошел заниматься другими посетителями. А я чертил ногтем вензеля на скатерти и радовался, думая о премудром царе Соломоне. Он достоин верховной власти. Посадить бы его туда, на самый высший престол, который так зияет без него, где так не хватает державного подателя готового платья. Стоило бы

только обратить взор наверх — и тут же
тебе — бац! — пара штанов. Так и вижу нашего месье Соломона на троне, милостиво рас-
точающего штаны всем нуждающимся. Ведь
самая насущная нужда всегда в низах. А уж
что повыше — это роскошь. По телевизору
передавали, что в мире миллиард человек
обоего пола, с позволения сказать, живут
меньше чем на тридцать франков в месяц.
Так что мои возвышенные запросы явно
с жиру. Поработать бы тебе, голубчик, в шахте по восемь часов в день... А то, ишь, подавай ему патернализм и крупные накопления.
Но царя Соломона в высших сферах нет,
то-то и тоска. Я все чертил ногтем по скатерти и размышлял, откуда у меня эта тоска
по роскоши. Пока не спохватился, куда это
задевалась мадемуазель Кора, она ведь просто пошла в туалет: может, затосковала по
прежним временам, когда она там служи-
ла, — кому не случается взгрустнуть о бы-
лом? — теперь, когда месье Соломон осыпал
ее щедротами, можно и поблагодушество-
вать. Ей небось часто случается зайти где-
нибудь в кафе в туалет и порадоваться, что
ее там нет, а на ее месте кто-то другой. Быв-
шим знаменитостям вредно опускаться до
писсуара! Надо будет пойти спросить царя
Соломона: может, он меня нарочно послал

к мадемуазель Коре, потому что решил, что я — это то, в чем она нуждается, и пожелал не ограничиваться только финансовыми щедротами? Счел, наверно, что я смахиваю на того мерзавца и потому должен ей понравиться,— так у него выражается ирония, или сарказм, или что-нибудь похуже: злорадство или месть за то, что она его бросила ради фашиста. Да он еще и король иронии, наш старик Соломон.

Наконец мадемуазель Кора вернулась.

— Извини, Жанно... Я звонила одной приятельнице. Ты уже выбрал? Сегодня у них заяц в вине.

Тут она сострила:

— Заяц и вино для Зайчика Жанно!

Шутка вышла такой убогой, что я рассмеялся из жалости к ней. Посмеяться убогой шутке — значит оказать Коре моральную поддержку. Я как-то видел передачу по первой программе: там были сплошные убогие шутки, так что герои все время смеялись из жалости, а зрители жалели героев.

Мадемуазель Кора очень любила красное винцо, хотя пьянчугой не была. Я думал о том, что сделал для нее месье Соломон, и диву давался — похоже на сказку! Женщина на старости лет осталась без средств, и вдруг появляется самый настоящий король, вызволяет ее из писсуара и дает ренту. А потом решает, что этого мало, и дарит ей кое-что еще — вашего покорного слугу Марселя Беду. У нас на улице Шапюи есть одна бездомная нищенка, седая, с обмотанной тряпьем вздутой ногой,— и, что хуже всего для клана Беда, она все время толкает перед собой тандем — это, кто не слыхал, такой двухместный велосипед. Не знаю уж, кто там у нее: муж или, может, сын, которого она потеряла,— всего знать нельзя, что, может, и к лучшему.

— Где ты витаешь, Жанно? О чем задумался?

— Я здесь, рядом с вами, мадемуазель Кора. И думал об одной знакомой, с которой, по счастью, не скрестились ваши пути.

Мадемуазель Кора скорчила гримаску:

— А что, она ревнивая?

— Не понял, к чему это вы?

— Ну, если бы она нас с тобой увидела, она бы мне выцарапала глаза?

Хозяин поставил пластинку с аккордеоном, и я воспользовался случаем, чтобы переменить тему:

— Мадемуазель Кора, а почему в жанровых песнях всегда одни несчастья и разбитые сердца?

— Иначе нельзя.

— А-а...

— Понимаешь, специфика жанра.

— Но все имеет пределы. У вас там одинокая мать идет на панель, чтобы вырастить дочку, та становится красивой и богатой, а старая обнищавшая мамаша замерзает на улице. Кошмар!

— Да, у меня была такая песенка: музыка Людовика Самбла, слова Луи Дюбюка.

— Но это уж через край!

— Зато хватает за душу. Людей не так легко пронять.

— Конечно, кому-то, может, и приятно такое слушать и сознавать, что им, по крайней мере, не надо бросаться в Сену или замерзать на улице, но, на мой вкус, в жанровых песнях должно быть побольше оптимизма. Будь у меня талант, я бы прибавил им счастья, а не заставлял стонать и страдать. Не такой уж это, по-моему, реализм, когда женщина бросается в Сену из-за того, что ее бросил дружок.

Мадемуазель Кора пригубила вина и посмотрела на меня дружелюбно:

— Ты уже подумываешь меня бросить?

Я весь сжался. Это я говорю буквально — на самом деле сжался. Первый раз она угрожала мне броситься в Сену.

И я хохотнул ей в лицо с видом этакого подонка, который ей так нравится, потому что женщинам необходимо страдание. Действительно, я совсем забыл: в жанровых песнях любовь всегда трагична, иначе не схватишь за душу.

Но я и сам мучился. Сказать ей: «Мадемуазель Кора, я вас никогда не брошу» — я не мог. Это не в моих силах.

И я снова увильнул:

— Что у вас было с месье Соломоном?

Она как будто ничуть не удивилась.

— Это было так давно.— И прибавила для моего успокоения: — Теперь мы просто друзья.

Я не поднимал глаз от своей тарелки, так мне хотелось засмеяться, хоть было совсем не до смеха. Она имела право воображать, что я ее ревную. Ничего смешного. Хотя и ничего трагического. Она же не нищенка, которая толкает перед собой пустой тандем. Она хорошо одета в лиловое и оранжевое, с белым тюрбаном на голове, и каждый месяц получает с неба приличную ренту. У нее обеспеченное будущее. И каждую среду она приходит сюда отведать зайца в вине.

— У нас был роман еще до войны. Он был безумно в меня влюблен. И страшно меня баловал: меха, украшения, автомобиль с шофером... В сороковом он достал визу в Португалию, но я не захотела ехать с ним, и он остался. Укрылся в этом подвале на Елисейских полях и просидел взаперти, не видя дневного света, четыре года. И ужасно на меня обиделся, когда я влюбилась в Мориса. Морис работал на гестапо, и после Освобождения его расстреляли. А месье Соломон не мог мне простить. Он вообще, если хочешь знать, неблагодарный. Жестокий человек, хоть по нему и не скажешь. Так он меня и не простил. А ведь он мне обязан жизнью.

— Как это?

— Я же его не выдала. Знала, что он скрывается в подвале на Елисейских полях, как еврей,— и не выдала. А мне стоило только слово сказать... Морис как раз занимался розыском евреев, так что одно слово... Но я молчала. Потом, когда у нас был разговор с месье Соломоном, я ему так и сказала: вы, месье Соломон, неблагодарный человек — я ведь вас не выдала. И на него подействовало. Он побелел как полотно. Я даже испугалась, не стало ли ему плохо с сердцем. Но ничего подобного, он, наоборот, вдруг так и зашелся смехом.

— Смех — это его главное устойчивое средство.

— Смеялся-смеялся, а потом указал мне на дверь: прощай, Кора, я больше не хочу тебя видеть. Вот он какой. А много ли, скажи-ка, ты знаешь людей, которые во время оккупации спасали евреев?

— Не знаю, мадемуазель Кора, меня, слава Богу, тогда еще не было на свете.

— Ну вот, а я спасла. И это при том, что я любила Мориса как сумасшедшая и сделала бы что угодно, чтобы доставить ему удовольствие. А я молчала целых четыре года, знала, где он скрывается, и не сказала.

— Вы его навещали?

— Нет. Я знала, что у него все есть. Консьержка этого дома приносила ему еду и все прочее. Верно, он ей отвалил приличный куш.

— Почему вы думаете? Может быть, она это делала просто из добрых чувств.

— В таком случае каким образом она вдруг сразу после войны открыла шляпный магазин на улице Ла Боэти? На какие деньги?

— Может, месье Соломон просто отблагодарил ее, уже потом.

— Ну, меня он, во всяком случае, никак не отблагодарил. Единственное, это когда у меня после Освобождения были неприятности из-за Мориса, он явился в комиссию по чистке, куда меня вызвали, и сказал им:

«Не трогайте ее. Мадемуазель Кора Ламенэр знала, где я скрывался четыре года, и не выдала меня. Она спасла еврея». Потом опять захохотал как ненормальный и ушел.

Тут я тоже развеселился. Я всегда любил царя Соломона. А теперь полюбил еще больше.

Мадемуазель Кора говорила, не поднимая глаз:

— Между нами была большая разница в возрасте. Двадцать лет — тогда это было гораздо больше, чем сейчас. Сейчас ему восемьдесят четыре, а мне... Это уже не такая большая разница.

— Вы и сейчас намного моложе его, мадемуазель Кора.

— Нет, сейчас не то, что раньше.

Она улыбнулась хлебным крошкам на скатерти.

— Он живет один. Так и не полюбил никакую другую женщину. А простить меня не может. За то, что я его бросила. Но я если влюбляюсь, то без памяти. Я из тех женщин, которые отдаются целиком, Жанно.

Обрадовала! Я, однако, и глазом не моргнул. А она посмотрела на меня, чтобы подчеркнуть намек.

— Сначала я не знала, что Морис работает на гестапо. Когда любишь человека, Жанно, ничего о нем не знаешь. Он держал бар, и туда, как в любой другой, заходили немцы. Я смотрела только на него, а когда так смотришь, ничего не видишь. В него два раза стреляли, но я думала, что это связано с какими-то делами на черном рынке. В сорок третьем я узнала, что он занимается евреями, но тогда это было легальное занятие, как все, так и он. Но даже когда узнала, про месье Соломона ничего не сказала, хотя, говорю же, ради Мориса сделала бы что угодно.

Хозяин принес десерт.

— Соломону этого не понять. Это каменный человек. Когда любит, жалости не ведает. Знал, что я бедствую, и в отместку назначил ренту.

Десерт тоже оказался недурен.

— Вы ему написали, что сидите без гроша?

— Я? Нет. У меня есть гордость. Он узнал случайно. Я устроилась прислугой в туалет при пивной на улице Пюэш. Зазорной работы не бывает. И все надеялась, что на меня наткнется какой-нибудь журналист и напишет, например, в «Франс диманш»: так и так, Кора Ламенэр служит в писсуаре... ну, ты понимаешь... и мое имя опять всплывет, и это даст мне новый толчок — бывает же!

Я глянул на нее — нет, она и не думала шутить.

— Три года я там проработала, и никто на меня не обратил внимания. И вдруг однажды сижу при своем блюдечке и вдруг вижу: по лестнице спускается месье Соломон — зашел по нужде. Прошел мимо меня не глядя — они все вечно спешат. Я думала — умру. Двадцать пять лет я его не видела, но он совсем не изменился. Поседел, конечно, и бородку завел, но все тот же. Бывают такие люди: чем больше стареют, тем больше становятся похожи на себя. И те же черные искрящиеся глаза. Прошел и не заметил, этакий франт: шляпа, перчатки, тросточка, строгий костюм. Я знала, что он отошел от брючных дел и занялся службой SOS, — так, видно, одиноко ему жилось. Уж как мне хотелось его окликнуть, но мешала гордость — я не могла ему простить ту давнюю неблагодарность, когда я его спасла от гестапо. Ты представить себе не можешь, каково мне было на него смотреть. Он как был, так и остался царем Соломоном, а я, Кора Ламенэр, состою при писсуаре. Оно конечно, профессия ничем не хуже других — грязной работы не бывает, но для меня, с моим именем — быть любимицей публики и... понимаешь?

— Я понимаю, мадемуазель Кора.

— Трудно передать, что я чувствовала, пока месье Соломон мочился рядом со мной, в кабинке. Чуть не сбежала. Но мне было нечего стыдиться. Я наспех привела себя в порядок. Скажу тебе честно, во мне вдруг вспыхнула надежда. Мне было тогда всего пятьдесят четыре года, и я еще была хоть куда, а ему как-никак семьдесят четыре. Недурной шанс. Мы могли бы снова жить вместе. Ты ведь меня уже знаешь — я страшно романтична и сразу загорелась. Все начать сначала, все исправить, свить гнездышко где-нибудь в Ницце. Ну, я, значит, почистила перышки. Встала, жду его. И вот он вышел из кабинки и увидел меня. И замер — я думала, упадет. Стоит, судорожно сжимает свою тросточку и перчатки — он всегда отличался элегантностью. Смотрит и слова не может выговорить. И тут я его добила. Улыбнулась, села и подвинула ему блюдечко с однофранковыми монетками. Вот когда он и вправду пошатнулся. Клянусь тебе — я видела своими глазами, его шатнуло, как будто земля под ним дрогнула. Он стал весь серый и как загремит — ну, ты знаешь, как он может... «Что?! Вы?! Здесь?! Не может быть! Боже правый!» А потом перешел на шепот: «Кора? Это вы? Прислуга в писсуаре! Нет, я брежу!»

У него таки подкосились ноги, и он с размаху сел на ступеньку. А я сижу себе, руки на коленках и улыбаюсь. Вот это победа! Он вынул платок и трясущейся рукой утер лоб. «Нет,— говорю я ему,— нет, месье Соломон, вы ничуть не бредите, совсем даже наоборот». Спокойно так говорю и даже перебираю монетки на блюдечке. А он все бормочет: «В писсуаре! Вы! Кора Ламенэр!» И вдруг, ты не поверишь, у него по щеке скатилась слеза. Одна-единственная, но ты же знаешь, они такие...

— Да уж, это племя плакать не заставишь...

— Потом он встал, схватил меня за руку и потащил по лестнице наверх. Мы сели за столик в уголок и стали разговаривать. То есть как раз разговора-то никакого не было: он все не мог опомниться, а я уже все сказала. Ну, он выпил воды и пришел наконец в себя. Быстренько купил мне квартиру, назначил приличную ренту. А что касается остального...

Она снова уставилась на крошки.

Я крикнул хозяину: «Пару кофе!» — как будто сам был официантом в роскошном ресторане.

— Что касается остального, мадемуазель Кора...

Остальное премудрый Соломон препоручил мне. Была ли в его улыбке божественная ирония, нежность, дружба или что-то большее — я так и не понял. Во всяком случае, этой улыбкой я был предусмотрен весь, с потрохами.

— Я заходила к нему пару раз. Он меня приглашал.

— В коммутаторскую?

— Да, туда, где они принимают звонки. Иногда он садится и отвечает сам. Им туда все время звонят, кто испытывает дефицит общения, кому нужен кто-нибудь. А я тебе говорю, ему самому нужны эти звонки, чтобы было не так одиноко. И меня он так и не забыл, иначе не оставался бы таким непростительным, когда прошло уже тридцать пять лет. Какое злопамятство! Каждый год нарочно присылает мне в день рождения букет цветов.

— Надо же, какой подлец!

— Нет, он не злой. Но слишком жесток к себе.

— Может, он только делает вид, мадемуазель Кора. Вы же сами заметили — он и одевается с иголочки. Это все стоицизм. Стоицизм — это когда человек не хочет больше страдать. Не хочет верить, не хочет любить, не хочет привязываться. Стоики — это люди, которые пытаются жить так, как им не позволяют средства.

Мадемуазель Кора грустно прихлебывала кофе.

— Понимаете, они пытаются выжить.

— Ему, месье Соломону, это совсем ни к чему! Чего ради цепляться за жизнь, когда и под конец не можешь пожить в свое удовольствие? Мы могли бы путешествовать с ним вдвоем. Не понимаю, что он хочет доказать? Ты видел, что у него висит на стенке, над столом?

— Не обратил внимания.

— Портрет де Голля с журнальной обложки и его высказывание о евреях: «Избранный народ, полный достоинства и силы». Он это вырезал вместе с де Голлем и вставил в рамку.

— Вполне естественно для патриота держать портрет де Голля над столом.

Тут я не выдержал и засмеялся. Во мне взыграл кинолюб — в этом месте так и просился взрыв смеха.

Мадемуазель Кора, несколько сбитая с толку, замолчала, но потом ободряюще погладила мою руку: ничего-ничего, хоть ты и дурачок, но мамочка тебя любит.

— Хватит, Жанно, не будем же мы целый вечер говорить о Соломоне. Это просто несчастный старый чудак. Он сам мне рассказывал, что часто встает ночью, чтобы подойти к телефону. По три-четыре часа каждую ночь выслушивает чужие несчастья. Всегда особенно плохо бывает по ночам. А в это время я, единственная, кто могла бы ему помочь,— на другом конце Парижа. Зачем, спрашивается, это надо?

— Я думаю, он не хочет возвращать вас, потому что боится вас потерять. Однажды он точно по такой же причине решил не покупать собаку. Это все стоицизм. Загляните в словарь. Стоицизм — это когда человек так боится все потерять, что теряет нарочно, чтобы уже не бояться. Это называется навязчивые страхи, или попросту мандраж.

Мадемуазель Кора смотрела мне в лицо.

— У тебя странная манера выражаться, Жанно. Как будто ты хочешь сказать совсем не то, что говоришь.

— Не знаю. Я кинолюб, мадемуазель Кора. В кино ведь как: кругом потемки, а ты себе смеешься, глядишь — и уже легче. Вот и месье Соломону, по-моему, очень трудно под конец привязаться к женщине, которая настолько моложе его. Это как в «Голубом ангеле» Джозефа Штернберга с Марлен Дитрих: там пожилой профессор безумно влюбился в молоденькую певицу. Вы видели «Голубого ангела», мадемуазель Кора?

— Конечно, видела! — умилилась она.

— Ну вот. И месье Соломон, разумеется, тоже видел и поэтому боится.

— Я не так молода, как Марлен в том фильме, Жанно. Со мной он был бы счастлив.

— Но он именно этого больше всего и боится! Я же вам только что объяснил! Когда человек счастлив, жизнь становится для него ценной, и тогда еще страшнее умирать.

Мадемуазель Кора слюнявила палец, собирала им крошки и слизывала — вместо хлеба, от которого толстеют.

— Если я тебя правильно поняла, Жанно, ты связался со мной, потому что я не прибавлю ценности твоей жизни и ты можешь не бояться, верно?

Приехали. С женщинами всегда так: им дашь палец, и они норовят всю ногу откусить.

— Слишком долго объяснять, мадемуазель Кора.

— Сделай милость, объясни.

Но как объяснить ей, что я люблю ее безотносительно к ней? Я предпочел бы отмолчаться, но она смотрела на меня с такой острой нуждой во взгляде и в улыбке!

Сказать ей: мадемуазель Кора, я люблю вас как исчезающий вид,— вряд ли она это оценит. Если она почует, что тут пахнет чайками и морскими тюленями,— наверняка обидится. Лучшее, что я мог придумать, это взбодрить ее воспоминаниями. И я прорычал:

— Ну, что пристала-то!

Она мигом присмирела. Это она понимала: покорная дева — это укладывалось в поэтические рамки.

— Если ты мне иногда подкидываешь деньжат, так можно, по-твоему, мне мозги полоскать!

Она просветлела и накрыла мою руку своей:

— Прости меня, Жанно.

— Да ладно уж.

— Ты меня первый раз назвал на ты,— усмехнулась она.

Уф!..

Подошел хозяин угостить нас кальвадосом. Мадемуазель Кора все еще держала мою руку — скорее ради хозяина. А для пущего эффекта безмолвно и проникновенно смотрела мне в глаза, так что, несмотря ни на что, просвечивала двадцатилетняя Кора с лукавой улыбкой и челкой до половины лба. Она привыкла быть молодой, красивой, любимой и известной, такая оказалась стойкая привычка. Наконец, оторвавшись от меня, она заглянула в сумку, где у нее лежало зеркальце, достала помаду и подкрасила губы.

— Хотите, я поговорю с месье Соломоном?

— Нет-нет, не надо! Не хватало еще! Ему же хуже.

Все на ней было такое красивое: платье с длинными, до самых браслетов, рукавами, новая крокодиловая сумочка, оранжевый пояс в мелкий горошек.

— Позвольте, мадемуазель Кора, я все же с ним поговорю. Не надо на него сердиться за то, что он четыре года просидел в подвале и не навещал вас,— ведь это было опасно. Если хотите знать, он сам как-то со мной о вас говорил.

— Правда?

— Ну да, говорил, что не может без вас жить. У него тоже есть гордость. Но он всегда о вас спрашивает. И когда произносит ваше имя, весь так и светится. Не бойтесь, я ничего ему не буду обещать. В таких случаях нет ничего хуже жалости. Я постараюсь, чтобы он не почувствовал, что вы его жалеете.

— Ни в коем случае! — воскликнула она.— Он такой гордый!

— Пощадим его мужское достоинство. С вашего разрешения, я внушу ему, что все наоборот. Что это вы нуждаетесь в нем.

— Э, нет, Жанно, так я не согласна...

— Послушайте, мадемуазель Кора, он вам дорог или вам на него наплевать?

Она прищурилась:

— Не понимаю, к чему ты клонишь, Жанно... Хочешь меня сплавить?

— Раз вы так, не будем больше об этом.

— Не обижайся...

— Я и не обижаюсь.

— Если я тебе надоела...

Эта дуреха опять собиралась распустить нюни, а я-то изо всех сил пытался ее спасти. Вовсе я не собирался от нее избавляться, у меня сроду не получалось ни от кого избавиться. Я снова прошептал:

— Ах, мадемуазель Кора, мадемуазель Кора...— И взял ее за руку — это самое насущное средство первой помощи.

Я спросил счет, но хозяин сказал, что все уже уплачено. Мадемуазель Кора пошла на кухню с кем-то попрощаться, и мы с ним снова поупражнялись в учтивости.

— Да-а. Кора Ламенэр — это было имя... А вы давно...

— Нет, не так давно. Раньше я работал в «Ренжи».

— Вы слишком молоды, чтобы помнить... Кора Ламенэр — это была такая знаменитость... Но слушала только свое сердце. Для этой женщины главным всегда были чувства...

Я предпочел укрыться в туалете. А когда вернулся, мадемуазель Кора уже ждала меня. Она оперлась на мою руку, и мы вышли.

— Правда, славный парень этот хозяин?

— Классный.

— Я иногда к нему захожу. Ему это приятно. Когда-то он был безумно в меня влюблен, ты представить себе не можешь!

— Вот как?

— Да-да, ты не представляешь. Всюду за мной ездил. У меня тогда было много турне по стране, и в каждом городе — он.

— Насколько я понял, он был велогонщик.

— Ты шутник. Нет, правда, он всюду за мной ездил. Хотел на мне жениться. А теперь я к нему захожу. Он делает мне двадцать процентов скидки.

— От старой любви всегда что-нибудь да остается.

— А ведь прошло уже почти сорок лет.

— Я же говорю, всегда что-нибудь остается. И месье Соломон тоже никак не может забыть вас.

Она нахмурилась.

— Старый строптивый осел! В жизни не встречала такого упрямца!

— Чтобы прожить четыре года в подвале, надо быть упрямым. Евреи вообще упрямый народ, иначе их бы уже давно не было на свете.

— Евреи или не евреи, все мужчины одинаковые, Жанно. Любить умеют только женщины. Мужчина — это сплошное самолюбие. Иногда подумаю о нем, и так его жалко. Забился в логово, как волк-одиночка, куда это годится?

— Действительно!

— В его возрасте нужна женщина, чтобы за ним ухаживать. Готовить ему вкусные вещи, наводить уют, избавлять его от хлопот. И не какая-нибудь посторонняя, которая его совсем не знает, пора уж ему понять, что в восемьдесят чеыре года нет смысла начинать жить с женщиной, которую не знаешь. Уже нет времени узнать друг друга, притереться. Так и умрет бобылем в своем углу. Разве это жизнь?

— Конечно, нет, мадемуазель Кора.

— Ты не поверишь, но я иногда ночами не сплю, все думаю, как там месье Соломон, такой одинокий на старости лет. Прямо сердце болит — оно у меня ужасно чувствительное.

— Ужасно.

— И учти, мне-то живется неплохо. Не на что жаловаться. У меня своя квартира, полный комфорт. Но я не эгоистка. Если бы он попросил, я бы согласилась расстаться с собственным покоем и заботиться о нем. Нельзя же жить только для себя. Если мне случается просидеть несколько дней одной и никого не видеть, я начинаю чувствовать себя бесполезной. Ведь это эгоизм! Бывает, сижу за столом и плачу — так стыдно, что я здесь одна и занимаюсь только собой и больше никем.

— Вы могли бы пойти работать в SOS добровольно-доверенной.

— Что ты, он меня не возьмет. Это же у него дома, он подумает, что я закидываю удочки, хочу его заманить. Честно говоря, я сама много раз звонила в SOS, надеялась напасть на него, но все время отвечали вы, молодые... Один-единственный раз напала на него. И так разволновалась, что повесила трубку...

Она засмеялась, и я вместе с ней.

— У него очень красивый голос по телефону.

— Голос — это очень важно по телефону.

— Он, кажется, собирает открытки, марки и разные фотографии, даже незнакомых людей. Интересно, мою он сохранил? Когда-то у него их было полным-полно. Он даже вырезал их из газет и журналов и наклеивал в альбом. Однажды обо мне сделали целую страницу в «Для вас». Так он купил сто номеров. Теперь, наверно, все выбросил. Никогда не видела такого злопамятного человека. Хотя, конечно, он меня обожал и поэтому уничтожил все, что могло напомнить. Знаешь, когда мы с ним виделись последний раз, когда он собирался запереться и дал мне адрес этого подвала, он все держал мою руку и мог выговорить только: «Кора, Кора, Кора». Я сделала глупость, надо было пойти к нему, но так уж вышло — я встретила Мориса и потеряла голову, такая была безумная страсть. Я не из тех, кто все делает по расчету и думает о будущем. Будь я похитрей, я бы навестила его пару раз, на случай, если немцы проиграют войну. Но это не в моем духе. Я была на вершине славы: много пела, меня везде приглашали. Но дело не в этом — для меня существовал только Морис. Как-то раз один официант из кафе сказал мне: «Будьте осторожны, мадемуазель Кора. Морис — опасный человек. У вас еще будут потом из-за него неприятности». И все, а потом у него самого были неприятности — его забрали в гестапо. Я кое-кого порасспросила и тут-то и узнала, что Морис работает на гестапо. Но было слишком поздно — я уже его любила. Никто не понимает, как можно любить человека, который тебя недостоин. Я и сама теперь не понимаю, как могла любить его. Но в любви нечего понимать, любишь — и все, и ничего нельзя поделать. Любовь не строится на расчете. Конечно, это самая большая глупость, которую я сделала в своей жизни, но я никогда не была расчетливой. Жила как пела. И вообще в молодости никогда не думаешь, что когда-нибудь постареешь. Это еще так нескоро, не хватает воображения. Однажды я проходила по Елисейским полям мимо того дома, где скрывался месье Соломон, и мне стало стыдно. Как сейчас помню, я даже перешла на другую сторону. Если бы тогда мне сказали, что когда-нибудь мне будет шестьдесят пять лет, а месье Соломону восемьдесят четыре, я бы здорово посмеялась. Что и говорить, я должна была приходить к нему по ночам, приносить шампанское и гусиный паштет, спрашивать, как у него дела, и подбадривать. Я знаю. Но, понимаешь, я думаю, что только теперь люблю его по-настоящему. До войны он заваливал меня подарками, он был хорош собой, мне это льстило, было приятно показываться с ним на людях, но настоящего чувства не было. Вот почему, когда появился Морис и я влюбилась всерьез, безумно, до страсти, то о месье Соломоне забыла, как будто его и не было. У меня ведь были и другие любовники, кроме него. Молодая я была страшно взбалмошная. Помню, больше всего мне мешало, когда при немцах он сидел в подвале и я к нему не ходила, то, что он еврей. Разумеется, не потому что он еврей, ты же понимаешь! Это мне было совершенно безразлично. Так же как с Морисом — что он был фашист. Мужчина — это мужчина, ты его любишь, или ты его не любишь. Но я была слишком молода и не смогла оценить месье Соломона по достоинству. До этого надо было дозреть. Ну а теперь поздно. Зрелость вообще такая штука — она всегда приходит, когда уже слишком поздно. И знаешь, что я тебе скажу? Месье Соломон еще до сих пор не созрел. Иначе он бы уже давно позвал меня к себе. А он хоть и старый дальше некуда, а все туда же — бури, страсти, взрывы. Он так и не помягчал. Ведь ясно же — он меня все еще любит, а злится только от страстности. Если бы не любил с такой же страстью, как раньше, давно бы уже позвал и все бы устроилось. Вот это было бы зрелое, благоразумное решение. Но нет — он кипит страстью, злобой, обидой. Ты же знаешь, какие у него глаза — огонь!

Горит огонь в очах у молодых людей,
Но льется ровный свет из старческого ока,—

продекламировал я.

— Что это с тобой? — удивилась мадемуазель Кора.

— Это месье Соломон вычитал у Виктора Гюго.

— Одним словом, это страстная натура. И он никогда не изменится. Я долго думала, что он рано или поздно не выдержит, смягчится и в один прекрасный день раздастся звонок, я открою дверь, а там месье Соломон с большим букетом лилий в руках, и он мне скажет: «Кора, все забыто, приходите ко мне жить. Я вас люблю, а остальное забыто»...

Я покосился на мадемуазель Кору: она была далеко-далеко и улыбалась своей мечте. Личико у нее было совсем детское, с этой прямой челкой на лбу и наивной, полной веры в будущее улыбкой.

Потом она вздохнула:

— Но нет. Он все такой же непростительный. Если бы он любил меня не так сильно, все бы уже давно уладилось. Если бы не эта страсть, он был бы не таким строптивым. Он не постарел сердцем, вот почему он такой непростительный. Как будто ему все еще двадцать лет, страсти кипят и скорее умрешь, чем простишь. Он не состарился. Он только затвердел снаружи, как старый зуб, а внутри, сердцем, все такой же юнец, все кипит, бурлит, мечет громы и молнии. И он по-прежнему хранит мои фотографии, только теперь в сейфе под ключом, а по ночам достает их и любуется. Будь я чуточку побесстыднее, я бы разыграла перед ним комедию, пришла бы и сказала: месье Соломон, я знаю, что вы никогда обо мне не думаете, но я все время думаю о вас, я без вас не могу, и разрыдалась бы, будь я побесстыднее — бросилась бы ему в ноги, временами мне кажется, что он, негодяй, именно этого и дожидается, и, может, когда-нибудь я так и сделаю, ведь гордостью можно и пожертвовать ради спасения человека. Как ты думаешь, а?

Мне надо было вдохнуть поглубже, прежде чем я смог ответить.

— Вы действительно слишком жестоки к нему, мадемуазель Кора. Надо уметь прощать.

— Но он мучает меня своим молчанием целых тридцать пять лет! Каково?

— Вы сами отчасти виноваты. Он же не знает, что теперь вы полюбили его по-настоящему. Ведь вы ему не сказали. Я уверен, что если бы сегодня опять пришли немцы и он опять очутился бы в подвале...

— Я была бы с ним.

— Так надо ему сказать!

— Он только посмеется. Ты его знаешь. У него такой смех, сметает все, как смерч, перед которым чувствуешь себя жалкой соломинкой. Можно подумать, смех — это все, что у него осталось. Ужасно, когда человек так несчастен, а ты не можешь ему помочь.

— Когда вы первый раз почувствовали, что любите его по-настоящему?

— Точно сказать не могу. Это чувство пришло постепенно, нарастало с каждым годом. Он ведь все-таки был так щедр ко мне: избавил меня от работы в писсуаре, окружил комфортом, дал жилье и ренту. Я уже не могла держать на него зла. И постепенно это пришло. Не бешеная страсть, как с Морисом, я сама изменилась, поумнела. Стала чаще думать о нем. Дальше — больше, ну и вот...

Мы расстались перед дверью мадемуазель Коры. Она не попросила меня войти. Но мы долго стояли на площадке. Мне пришлось трижды зажигать свет. На второй раз я увидел, что она плачет. Никогда в жизни я не видел столько женской нежности в глазах женщины, которая годилась мне в бабушки. Она погладила меня по щеке, а сама тихо, беззвучно плакала. Хорошо, что свет опять погас. Я повторил в последний раз:

— Мадемуазель Кора, мадемуазель Кора...— И сбежал вниз по лестнице. Мне самому хотелось разреветься. И не от жалости. Это была не жалость, а любовь. И не только к мадемуазель Коре. Это было что-то такое большое... Да тьфу, не знаю я, не знаю, что это такое было.

# Глава XXXI

Бежать прямо к Алине я не хотел — это было уже совсем неприлично. Возвращаться на улицу Нев — тоже, я сказал ребятам, что переехал к Алине, и они поднимут меня на смех, если я явлюсь среди ночи, решат, что она меня выставила... не объяснять же им всю эту канитель! Достаточно уже я проработал альтруистом — любителем ближних, и если теперь, когда у меня есть свой собственный близкий, не прекращу эту спасательную деятельность, то так и останусь навсегда с чужими и кончу где-нибудь в джунглях среди исчезающих обезьян или в океане среди китов, а не то еще подальше, где уже и спасать-то некого. Алина сказала мне все это в шутку, но иногда, шутя, попадаешь в самую точку. Мадемуазель Кора, месье Соломон и куча старичков, которые ко мне так и липнут,— все это экологического порядка, защита исчезающих. Правильно Чак говорит: у меня гиперчувствительность с уклоном в манию величия. Вроде как в давнишнем фильме про Робин Гуда, где его играет Эррол Флин: он грабил молодых и отдавал старикам, то есть грабил богатых и отдавал бедным — это одно и то же. Мне мерещится, что не одна старая нищенка, а весь мир толкает перед собой пустой тандем. Я шел, сжав кулаки в карманах, и чувствовал себя Мезрином, убегающим из камеры усиленной охраны. Меня терзали страхи, которые, как утверждает Чак, лежат в основе всей морали и религии. Что меня больше всего бесит в Чаке, так это его манера, будто ему все про вас известно заранее: пожмет плечами, небрежно махнет рукой, дескать, «это классика». Так и хочется послать его куда подальше с его обширными знаниями. Что называется «ходячая энциклопедия». *Ходячая энциклопедия — человек, обладающий обширными знаниями по самым разным вопросам.* Я специально смотрел в словаре, потому что сам себя часто чувствую обладающим обширными знаниями по самым разным вопросам. Это нетрудно, получается само собой. Чтобы стать ходячй энциклопедией, надо просто быть специалистом-самоучкой по человеческим страхам и бедам, ведь это и есть свод всех знаний. Вот и сейчас меня подмывало пойти разбудить его и задать хорошую трепку, чтоб хоть разок поставить его в тупик. Представляю, как я открываю дверь, включаю свет, а он себе блаженно храпит; я подхожу, вытаскиваю его из постели и вмазываю пару раз, он ничего не понимает, вопит: ты что, с ума сошел? что я тебе сделал? А я ему ехидно: пошевели мозгами — может, поймешь... и, насвистывая, руки в карманах, уйду восвояси. Чак получил по морде неизвестно за что, сидит ошалевший, ломает себе голову, пытается понять, в чем дело,— вот тебе и «ходячая энциклопедия», вот тебе и «всеобъемлющий свод знаний». От одной этой мысли мне полегчало.

Наконец я добрел до ресторанчика «Мапу» на Монмартре, открытом всю ночь, заказал пиво и расположился за столиком, где уже сидели три шлюхи, одна из них — негритянка с Мартиники. Я пристроился рядышком, как маленький мальчик, которому спокойнее под боком у мамочки. Я не хочу сказать ничего обидного о моей маме: она была совсем не шлюха, а наоборот — очень разборчивая, просто в шлюхах, по-моему, есть что-то материнское, они всегда готовы принять вас и утешить. Мы поболтали, но что я мог им рассказать? Чак прав, когда говорит, что в фашизме есть хорошие стороны: у тебя есть на что ополчаться. Потому что когда нет стоящих врагов, в конце концов занимаешь круговую оборону в собственном доме и стреляешь в кого попало. Я читал много книг о Сопротивлении и каждый раз думал: что же им, бойцам, оставалось делать после войны, чему противостоять? Хуже не придумаешь — когда уже нет смысла быть антифашистом. Кто как может находит замену, но это все не то. Вон в Италии искали-искали и убили Альдо Моро. Однажды Чак выдал мне, что все мои бредни — лирические штучки, что от моих бездарных причитаний нормальных людей тошнит, что сокрушаться о том, что все стареют и умирают,— это прошлый век, так же допотопно, как Гюго и Ламартин, что я по невежеству отстал от жизни и пора кончать всю эту элегическую муть. Я дождался, пока он уйдет, чтобы не ронять марку, и заглянул в словарь: вдруг это и есть объяснение страхов царя Соломона, которыми я заразился через общение. И нашел сначала «элегию»: *лирическое стихотворение, описание печального, скорбного настроения,* а потом «элегический» — *грустный, мечтательный; свойственный элегии.* И вот теперь, отхлебывая пиво, я вспомнил об этом и сразу приободрился — люблю точные определения. А тут еще негритянка рассказала, как она ездила отдыхать домой, на Мартинику,— я навострил уши: экая даль! Она сама сказала: дальше некуда. На эту тему есть подходящие выражения: «у черта на рогах», «на кудыкину гору», «скатертью дорога». Я спросил у девицы — ее звали Морисетта:

— И как там, можно пожить спокойно?

— Кое-где, надо только знать места.

— В Париже спокойных мест уже не осталось,— сказала ее подруга.— Одно слово — мегаполис.

— А там прямо рай земной,— вздохнула Морисетта.— Не жалко на дорогу потратиться.

Я сразу понял: вот оно, решение. Сейчас же бужу Алину, и мы едем. Можно занять денег у месье Соломона и открыть там книжную лавку. Принять решение — великое дело, я окончательно воспрял духом и подозвал официанта:

— Плачу за всех.

Девицы поблагодарили — приятно было побеседовать.

Я вышел на улицу. Времени было часа четыре утра, но книжная лавка под антильским солнцем стоила того, чтобы разбудить кого угодно,— это не то что какие-нибудь ночные страхи. Как говорит Морисетта: места еще

есть, надо только знать. На берегу Кариб-
ского залива, где стопроцентно чистая вода.
Есть, правда, акулы, но им не грозит исчезновение. А весь мир так далеко, что дальше
некуда. Может быть даже, у нас с Алиной на-
родятся негритята... Я сел на тротуар и заржал. А что негры не такие нервозные, как
белые, потому что не так затронуты циви-
лизцией, это все знают. А вот я сильно трону-
тый. И я опять заржал. Так я развлекался и
швырял сам в себя кремовыми тортами добрых полчаса, чтобы сбросить груз всеобъем-
лющих знаний, и когда позвонил в дверь
Алины, то от знаний не осталось и намека:
получился такой молодчик — впору в тюрь-
му без суда и следствия.

# Глава XXXII

Едва Алина, сонная, открыла дверь, я проскользнул мимо нее и нырнул в кровать, как у себя дома. Она тихонько вошла за мной, скрестила руки на груди и посмотрела на меня так, что я сразу понял: с ней притворяться бесполезно, и моя молодецкая ухмылка завяла. Алина видела меня насквозь. Она присела рядом со мной на край кровати — странно для молоденькой девушки, у которой еще нет детей. Это я не потому, что потерял мать в раннем детстве, просто это тоже такое готовое платье по модели, которой уже несколько миллионов лет, или, может, во всех нас говорит тоска по утраченному обезьяньему предку. Алина молодая и красивая, и мне было так приятно быть рядом с кем-то, кто во мне не нуждается. Без всякого SOS-альтруизма — именно в этом я сам нуждался. Не знаю, как там в укромных

уголках на Мартинике, и не поеду проверять — лучше буду верить, что такое бывает
на свете. Что делают люди, когда им становится невмочь человеческий облик? Они от
него отделываются. Идут, например, в террористы и становятся бесчувственными. Это,
как говорит Чак, отключка. Вроде как у Чарли Чаплина, когда он в фильме «Малыш»
нашел ребенка и открывает водосточный
люк и раздумывает, не избавиться ли от него
окончательно.

— Алина...

— Постарайся заснуть.

— Ты просто бессердечная дрянь.

— Надо же жить.

— Я подумал, что, если нам уехать вдвоем на Антилы? Там периферия. Что в точности это значит — «периферия»?

— Места, удаленные от центра.

— Точно. Там и есть периферия.

— Везде есть телевизор.

— Но необязательно его смотреть. Можно занять денег и смотаться туда жить. И разом со всем развязаться.

— По-моему, это довольно трудно осуще-
ствить.

— Нет ничего трудного, когда есть сти-
мул. Бежал же Мезрин из камеры усиленной
охраны.

— У него были сообщники.

— Мы с тобой — вот уже два сообщника. Тебе бы надо отпустить подлиннее волосы, чтобы тебя было больше.

— Думаешь, это измеряется в сантиметрах?

— Нет, но чем больше, тем лучше. Ты знаешь, что значит «элегический»?

— Знаю.

— Значит «грустный и мечтательный». Один мой друг говорит, что студенты из Красных бригад убили Моро, чтобы десенсибилизироваться. Понимаешь?

— Не очень.

— Ну, чтобы потерять чувствительность. Добиться, чтобы ничего не чувствовать. Как в стоицизме.

— Ну и что?

— Лично я на такое не способен.

Алина засмеялась:

— Это потому, что ты недостаточно подкован. Не силен в теории. Или, если выражаться твоим языком, для такого уровня тебе не хватает теоретичности. Тут требуется умственные выкладки. Нужна система. Где ты застрял?

— В ресторане на площади Пигаль.

— Да нет, на чем остановился, где застрял в учебе?

— Я самоучка. Это верное средство стать ходячей энциклопедией. А вообще я только что от мадемуазель Коры. Она такая одинокая, такая несчастная и подавленная, что мне хотелось ее удавить совсем. Понимаешь?

— Более или менее.

— А потом я понял, что это не она такая, а я. Она не сознает, что она старая, несчастная и подавленная. Сила привычки. К жизни привыкаешь, как к наркотику. Она говорит, у нее дом и все удобства. Вот я и думаю: что это за штука такая — жизнь? Как она ухитряется заставлять нас все глотать да еще просить добавки? Вдох-выдох, вдох-выдох — только и всего?

— Спи, Пьеро.

— Меня, черт возьми, зовут Жан. Хватит делать из меня шута горохового.

— Раздевайся и спи. Пьеро-лунатик. Давай баиньки. Баю-бай, мой малыш, на ручках у мамочки.

— Ты бессердечная тварь, Алина. Потому ты мне сразу и понравилась. Это же просто чудо — встретить человека, который ни в ком не испытывает нужды.

Алина выключила свет. Темнота темноте рознь. Одна успокоительная и тихая, как одноименный океан, а другая тревожная.

Тишина тоже имеет свои разновидности. Бывает, мурлычет, а бывает, набрасывается, как собака на кость, и гложет, гложет. Одна тишина вопит в сотню глоток, другую совсем не слышно. Бывает тишина-SOS! И тишина-невесть-что-невесть-отчего, когда нужно вмешательство специалистов. Конечно, всегда можно заткнуть уши, но больше ведь ничего не заткнешь. Я прижал Алину к себе, я не сказал ей: Алина, я всегда с другими, и для женщины оскорбительно, когда ее любят от недостаточности. Я бережно держал ее в тепле, и это был самый подходящий момент, чтобы поговорить обо всем, что не касается нас двоих. Чтобы оно звучало лучше, я молчал. Грош цена была бы нашему взаимопониманию, если бы нам для этого были нужны слова, как посторонним, которым не к чему больше прибегнуть. Только один раз за все время, пока я слушал то, чего не слышал, я вслух сказал Алине про словари: что я ни разу не нашел в них слово, которое бы объяснило смысл. Если бы ты работал в шахте по восемь часов в день... В конце концов я заснул с Алиной на Антилах, в спокойном уголке, который надо знать, иначе не найдешь.

## Глава XXXIII

Проснулся я от поцелуя в нос и увидел солнышко, аппетитный кофе и маслянистые круассаны. Действительно счастливыми бывают только краткие моменты.

— Я читал в газете про одного кота, который потерялся и нашел дорогу домой за тысячу километров. Поразительный инстинкт ориентации. А в прошлом году писали про собаку, которая сама села на поезд и приехала к хозяйке. У животных это в крови.

Я съел второй круассан. Алина ела бутерброды. Правильно говорят, что Франция расколота надвое: одни предпочитают круассаны, другие — бутерброды.

— Ты скажешь, когда мне надо...

— Мне на работу к половине десятого. Но ты можешь остаться.

Это было сказано так легко!

— Можешь переселяться ко мне насовсем.

Я онемел.

— Ты меня еще не знаешь,— выговорил я наконец.— Я никогда не бываю у себя, всегда у других. Что называется, закоренелый бродяга.

— Что ж, вот и будешь теперь у меня.

Она говорила спокойно, уверенно, откусывая бутерброд. Я подумал было: должно быть, она ужасно одинока, но это, наверное, опять были мои штучки.

— А чем ты еще занимаешься, на что живешь?

— У меня есть треть такси, и еще я могу чинить что угодно. Ну, не все, но электричество, трубы, кое-какие механические приборы. Так, мелкий ремонт. Но спрос большой. Сейчас я от этого дела отошел, меня заменяет приятель. Я слишком занят у месье Соломона. В сущности, тут тоже мелкий ремонт и починка...

Алина слушала. Где-то через час я заметил, что говорю уже целый час не закрывая рта. Про голоса в любое время суток, про людей, которых мы пытаемся наладить, и т. д. И про месье Соломона, который иногда, если никого нет, сам отвечает на ночные звонки. А в экстренных случаях высылает меня прямо на дом — как с мадемуазель Корой.

— Опять-таки настройка и наладка.

Про то, как наш царь Соломон тридцать пять лет живет бобылем в отместку мадемуазель Коре за то, что она не приходила к нему, когда он во время войны сидел в подвале.

— Говорят же, что у евреев очень суровый Бог.

Про стариков, которых надо проведывать каждый день и проверять, живы ли они еще. Еще чуть-чуть — и дошел бы до старой нищенки с пустым тандемом.

— У меня есть один приятель, Чак, так вот он говорит, и, сдается мне, он прав,— что я потому все время вожусь с другими, что мне не хватает самодостаточности. Я плохо знаю, кто я такой, чего хочу и что могу сделать для себя, вот и не занимаюсь собой. Понимаешь?

— Я понимаю, что уж у этого твоего приятеля самодостаточности больше, чем надо. Ему себя вполне хватает. Чего не могу сказать о себе. Свинство, конечно, но знаешь, что я почувствовала, когда увидела тебя в первый раз?

— Что?

— Что у тебя можно много взять.

Говоря это, она встала и отвернулась — чтобы одеться, но больше от стыда за себя.

— Теперь это все твое, Алина. Все, что у меня есть. Бери!

— Да ладно... Только ты переезжай ко мне. Правда, ты и так уже здесь отчасти поселился, без спроса. А теперь я сама тебя прошу. Иногда люди обманываются друг в друге, и лучшее средство поскорее разойтись — это пожить какое-то время вместе. Я уже сколько раз вот так ошибалась. Может, я и хищница, но готова удовольствоваться крохами.

Она повернулась ко мне лицом, так и не успев надеть свою обычную форму — зелено-оливковые брюки с блузкой. В другом я ее никогда не видел.

— Если и на этот раз все кончится тем, что мне плюнут в рожу, то уж лучше поскорее. Полюбила ли я тебя — не знаю и вообще не уверена, что могу кого-нибудь полюбить. Но будем надеяться. Так что переезжай.

— Алина...

— Что?

— Чего мы все боимся?

— Что все скоро кончится.

Я смотрел на нее, пока все не кончилось.

— Алина...

— Что?

— Теперь у меня одна ты. С другими покончено.

И тут же подумал о Жофруа де Сент-Ардалузье из мансарды.

— Кстати, у меня есть один знакомый,
ему семьдесят два года, и он только что вы-
пустил книжку из своего кармана.

— На средства автора?

— Угу. Он на нее положил всю жизнь.
Нельзя ли его пригласить к тебе в лавку и
устроить, знаешь, такую встречу по этому
случаю, как делается, когда писатель знаменитый?

Алина посмотрела на меня с таким выражением... не то весело, не то ласково... поди
разбери, когда у нее и так в глазах всегда
улыбка.

— Ты хочешь ему помочь?

— Что в этом смешного?

— Я думала, ты решил больше не заниматься другими.

— Ну вот как раз напоследок.

— Чтобы подвести черту?

— Вот-вот. А то у меня неприятный оса-
док от этой его мансарды и своекарманной
книжки. Родных у него никого нет, одни
социальные работники, и он похож на Вольтера. Я как-то видел Вольтера — по телевизору показывали, так вот он на него похож.
Вольтер — это же имя, а?

Алина закурила и все разглядывала меня.

— Не пойму, Жанно, то ли ты нарочно, с горя, паясничаешь, то ли таким уродился, что называется, комик милостью Божьей...

Я задумался.

— Может, и так. А может, заразился от царя Соломона. Или это у меня от кино-мании. Больше всего на свете люблю, когда кругом потемки, а ты себе смеешься, гля-дишь — и уже легче. Но,— я взял ее за руку,— это не мешает мне все чувствовать.

Она вдруг как будто чего-то испугалась. Даже вздрогнула.

— Что с тобой?

— Какой-то ветер. Повеяло как из моги-лы — холодом и прахом.

И тут я ее удивил. Уж так удивил! Я хоро-шо запомнил бессмертные стихи, которые месье Соломон читал мне примерно в таком же контексте, и, услышав про ветер, продек-ламировал:

Поднялся ветер!.. Жизнь зовет упорно!
Уже листает книгу вихрь задорный!

Алина застыла, не донеся чашку кофе до рта и уставившись на меня. А я продолжал на едином дыхании:

Не презирай любовь! Живи, лови мгновенья
И розы бытия спеши срывать весной.

— Твою мать! — выпалила она, и я страшно обрадовался, что в кои-то веки это сказал не я.

Я поднял палец и назидательно произнес:

— Ага!

— Где это ты набрался?

— У царя Соломона. Он иногда, от нечего делать, занимается моим образованием. На всякий случай. Говорят, есть такая школа клоунов, только я не знаю где. Может, везде. Лучше кривляться, чем кусаться. Я ему однажды сказал, что я самоучка, он сначала засмеялся, а потом смиренно заметил: все мы, все мы, в сущности, самоучки. Так самоучками и помрем, все, дорогой мой Жанно, все, хоть трижды дипломированные и приобщенные. Знаешь, Алина, «приобщенные» — это такое забавное словечко. А противоположное — «разобщенный». Я смотрел в словаре. Тот старый господин с мансарды, автор труда всей жизни, о котором я тебе говорил, некий Жофруа де Сент-Ардалузье,— вот он совсем разобщенный, живет один, у него артрит и сердце, жизнь перед ним в долгу как в шелку, а ждать компенсации неоткуда, разве что от социального обеспечения. Так что он действительно совсем разобщен.

«Приобщить» значит «присоединить, причастить, сделать участником», а «разобщить» — «лишить связи, разъединить, прекратить общение». Выходит, мадемуазель Кора живет разобщенно, а месье Соломон завел телефонную службу, чтобы иметь возможность приобщиться, и даже читает брачные объявления: «обаятельная парикмахерша, 23 года». Никогда не видел, чтобы старый болван вроде него так хорохорился и так упорно желал «оставаться участником». Он, видите ли, шьет себе роскошный костюм из добротной ткани, которой сносу не будет, и нагло ходит к гадалке, чтоб она ему предсказывала будущее, как будто оно у него есть! Одно слово — воитель! Только обычные воители ведут наступление, а этот воюет отступая. Уверен, если бы ему дали сорок лет, он бы их взял. Всем бы не вредно овладеть военным искусством, как он, чтобы уметь держать оборону. Так-то, Алина!

— Так-то,— отозвалась Алина.

Она натягивала колготки.

— Раньше такие вещи назывались «укрепляющими средствами»,— заметил я.— Их прописывали для поднятия духа. У меня он тоже здорово поднимается, когда я вижу, как ты надеваешь чулки.

Я поцеловал ее в ляжку.

— Толстой ушел из дома чуть ли не в девяносто лет,— сказала она,— но дойти никуда не успел — умер по дороге на полустанке...

— Астапово,— подсказал я.

Зря я это сделал. Сразил Алину наповал. А зря.

— Где это ты, сукин сын, нахватался? — еле выговорила она.

— Не только же в школе учатся. Есть еще обязательная программа общего кругозора. Так сказать, дело жизни самоучек.

Алина надела туфли и встала, ни разу на меня не взглянув.

Чтобы сменить тему, я спросил:

— Так как насчет месье Жофруа де Сент-Ардалузье?

— Можно устроить ему встречу с читателями и раздачу автографов.

— Только поскорее — ему недолго осталось.

Алина взяла сумку и ключ, чуть поколебалась — из соображений женской независимости — и сказала:

— Я оставлю тебе ключ под половиком.

— Спокойное местечко на Антилах — если кто знает места.

Алина обернулась и посмотрела на меня. Без всякого выражения. Просто хорошенькое личико. Или красивое — в зависимости от настроения смотрящего.

— Послушай, Жанно, сколько можно морочить голову. Всему есть предел.

— Не стоит снова обсуждать все сначала. Мы же не на торгах. Да и поздно уже. Двадцать минут десятого. Спорить лучше всего на рассвете. Потом начинается рабочий день.

— Жанно,— повторила она.

— Жанно, мой Зайчик — так меня зовут в определенных кругах. А ты знаешь, что в Америке был один заяц, который прославился тем, что всех кусал,— его звали Харви. Не читала?

— Читала.

— Вот видишь, значит, и зайцы бывают террористами.

— Ключ будет под дверью.

— А что ты мне посоветуешь делать с мадемуазель Корой?

— Я не собираюсь тебе ничего советовать. Не имею права.

— Лучше продолжать и потихоньку спустить все на тормозах или порвать разом?

— Это ничего не изменит. Ну пока, надеюсь, до вечера. Но если ты больше никогда не придешь, я пойму. Нас ведь на Земле что-то около четырех миллиардов — у меня много конкурентов. Но мне бы хотелось, чтобы ты пришел. До свиданья.

— Чао.

«Чао» — милое словечко. Интересно, террористы из Красных бригад сказали «чао» Альдо Моро? Ведь их чувство к нему тоже носило не личный, а обобщенный характер. А слово «любовь», похоже, выходит за словарные рамки и скоро пополнит медицинскую лексику.

# Глава XXXIV

Я попросил Тонга подменить меня на такси, а сам отправился в муниципальную библиотеку почитать «Саламбо» — страшно люблю, когда старик Флобер принимается играть словами и уходит в эту игру с головой. Потом я пошел к Жофруа де Сент-Ардалузье сообщить приятную новость. Он сидел в кресле с укрытыми одеялом коленями. Пришлось у него убраться — больше было некому. Домашняя прислуга скоро совсем переведется. Я сказал ему, что ему устроят встречу с раздачей автографов в настоящей книжной лавке. И он так обрадовался — я даже испугался, не умрет ли он от избытка эмоций. На голове у него была ермолка, как у Анатоля Франса, длинные усы были чистые и ухоженные. Он еще мог вставать и следить за собой. А потом переберется в дом престарелых, и там ему тоже будет не так плохо.

— А это хорошая лавка? — спросил он своим блеющим голоском.

— Самая лучшая. Там работает молодая женщина, которой ужасно понравилась ваша книга.

— Вам бы тоже стоило прочесть ее, Жан.

— О, я, знаете ли, не любитель чтения. Еще в школе опротивело.

— Вы абсолютно правы. Того и гляди, все станут ходячими энциклопедиями.

Я сходил купить ему продуктов. Он любит сладости, поэтому я купил фиников — это так экзотично, наводит на мысль об оазисах и вообще расширяет горизонт. Он был доволен.

— Обожаю финики.

Что ж, отлично — на том я и ушел. Об остальном пусть позаботится социальная работница — она навещает его дважды в неделю. У стариков самое слабое место — кости. Чуть что — сразу ломаются, и больше уже беднягам не встать. Их бы надо посещать дважды в день.

Потом я зашел в нашу хату, там Чак и Йоко сцепились из-за выеденного яйца. Убить готовы были друг друга. Я смотрю, чем дальше, тем больше у них появлялось поводов для смертоубийства. Чак хвалил кубинцев, Йоко их костерил. Я разглядывал Йоко в плане того, что женщины часто бывают неравнодушны к чернокожим, но если я подставлю мадемуазель Коре вместо себя Йоко, Алина мне этого не простит. Я поставил пластинку, где мадемуазель Кора бросается с моста в Сену со своим внебрачным ребенком, а на другой стороне она сходила с ума и бродила по парижским улицам в поисках возлюбленного. Я попробовал изложить свои проблемы Чаку и Йоко, но они слушали совершенно безучастно, их интересовало только выеденное яйцо.

— Да что случится, если ты ее бросишь? — сказал Йоко. — Ну попереживает — ей же лучше.

— Нет, — возразил Чак, — женщина, которая начиталась дурацких книжек, — это действительно опасно. С нее станется тебя застрелить.

Я задумался.

— А где, по-твоему, она возьмет револьвер? Я бы ей дал, но у меня у самого нет.

— Видали — у него еще и суицидные замашки, у этого сукина сына, — ругнулся Йоко. — Тебе бы...

— Знаю, мне бы повкалывать каждый день по восемь часов в шахте. Тогда бы я поумнел. Да если б я был шахтером, я бы сейчас просто-напросто дал вам обоим в морду.

— Зачем тебе с самого начала понадобилось ее трахать? — возмутился Чак.

— В знак протеста. Чтобы показать им всем.

— Все эти твои знаменитые версии о любви...— Йоко плюнул, вернее, просто сделал губами «тьфу», он был помешан на гигиене.

— Я тебе уже объяснил, что это был порыв. Над ней посмеялись на дискотеке, и я решил им показать. А потом пришлось продолжать в том же духе, чтобы она не подумала. Она когда-то была молодой и красивой женщиной, так за что же... И вообще не в ней дело.

Тут Чака разобрало любопытство:

— А в чем же, может, скажешь?

Но я только пожал плечами и ушел, довольный, что напустил туману.

Добрался до спортзала и там полчаса колошматил мешок с песком, пока не полегчало. Побить обо что-нибудь кулаками — отлично помогает при бессилии. Для меня единственным избавлением было бы, если бы месье Соломон соизволил забыть обиду и забрал мадемуазель Кору себе. Для них обоих лучшим решением было бы помириться. Я, конечно, понимаю, для месье Соломона те четыре года, когда он сидел в подвале, а мадемуазель Кора никак не давала о себе знать, навсегда остались кровоточащей раной, но, с другой стороны, он должен ей быть благодарен за то, что она его не выдала как еврея в то время, когда это только поощрялось. Бывают времена, когда к людям не следует быть слишком требовательным и надо ценить, если они просто не делают вам зла. При мысли о том, что они целых тридцать пять лет портили жизнь себе и друг другу, обижались, угрызались и терзались, вместо того чтобы сидеть вдвоем где-нибудь на скамеечке и нюхать близрастущие лилии, меня захлестнул благородный гнев. Я вскочил на свой велик и рванул прямо к месье Соломону — он один мог меня спасти.

# Глава XXXV

Я уже был одной ногой в лифте, когда из привратницкой высунулся месье Тапю:

— А, это опять вы!

— Я, месье Тапю, я самый. И еще долго буду появляться, если, конечно, кирпич на голову не свалится.

— Вы бы попросили этого еврейского царька, чтоб он вам показал свою коллекцию марок. Я тут вчера был у него — кран чинил — и успел взглянуть одним глазком. Так вот, у него собраны все марки Израиля в удесятеренном виде — каждой по десять экземпляров!

Я ждал. Предчувствие говорило мне, что это еще не все. Месье Тапю — человек неисчерпаемый, дна не видно.

— Вы же понимаете, у евреев деньги прежде всего. Сейчас они все вкладывают капитал в израильские марки. У них ведь какой расчет: скоро арабы уничтожат Израиль ядерными бомбами и от него останутся одни марки! Вот тогда-то... А? — Он поднял указательный палец.— Когда государство Израиль исчезнет, его марки приобретут огромную ценность. Вот они и закупают!

Стоял август месяц, но меня прямо-таки мороз продрал по коже от его глубокомыслия. Чак говорит, что таким был создан мир и что на дури держится свет,— он, конечно, волен думать как хочет, но, по-моему, все было не так: по-моему, это просто кто-то пошутил без всякого злого умысла, а вышло вон что, шуточка прижилась и разрослась. Отступать мне было некуда, за спиной — стенка, и, почтительно глядя на месье Тапю — несокрушимого и бесподобного,— я стал боком подбираться к ступенькам и снял перед ним кепку — она и так уже приподнялась на вставших дыбом волосах.

— Простите, государь, но я вынужден вас покинуть... Я называю вас государем, ибо так принято обращаться к королям мудаков — наследникам древнейшей династии!

Тут месье Тапю разорался, а я пошел наверх довольный собой — всегда приятно лишний раз сделать доброе дело.

Месье Соломон лежал на кровати, но глаза у него были открыты, и он дышал. Он был обряжен в свой роскошный халат, руки сложил на груди и не двигался, я даже подумал, что он тренируется. Смерть — штука непостижимая, понять ее можно только изнутри. Вот он, наверно, и пытается принять соответствующую позу, войти в роль и прикинуть, что же он почувствует. Даже взгляд его был уже упокоенный, так что я чуть не разрыдался — испугался, что он оставит меня одного с мадемуазель Корой на руках.

— Месье Соломон! — умоляюще-недоверчиво воскликнул я, и он тут же повернул ко мне голову, а я чуть не прибавил: месье Соломон, не надо думать об этом все время, и главное, не надо заранее принимать горизонтальное положение тренировки ради в этом вашем тренировочном костюме с английской надписью «training» на груди, что надет на вас под роскошным халатом. Месье Соломон, хотел я ему сказать, вы должны меня вытянуть, потому что вы же меня втянули, это ваш моральный долг — взять себе мадемуазель Кору, и быть с ней счастливым до невозможности, и мирно закончить путь рука об руку — тихий закат под звуки музыки,— вместо того чтобы посылать к ней меня в иронических целях. Но ничего этого я не сказал. Царь Соломон смотрел на меня с тысячелетней разницей во взоре, от которой глаза его искрились и видели насквозь,— рассчитывать не на что, он был неумолим, не просить же его на коленях, чтобы он забрал мадемуазель Кору.

— Что-нибудь случилось, Жан? У тебя озабоченный вид,— сказал он, и еще больше искр заплясало в его глазах.

— Ничего особенного, месье Соломон, все то же: я ведь вам говорил про чайку, которая увязла в нефти, но все еще бьет крыльями и пытается взлететь. Это у меня экологическое обострение...

— Надо уметь абстрагироваться, отключаться. Говорят, теперь есть такие группы медитации, где учат забываться. Все садятся в позу «лотос» и воспаряют. Неплохо бы и тебе попробовать.

— У меня нет таких ресурсов, как у вас.

— Каких ресурсов?

— Иронических.

Он уже не смотрел на меня, но даже в профиль была видна улыбка, залегшая в углах губ и глаз еще лет тридцать пять назад, когда он с ней пришел в комиссию по чистке и заявил, что мадемуазель Кора спасла его жизнь,— как залегла, так и осталась.

Я сел.

— Она все время говорит о вас, месье Соломон! По-моему, это ужасно — загубить

себе жизнь из гордости. По-моему, нет ничего хуже самолюбия. Особенно для такой
грандиозной личности, как вы. Конечно, она
должна была заходить к вам в подвал хоть
изредка, узнавать, не надо ли вам чего, ну
и поздравить с Новым годом или ландышей
принести в мае, но вы же ее знаете, она
слушается только сердца, а тут угораздило ее
связаться с этим типом, так всегда бывает,
сердце, оно ведь безглазое. Вы слишком
большой стоик, месье Соломон, можете за-
глянуть в словарь и убедиться. По-моему,
ваш принцип «подохнуть, но не быть счастливым» никуда не годится. Вы, может, думаете,
что вы слишком старый и для счастья слишком поздно, но уверяю вас, вы можете прожить до ста тридцати пяти лет, если поедете
в одно местечко в Эквадоре, или в другое,
в Грузии, или еще в третье, оно называется
Гунза,— я специально выписал для вас названия, на случай, если у вас появятся долго-
срочные планы, не зря же вы тренируетесь,
и вообще вас голыми руками не возьмешь.
Я очень рад, что забавляю вас, месье Соломон, но, право же, лучше бы вы взяли и за-
жили счастливым, чем вот так улыбаться,
да и все. Я вас очень уважаю, месье Соломон,
но этот ваш стоицизм, как будто все должны,
вот так осклабившись, разом отбросить ко-

пыта,— нет, я против, это уж слишком, это сверхчеловечно. На что сдалось такое отсутствие страданий, если в результате страдаешь еще больше?

Но уговоры были бесполезны. Царь Соломон оставался «непростительным». Он так свыкся со своим готовым платьем, что и слышать ничего не хотел. Я даже не знаю, действительно ли я все это говорил, а он выслушивал мои мольбы, умолял ли я его громко, шепотом или молча, мы ведь были почти как отец и сын, а при таком взаимопонимании и говорить-то нечего.

Я посидел еще немного, подождал, не подбросит ли он мне что-нибудь такое, что можно будет принести мадемуазель Коре, но, видимо, он это приберег для другого раза. И даже глаза закрыл в знак окончания беседы. С закрытыми глазами, неподвижный и отключенный, он был еще серее, чем на полном ходу.

# Глава XXXVI

На коммутаторе меня ждало сообщение от мадемуазель Коры. Она просила ей срочно позвонить. Я набрал ее номер, и она тут же отозвалась:

— Жанно! Как мило, что ты мне звонишь.

— А я и так собирался это сделать.

— Такая чудесная погода, и вот я подумала о тебе. Ты будешь смеяться, но...— Она засмеялась.— Я подумала, что было бы приятно покататься на лодке в Булонском лесу.

— Что?

— Покататься на лодке. Денек выдался как на заказ для катанья на лодке в Булонском лесу.

— Господи.

Я не мог сдержаться, я чуть не завыл.

Она была довольна.

— Конечно, тебе это и в голову не пришло бы, верно?

Я поглядел на ребят, сидящих у коммутатора: Жинетт, Тонг и братья Массела, в обычной жизни они были студентами.

— Мадемуазель Кора, а вы уверены, что есть такая возможность? Я никогда об этом не слышал.

— Катанье на лодке. Я часто каталась в Булонском лесу.

Я прикрыл рукой микрофон и сказал ребятам глухим голосом, настолько я был взволнован:

— Она хочет кататься на лодке. В Булонском лесу, черт подери.

— Подумаешь, пойди погреби, что особенного,— сказала Жинетт.

— Нет, но шутки в сторону, она что, совсем спятила или как? Не стану же я средь бела дня грести! У нее крыша окончательно поехала.

Я предложил ей тактично:

— Мадемуазель Кора, я вас могу отвести в зоопарк, если вам угодно. Вам будет приятно. А потом пойдем есть мороженое.

— Почему ты хочешь идти в зоопарк, Жанно? Что это тебе взбрело в голову?

— Вы могли бы изящно одеться, взять белый зонтик, и мы полюбовались бы красивыми зверями! Красивые львы, и красивые слоны, и красивые жирафы, и красивые гиппопотамы. Что скажете? Там полно красивых животных.

— Послушай, Жанно! Почему ты со мной разговариваешь как с маленькой девочкой! Что это на тебя нашло? Если я тебе надоела, то скажи...

Голос ее осекся.

— Извините меня, мадемуазель Кора, но я волнуюсь.

— Господи, с тобой что-то случилось?

— Нет, но я всегда волнуюсь. Хорошо, это решено, мы не пойдем в зоопарк, мадемуазель Кора. Спасибо, что вы меня вспомнили. До скорого, мадемуазель Кора.

— Жан!

— Уверяю вас, мадемуазель Кора, я очень тронут, что вы обо мне вспомнили.

— Я-не-хочу-идти-в-зоо-парк! Я хочу кататься на лодке в Булонском лесу! У меня был друг, который меня туда всегда водил. Ты себя плохо ведешь со мной!

Что ж, видно, придется иначе.

— Послушай, Кора, заткнись! Не то я сейчас приду и всыплю тебе как следует!

И я повесил трубку. Она наверняка была счастлива. Есть один тип, которому она не безразлична. Я глядел на ребят, а они на меня.

— Скажите, есть ли среди вас чокнутый,

который катался когда-нибудь на лодке? В старое время этим будто бы занимались.

Старший из братьев Массела смог что-то смутно вспомнить на этот счет.

— Есть такая картина у импрессионистов,— сказал он.

— Где она?

— Должно быть, в музее «Оранжери»[1]. Она, наверное, хочет пойти посмотреть импрессионистов.

— Да нет, она хочет кататься на лодке в Булонском лесу,— заорал я.— Нечего пудрить мозги, вот чего она хочет, а вовсе не импрессионистов.

— Верно,— сказал младший из братьев Массела.— Импрессионисты — это на Марне. Мопассан и все прочее. Они завтракали на траве, а потом катались на лодке.

Я сел где стоял и закрыл лицо руками. Я не должен был ездить к людям на дом. Одно дело отвечать на телефонные звонки, а совсем другое — ездить по квартирам, туда, где все происходит. Я взял трубку у Жинетт, чтобы сменить ход мыслей. Первый звонок был от Додю. Бертран Додю. На SOS его знали как облупленного. Он звонит уже не первый год, несколько раз в день и в ночь тоже.

---

[1] Музей в саду Тюильри, где выставлены картины французских импрессионистов.

Он ни о чем вас не спрашивает и ничего не говорит. Ему просто необходимо удостовериться, что мы на дежурстве. Что кто-то ответит. Этого ему достаточно.

— Здравствуй, Бернар.

— Ой, вы меня узнали?

Счастье.

— Конечно, Бернар, конечно, мы тебя узнали. Как дела? Все в порядке?

Он никогда не отвечал ни да, ни нет. Я представляю его себе хорошо одетым, с легкой сединой на висках...

— Вы меня слышите? Это вы, друг SOS?

— Конечно, Бернар, мы здесь, да еще как! Мы здесь всерьез и надолго, не сомневайся!

— Спасибо. До свидания. Я позвоню попозже.

Я всегда недоумевал, что он делает в остальное время, когда не звонит. И представить себе не мог.

Потом со мной случились еще два-три несчастья на другом конце провода, и я несколько успокоился. Меня это отвлекло от моей проблемы, я был меньше в нее погружен. Я позвонил Алине в книжный магазин, чтобы с ней поговорить. Сказать мне ей было нечего, я просто хотел услышать ее голос, и все. Она получила согласие от дирекции магазина на то, чтобы в понедельник устроить презентацию книги и продажу с автографами. Я тут же позвонил месье Жофруа де Сент-Ардалузье.

— Вот, договорились на следующий понедельник. Они были в восторге, уверяю вас.

— Но неделя — это слишком короткий срок. Нужна какая-то предварительная реклама!..

— Месье Жофруа, тянуть не стоит. Вы и так достаточно долго ждали. Вам надо торопиться. Мало ли что может произойти.

— А что, собственно, может произойти?

Я почувствовал себя идиотом. Я об этом всегда думал, а они — никогда.

— Не знаю, месье Жофруа, что именно может произойти. Да все что угодно. Вас может убить террорист, книжный магазин вдруг сгорит, сейчас есть такие ядерные системы, которые срабатывают за несколько минут. Одним словом, вам лучше поторопиться.

— Мне семьдесят шесть лет, я ждал всю свою жизнь, я могу еще немного подождать.

— От всего сердца желаю вам еще немного подождать, месье Жофруа. Выигрываешь всегда в конце. У вас правильный взгляд на вещи. Но презентация будет в следующий понедельник, ровно через неделю. Рекламу они обеспечат. Для вашей следующей книги постараемся это получше подготовить, но сейчас уже ничего изменить нельзя. Вот как обстоит дело. Теперь ваш черед, вы должны подготовиться.

— Это самый важный момент моей жизни, мой дорогой друг.

— Знаю, хорошо знаю. Соберите все ваше мужество и подготовьтесь. Там будут представители.

— Представители печати?

— Не знаю, какие представители, я в этом ничего не понимаю, но кто-то там еще будет, как обычно!

— А как я туда попаду?

Это меня развеселило. Подумать только, ему и транспорт подавай!

— Вам ни о чем не надо будет беспокоиться, месье Жофруа, за вами заедут.

Вешая трубку, я все еще продолжал веселиться. Мне следовало бы заниматься рождениями, рождественскими праздниками, добрыми предсказаниями на будущее, чем-то розовым и веселым, всем тем, что начинается, а не кончается. Какая жалость, что месье Соломон не лежит в яслях.

— Твою мать! — сказал я ребятам.— В следующий раз я буду заниматься только новорожденными.

Я снова позвонил мадемуазель Коре.

— Мадемуазель Кора, договорились, поедем кататься на лодке.

— Жанно, мой Зайчик, ты душка!

— Я прошу вас не называть меня Жанно Зайчик, меня от этого выворачивает. Меня надо звать Марсель, Марсель Беда. Запиши это себе, пожалуйста.

— Не сердись.

— Я не сержусь, но имею же я право, в конце концов, иметь нормальное имя, как у других людей.

— В котором часу ты за мной заедешь?

— Не сегодня, у меня много срочных вызовов. В другой день, как только будет хорошая погода.

— Ты обещаешь?

— Да-а-а-а...

Я повесил трубку. От жары можно было сдохнуть, но открывать окно было нельзя из-за шумов с улицы, которые мешали бы разговорам по телефону. Я послушал несколько минут, как говорил младший Массела, который усердствовал, не щадя себя.

— Я знаю, я понимаю. Я видел эту программу. Да, конечно, это ужасно. Я не сказал, что ничего нельзя поделать, Маривонн. Есть мощные организации, которые этим занимаются. Есть «Международная амнистия» и

Лига по защите прав человека. Подожди минутку...

Он взял сигарету и прикурил.

— Она вчера по телеку видела ужасы в Камбодже,— объяснил он.

— Не глядела бы,— сказала Жинетт.

— Я думаю, что бесполезно протестовать против программ второго канала, Маривонн, поскольку первый канал передает то же самое. Если не в Камбодже, то в Ливане. Я знаю, что тебе хочется что-то сделать. Сколько тебе лет? Так вот, в четырнадцать лет не надо оставаться одной. Ты должна проводить время с ребятами твоего возраста и обсуждать с ними то, что тебя мучает, и после этого тебе станет куда легче на душе. Вот у меня есть список дружеских встреч, которые организованы специально с этой целью. Возьми карандаш, я тебе сейчас его продиктую. Я знаю, знаю, что от обсуждения ничего не изменится, убивать будут так же, но идеи становятся более ясными. Невольно узнаешь географию. А когда идеи проясняются, всегда чувствуешь себя лучше. Ты не хочешь себя лучше чувствовать? Что ж, я и это могу понять, вполне могу понять. Так всегда бывает у тех, кто чувствителен, кто живет сердцем. Но обязательно надо объединиться с другими ребятами; это очень важно. Вы, конечно, ничего не сможете изменить в первое время, ты права. Но во второе и третье время, с ясными идеями, с терпением и настойчивостью, постепенно чего-то удается достичь, и тогда чувствуешь себя куда лучше. Главное здесь — не быть одной, а объединиться с другими, понять, что и у других есть сердце и что многие люди полны доброй воли. Понимаю, все это звучит как утешение, а ты вовсе не ищешь утешения. Могу я с тобой говорить откровенно? Ты мне позвонила, потому что чувствуешь себя одинокой и несчастной. Ну да, и еще потому, что хочешь что-то сделать, для Камбоджи или против нее, в общем, против Камбоджи, — сама видишь, идеи твои недостаточно ясные — и не знаешь, как за это взяться. Итак, у тебя две проблемы: первая — ты одинока и несчастна. Вторая — Камбоджа. Обе проблемы между собой связаны. Но начать надо с первой. Ты *можешь* не чувствовать себя одинокой и несчастной, это во-первых, это важнее всего потому, что прибавит тебе мужества. А во-вторых, ты перейдешь к другим проблемам, которые тебя волнуют. Совершенно очевидно, что ты нам звонишь оттого, что не знаешь, к кому обратиться. Так что возьми карандаш и запиши список организаций, которые могут тебе помочь. Названия? Сейчас... Помочь *тебе* — помочь *другим*...

У нас был список таких организаций, и он уточнялся каждую неделю. Я начал ощущать, что завершил круг. Помочь другим, чтобы немного забыть про себя, чтобы ты сам не мелькал у себя перед глазами. Каждый день было много звонков от тех, кто хотел работать альтруистом-любителем на SOS.

Жинетт диктовала кому-то адрес организации «Союз женщин, которых бьют».

Я позвонил Алине.

— Мадемуазель Кора хочет кататься на лодке. Она это видела у импрессионистов.

— Что ж, это симпатично. У нее незатейливые вкусы.

— Ты тоже надо мной издеваешься.

— Я оставила тебе ключ под половичком, Марсель Беда.

# Глава XXXVII

Никогда еще я так глубоко не увяз в нефтяном пятне, мне казалось, что я покрыт нефтью с головы до ног, и я не знал, как мне из этого выбраться. Мне хотелось исчезнуть, в самом деле, совсем не быть здесь больше. Я пошел в библиотеку и взял «Человека-невидимку» Уэллса. Но это оказалось совсем не то, что я предполагал, и даже если бы мне и удалось стать невидимым, я все равно продолжал бы их всех видеть, в том числе и мадемуазель Кору, которая сидела бы в первом ряду. А потом во мне вдруг вскипело негодование — хватит, в конце концов, у меня своя жизнь, не желаю больше быть Жанно Зайчиком. Чак прав, когда говорит, что мой невроз вызван тем, что «они» для меня всегда важнее, чем «я», я всегда с «ними», никогда не бываю с самим «собой». Раз мадемуазель Кора хочет кататься на лодке в Булонском лесу, я готов ей это устроить. Я вышел на улицу, укрепленный своим решением, вскочил на велик и вернулся на бульвар Осман. Я поднялся в квартиру царя Соломона, прошел через маленькую гостиную и постучал в дверь кабинета. Месье Соломон был одет с изысканной элегантностью и давал интервью журналисту.

— Вы недостаточно настойчиво пишете о необходимости телефона в каждой квартире, месье. Вы ведь понимаете, что одинокий человек не пойдет в соседнее бистро, чтобы нам позвонить, особенно ночью. Вот если Франция имела бы более обширную телефонную сеть, в соответствии с ее духовным предназначением и гуманистическими традициями, то вы сделали бы значительный шаг вперед в борьбе с разобщенностью людей и одиночеством.

— Я хотел бы задать вам деликатный вопрос. Нет ли в вашей позиции известного патернализма?

И тут он меня снова удивил. В самом деле, поразительно услышать это от человека его возраста и к тому же так элегантно одетого. В его темных глазах сверкнули всполохи, но они от этого не посветлели, наоборот, стали еще темнее, и мне показалось, вот-вот загремит гром.

— Назовите это как угодно, месье, но лучше стоять на такой позиции, чем забиться в свой угол и жрать всякое дерьмо.

Журналист был нокаутирован. Он был слабак. Я зову слабаками тех, кто никак не желает признать своей слабости. Он поблагодарил и ушел. Месье Соломон со свойственной ему изысканной учтивостью проводил его до двери.

Я сел в кресло, чтобы почувствовать себя более уверенно.

— Ну что, Жанно, опять проблемы?

— Это у вас будут проблемы, месье Соломон. Вам придется кататься на лодке с мадемуазель Корой.

— Что?

— Ей хочется кататься, как это делали импрессионисты.

— Что вы несете?

— Она вас любит, и вы ее тоже. Хватит валять дурака.

Никогда я с ним так не говорил. С тех самых пор, как существует мир.

— Жан, мой мальчик...

— Марсель.

— С каких это пор?

— С тех пор как Жанно Зайчик погиб. Его раздавили.

— Жан, мой мальчик, я тебе не разрешаю говорить со мной таким тоном...

— Месье Соломон, у меня и так не хватает мужества решиться, поэтому не доставайте меня и не прикидывайтесь дурачком. Мадемуазель Кора вас любит.

— Она вам это сказала?

— Не только сказала, но и не раз подтвердила. Вам следовало бы пожениться и прожить вместе долгую счастливую жизнь.

— Это она тебя послала?

— Нет. У нее своя гордость.

Месье Соломон сел. Вернее сказать, что он осел, когда еще стоял. А когда он достиг дна кресла, он провел своей рукой с маникюром по глазам. Маникюр ему делает Арлетт из парикмахерской напротив его дома.

— Это невозможно. Я не могу ее простить.

— Она спасла вам жизнь.

В его глазах снова вспыхнула черная искра.

— Тем, что меня не выдала?

— Вот именно, она вас не выдала, это чего-то стоит. Она знала целых четыре года, что вы как еврей прячетесь в этом подвале, и она вас не выдала из любви. Она могла бы это сделать из любви к тому типу из гестапо, с которым жила, но она предпочла вас не выдавать из любви к вам, месье Соломон.

Тут я его прижал к стенке.

— Да, у этой женщины большое сердце,— пробормотал он, но иронии в его голосе не было.

— А теперь она хочет кататься с вами на лодке.

Он взбунтовался.

— Я не поеду.

— Месье Соломон, не надо лишать себя чего-либо из принципа. Это нехорошо. Это нехорошо для нее, для вас, для жизни и даже для принципа.

— Что это за идея кататься в ее возрасте, ну скажите! В следующую пятницу ей исполнится шестьдесят шесть лет.

— По-моему, шестьдесят четыре.

— Она врет. Старается приуменьшить. В следующую пятницу будет ее шестьдесят шестой день рождения.

— Вот и прекрасно, покатайте ее по этому поводу на лодке.

Он похлопывал себя пальцами по лбу. Я спросил:

— Вы ее еще любите, месье Соломон? Я спрашиваю, чтобы знать.

Он сделал жест рукой, потом рука вернулась ко лбу.

И он улыбнулся.

— Теперь это уже не вопрос любви,— сказал он.— Это куда большее.

## Эмиль Ажар

Я так никогда и не узнал, что он этим хотел сказать. У человека, который вот уже тридцать пять лет живет с марками, который собирает открытки, адресованные вовсе не ему, и который встает ночью, чтобы отвечать на звонки в SOS чужих людей, возможно, такие огромные и отчаянные потребности, что мне надо ждать, пока мне исполнится восемьдесят четыре года, чтобы его понять.

Он сделал еще один усталый жест рукой.

— Я поеду с ней кататься на лодке,— сказал он.

И тогда я уже не смог себя сдержать. Я подскочил к нему и поцеловал его. С моих плеч упал чертов груз.

# Глава XXXVIII

Я хотел было тут же побежать к мадемуазель Коре, чтобы сообщить ей такую хорошую новость, но он дал мне поручения. Мне надо было поехать к некоему месье Алекяну. Это был наш постоянный клиент, если можно так выразиться, но он не звонил уже четыре дня и не отвечал на звонки. Надо было поехать узнать, здесь ли он еще. Случается, что такие, как он, падают, ломают себе ногу или еще что-нибудь и не могут подняться. Но месье Алекян, как оказалось, был еще вполне здесь. Да, он не позвонил. Но это потому, что вот уже несколько дней никаких страхов он больше не испытывал. Он даже сам открыл мне дверь. А ведь ходить для него было рискованно. Месье Алекян никогда не признавался, сколько ему лет, получал тысячу двести франков в месяц, и два раза в неделю к нему приходила женщина из службы социальной помощи. Он поглаживал себе усы.

— Благодарю вас, но я никогда не чувствовал себя так хорошо, как сейчас.

Плохо дело. Нет ничего хуже, чем когда у них вдруг наступает явное улучшение, это самый дурной знак. Теперь придется навещать его каждое утро и каждый вечер.

— До скорого, до скорого.

Он испытал вдруг потребность сообщить мне, что в советской Армении у него есть родственники.

— Кузены.

— Было бы мило с вашей стороны, месье Алекян, если бы вы мне дали их адрес. Чтобы им сообщить... Я, может быть, поеду туда этим летом.

Он взглянул на меня и улыбнулся. Чтоб меня! Надо все время быть начеку, чтобы не сказать лишнего и не пробудить у них подозрения. А может, он улыбнулся совсем по другому поводу? Боже праведный, спаси нас и помилуй, как говорили в старину.

— Ну конечно.

Он просеменил до комода и выдвинул ящик. Вынул конверт, на его обратной стороне был адрес.

— Я всегда мечтал посетить Армению, месье Алекян. Говорят, там еще жив фольклор. И теперь я смогу передать привет вашим кузенам, когда...

— Что ж, желаю вам приятного путешествия.

Мы пожали друг другу руки. Теперь хоть у нас было имя человека, которому можно будет сообщить, когда... Я сбежал вниз по лестнице. Я позвонил из первого попавшегося мне бистро.

— Это по поводу месье Алекяна, улица Виктуар. Никогда он себя лучше не чувствовал, всем довольный, во всем чистом, готовый к... Теперь только надо будет навещать его дважды в день, чтобы...

У нас был целый список ассоциаций, которые брали на себя последние заботы... Потом я отнес фунт черной икры княгине Тшетшидзе от месье Соломона, тоже одна из б/у, она жила теперь в доме для престарелых дам из высшего общества, в Жуи-ан-Жозас. Месье Соломон говорил, что нет ничего ужаснее, чем приходить в упадок. Потом я помчался в муниципальную библиотеку со списком книг, которые, по мнению Чака, нельзя не прочитать. Он написал столбиком: Кант, Лейбниц, Спиноза, Жан-Жак Руссо. Я их взял, принес домой и положил на стол. Я провел не меньше часа, глядя на них, но не открывая. Мне было хорошо оттого, что я их не трогал — все же одной заботой меньше.

Потом я пошел навестить ребят, все оказались дома, Чак, Йоко и Тонг, и у них были какие-то чудны́е морды. На полу, на оберточной бумаге, лежали красно-белая полосатая майка, шляпа канотье, широкий кожаный пояс и еще что-то. Что именно это было, я сперва не понял, а потом выяснилось, что это фальшивые усы. Все они разглядывали эти вещи.

— Это для тебя.

— Как для меня?

— Твоя подруга тебе это принесла. Блондинка.

— Алина?

— Мы не пытались выяснить ее имя.

— А зачем все это барахло?

— Чтобы кататься на лодке.

Я кинулся к телефону. Говорить мне было трудно, меня душило бешенство.

— Что это на тебя нашло?

— Я принесла тебе майку, канотье и остальное.

— И остальное?

— Они так одевались, на картинах у импрессионистов. Ей ведь этого хочется, разве не так? Ей это напомнит юность.

— Не будь такой жабой, Алина.

— Надень майку, канотье, и ты будешь выглядеть как они. Все, привет.

— Нет, не вешай трубку. А пояс зачем?

— Его тоже надень.

Плук. В телефоне слышится «плук», когда вешают трубку. Я не раз замечал.

Они все глядели на меня с интересом.

— Это невозможно! — завопил я.— Она не может ревновать к тетеньке, которой вот-вот будет шестьдесят шесть лет!

— Это ничего не значит,— сказал Йоко.— Главное — чувство.

— Ой, как смешно, Йоко. Ой, какой ты умный!

— Я — хороший негр,— сказал Йоко.

— Черт возьми, она знала, что я это делаю как альтруист-любитель, это гуманный поступок, понятно? Она это знала и против не имела.

Чак поправил меня:

— Ты хочешь сказать — ничего не имела против?

— А я что сказал?

— Против не имела.

Это меня доконало. Я сел.

— Я не хочу ее потерять!

— Мадемуазель Кору? — уточнил Чак.

— Ты настаиваешь на том, чтобы я тебе морду разбил?

Нас из осторожности растащили. Йоко держал меня с одной стороны, а Тонг с другой.

Я не мог представить себе Алину, ревнующую к мадемуазель Коре. Или уж пусть тогда ревнует ко всем видам животных, которым грозит исчезновение. Я взял фотографию мадемуазель Коры, которая лежала у меня под подушкой. Я спрыгнул с кровати, скатился вниз по лестнице, схватил свой «солекс» и помчался на нем с такой быстротой, что едва не въехал прямо в книжный магазин. Там было немало народа, и все увидели, что что-то происходит между ней и мною. Я не мог говорить, а ведь я думал, что мы поняли друг друга на всю жизнь. Она повернулась ко мне спиной, и мы пошли в заднюю комнату и остановились под полками Всемирной истории.

— Я принес тебе фотографию мадемуазель Коры.

Она бросила взгляд. Это была чайка, увязшая в нефтяном пятне,— птица не понимала, что с ней происходит, и еще старалась улететь, размахивая крыльями.

— Кое-кто уже пытался спасти мир, Жан. Даже церковь такая когда-то была, и ее называли католической.

— Дай мне чуть-чуть времени, Алина.

Нужно время. У меня никогда не было никого, поэтому были все. Я так далеко отлетел от самого себя, что теперь кружусь как колесо без оси. Я пока не для себя... Я еще не начал жить для себя. Дай мне срок, и никого не будет, кроме тебя и меня.

Я заставил ее засмеяться. Уф! Я люблю быть источником смешного.

— Ты так ловко зубы заговариваешь, что это просто неприлично, Жанно.

— Мы будем жить для нас, ты и я. Мы вдвоем откроем маленькую бакалейную лавку. Будем жить тихо-мирно. Большие поверхности для меня кончились. Говорят, что один Заир в два раза больше всей Европы.

— Послушай. Когда я принесла тебе твой импрессионистический костюм, я поговорила с одним из твоих товарищей...

— Чак — подонок. У него все в голове, а кроме головы, вообще ничего нет.

— Согласна, Жан. Нам остаются только чувства. Я знаю, что голова обанкротилась. Я знаю, что все системы тоже обанкротились, особенно те, которые преуспели. Я знаю, что и слова обанкротились и ты больше не хочешь их употреблять, пытаешься их преодолеть и даже создать свой собственный язык. Из чувства лирического отчаяния.

— Этот Чак — самый большой подонок, какой мне повстречался со времени последней войны. Не знаю, что он тебе рассказал, но это он.

— Автодидакт страхов.

— Это он. Это он. Он проводит время, изучая меня. То он говорит, что я метафизик, то — что я личность историческая, то — что я истерик, то — что я невротик, то он утверждает, что я подхожу ко всему социологично, то — что я просто клинический больной, то я комичен, то патологичен, то недостаточно циничен, то мне не хватает стоицизма, то уверяет, что я католик, то — что я мистик, то — что я лирик, то упрекает в биологизме, а то ничего не говорит, потому что боится, что я ему рожу разобью.

Я сел на кипу книг, которая здесь и лежала для этого. Алина опиралась о Всемирную историю в двенадцати томах и наблюдала за мной, словно я тоже всего лишь том.

— Но на самом деле все обстоит куда проще, Алина. Это бессилие. Ты знаешь, настоящее бессилие, когда ничего не можешь, ничего — хоть весь мир обойди, от края и до края, и отовсюду доносятся эти ужасающие голоса. И тогда тебя одолевают страхи, страхи царя Соломона. Того, который отсутствует, позволяет всем сдохнуть и никому никогда не приходит на помощь. И тогда, если удастся найти что-то или кого-то, кто может тебе хоть чуточку помочь страдать, тут какого-нибудь старикашку, там другого или, скажем, мадемуазель Кору,— я не могу этим не воспользоваться. И чувствую себя немного менее бессильным. Конечно, я не должен был трахать мадемуазель Кору, но особого зла ей это не принесло, она уже вполне оправилась. И еще есть у меня друг, известный брючный король, который уже оделся, чтобы выйти из дома, и который не забыл мадемуазель Кору, так вот, я пытаюсь уладить их отношения, чтобы они вместе прошли конец пути. Я не могу отвечать за общественное спасение, это нечто чересчур большое, я могу лишь выступать как кустарь-одиночка. И когда Чак тебя уверяет, что у меня невроз переоценки «они» и недооценки «я», что у меня комплекс Спасителя, он порет чушь. Я просто мастер на все руки. И больше ничего. Мастер на все руки и кустарь-одиночка.

— Я дам тебе одну книжку, Жан. Это немецкий автор, он писал пятьдесят лет назад, во времена Веймарской республики. Эрих Кестнер. Он тоже был юмористом. Книга называется «Фабиан». В конце Фабиан идет по мосту и видит девочку, которая тонет.

Он кидается в воду, чтобы ее спасти. И автор заключает: «Девочка выплыла на берег. Фабиан утонул. Он не умел плавать».

— Я это читал.

Она была сбита с толку.

— Каким образом? Ты читал? Где? Эта книга давно уже не продается.

Я пожал плечами:

— Я читаю что попало. Я ведь автодидакт.

Она никак не могла прийти в себя. Словно она вдруг обнаружила, что знает меня хуже, чем думала. Или, наоборот, лучше.

— Жан, ты притворщик. Где ты это читал?

— В муниципальной библиотеке в Иври. А что тебя волнует? Я что, не имею права читать? Это не вяжется с моей рожей?

Я глядел на двенадцать томов Всемирной истории, которые стояли на полке за Алиной. Я поступил бы не так, как Фабиан. Я привязал бы себе вокруг шеи все двенадцать томов, чтобы быть уверенным, что немедленно пойду ко дну.

— Тебе не следовало говорить с Чаком, Алина. Он чрезмерно систематичен. Он не мастер на все руки. Отдельные детали, которые валяются где попало и гниют в уголке, его не интересуют. Его привлекает лишь теория больших объектов, систем. Он не мастер на все руки, нет. А если я что-то понял как автодидакт, так это то, что в жизни необходимо быть мастером на все руки, этому надо учиться. Мы с тобой можем себе смастерить счастливую жизнь. У нас будут хорошие минуты. Мы с тобой устроимся так, чтобы жить для себя. Кажется, есть еще такие уголки на Антилах, надо только знать.

В ее голосе вдруг прозвучала теплота по отношению ко мне.

— Я полагала, что Фронт сопротивления в Палестине,— сказала она.— Я не собираюсь прожить свою жизнь, обороняясь от жизни, Жанно. Негодование, протест, бунт по всей линии всегда превращает тех, кто избрал этот путь, в жертвы. Доля бунта, но и доля принятия тоже, только так. Я готова до известной степени остепениться. Я тебе сейчас скажу, до какой именно степени я готова остепениться: у меня будут дети. Семья. Настоящая семья, с детьми, и у каждого две руки и две ноги.

Я весь покрылся мурашками. Семья. Они побежали вдоль спины до ягодиц.

Она засмеялась, подошла ко мне и в качестве поддержки положила мне руку на плечо.

— Извини. Я тебя испугала.

— Нет, все будет в порядке, немного больше, немного меньше...

Она вернула мне фотографию мадемуазель Коры в образе чайки.

— Теперь отправляйся кататься на лодке.

— Нет, об этом и речи быть не может.

— Иди. Надень свой красивый наряд импрессионистов и иди. Я была в бешенстве, но это прошло.

— Насчет пояса это была неправда?

— Да. Ключ я оставлю под половичком.

— Хорошо, я пойду, раз ты настаиваешь. Это будет наше прощание.

Я вспомнил про усы.

— А усы зачем?

— У них у всех тогда были усы. Время было такое.

Я был счастлив. В том смешном, что она находила во мне, теперь было больше веселья, чем печали, и даже еще что-то дополнительное, в награду за мое старание. Не Бог весть что, но мне было хорошо от сознания, что это есть и что я смогу к этому вернуться.

# Глава XXXIX

Мадемуазель Кора рассмеялась, увидев меня в шляпе-канотье и в такой майке, какие носили в ту эпоху. Мне было приятно одеться так, как одевались восемьдесят лет назад, и мне хотелось бы жить в то время, точнее, в эпоху, когда на спутниках еще не доставляли мертвецов на дом и когда о многом можно было не иметь никакого понятия, это, бесспорно, здорово способствовало беспечной радости жизни. Я позвонил Тонгу и попросил его заехать за нами, а по пути к мадемуазель Коре заскочил в музей «Оранжери», чтобы посмотреть, похож ли я на молодого человека того времени.

И в самом деле, на одной картине был парень, на меня похожий, с усами, он сидел за столом с красивой девчонкой, и казалось, картина вот-вот запоет от счастья. У меня поднялось настроение от той радости, которой упивались мои глаза, и я погнался на своем велике по парижским улицам, выписывая спагетти между тачками.

Мадемуазель Кора надела красивое платье, не слишком броское, в розовых и бледно-голубых тонах, а на голове у нее был ее знаменитый белый тюрбан, из-под которого выбивалась и мило падала на лоб прядь волос. Туфли на высоких каблуках и сумка из настоящей крокодиловой кожи завершали ее туалет. Она взяла меня под руку, и мы спустились вниз. У меня сердце разрывалось оттого, что она была такой веселой и вся в ожидании счастья, тогда как я собирался сказать ей, что больше не могу делать ее счастливой. Она сохранила молодую фигуру, и когда на нас глядели, то выражения вроде «маленькая старушенция» или «она ему в бабушки годится» ей настолько не подходили, что не могли никому прийти на ум, поэтому мы были спокойны. Она в самом деле была в отличной форме. Я не знал, каковы были планы месье Соломона, но они могли бы вместе отправиться в Ниццу, у них был бы там красивый закат и жизнь такая же спокойная, как море, омывающее берег. Мне повезло, что я напал на мадемуазель Кору, а не на другую женщину, у которой, кроме меня, вообще никого на свете не было бы. Я думаю, что Йоко прав, когда уверяет, что у пожилых людей есть многое, чего мы лишены,— мудрость, умиротворенность, сердечный покой, они с улыбкой взирают на суету этого мира, но месье Соломон составляет здесь исключение, он еще не погасший вулкан, в нем кипит негодование, он бывает злой как черт и сходит с ума от тревоги, словно он лично отвечает за всю жизнь. Это, видимо, объясняется тем, что у него не получилась любовная жизнь; угасать, сознавая, что сгорел зазря, должно быть, очень печально.

Мы подождали внизу, Йоко приехал на нашем такси, и я увидел, что там сидели еще Тонг, Чак и толстая Жинетт, эти негодяи не хотели пропустить мое катанье на лодке под предлогом, что выдался погожий денек. Мы все, потеснившись, набились в такси, Йоко сидел за рулем, рядом с ним — Жинетт, которая взяла себе на колени Тонга, который был меньше всех, а Чак, мадемуазель Кора и я устроились сзади. Надо признать, что Чак вел себя вполне корректно, прочел нам лекцию об импрессионистах, а потом начался кубизм, главным художником которого был Брак. Я взял лодку напрокат, и мы спустились в ней на воду, а Чак, Йоко, Тонг и толстая Жинетт стояли на берегу, чтобы нами любоваться. Чак фотографировал, он был великим документалистом. Мадемуазель Кора тихо сидела напротив меня, она открыла белый зонтик и держала его над головой.

Чем только я не занимался все эти годы, но вот греб впервые. Мы катались уже целых полчаса, а может, и больше, в полном молчании, я решил оборвать все одним махом, но хотел до этого дать ей возможность насладиться прогулкой.

— Мадемуазель Кора, я вас покину.

Она несколько забеспокоилась.

— Тебе надо уйти?

— Я вас покину, мадемуазель Кора. Я люблю другую женщину.

Она не шелохнулась, она даже стала еще более неподвижной, чем была, не считая, правда, рук, которые трепетали, как крылья, сжимая сумочку на коленях.

— Я люблю другую женщину.

Я специально это повторил, так как был уверен, ей будет не так больно, если она поверит, что я бросаю ее из-за любви к другой.

Она долго молчала, сидя под своим зонтиком. Я продолжал грести, и это было тяжело.

— Она молодая и красивая, ведь верно?

Это было несправедливо, даже учитывая улыбку.

— Мадемуазель Кора, вы здесь ни при чем, я вас бросаю не из-за вас. И на вас приятно смотреть. Вы красиво выглядите под вашим белым зонтиком. Я вас бросаю не из-за вас. Я вас бросаю потому, что нельзя любить двух женщин одновременно, когда любишь только одну.

— Кто это?

— Я с ней случайно познакомился...

— Конечно, догадаться нетрудно... И... ты ей сказал?

— Да. Она вас знает по песням, мадемуазель Кора.

Ей это было приятно.

— Я не нарочно, мадемуазель Кора. Я с ней случайно познакомился. Это произошло само собой, я не искал. И у меня есть для вас хорошая новость.

— Еще одна?

— Нет, правда, хорошая. Месье Соломону хотелось бы, чтобы вы его простили.

Это ее оживило. Она даже больше отреагировала, чем когда узнала про меня. Поди пойми!

— Он тебе сказал?

— Это так же верно, как то, что я вас сейчас вижу. Он позвонил мне сегодня, чтобы я пришел к нему. Срочно. Да, вот так мне и сказали по телефону: «Месье Соломон хочет срочно вас видеть». Он лежал в своем роскошном халате. Занавески на окнах были задернуты. Настоящая депрессия. Он был очень бледен и уже два дня как не дотронулся ни до одной марки. Я никогда еще не видел его в таком подавленном состоянии, мадемуазель Кора, он потерял свою главную ценность...

— Что за ценность? Он проигрался на бирже?

— Он потерял еврейский юмор, мадемуазель Кора. Это более надежное укрытие, чем Израиль. Вы не можете не знать, что у него всегда вспыхивают искры в его черных глазах, когда он со своих высот снисходит до пустяков нашей жизни. Так вот, на этот раз никаких всполохов. Мрачные глаза, мадемуазель Кора, которые смотрят так, словно смотреть уже не на что. Я сел и молча стал ждать, но так как он молчал еще упорнее, я спросил: «Месье Соломон, что случилось? Вы прекрасно знаете, что для вас я сделаю что угодно, а вы сами мне не раз говорили, что я мастер на все руки». Тогда он вздохнул так, что сердце у меня чуть не надорвалось. Это такое образное выражение, мадемуазель Кора, я его где-то слышал. И тогда наш царь Соломон сказал мне: «Я больше не могу жить без нее. Вот уже тридцать пять лет, как я пробую обойтись без нее из-за этой истории с подвалом, ты знаешь, когда мадемуазель Кора спасла мне жизнь...» И он посмотрел на меня так, как вообще смотреть невозможно, и прошептал: «Отдай ее мне, Жанно!»

Мадемуазель Кора широко открыла глаза, в полном соответствии с этим выражением.

— Господи, он в курсе?

— Он в курсе всего, царь Соломон. Ничто не ускользает от его глаз в сфере готового платья с тех самых пор, как он со своих величественных высот склоняется к нашим мелким делам. Он положил мне руку на плечо унаследованным от предков жестом и прошептал: «Отдай ее мне, Жанно!»

Мадемуазель Кора открыла свою сумочку из настоящей крокодиловой кожи и вынула маленький платок. Она его развернула и поднесла к глазам. Она еще не плакала, и мне пришлось повторить:

— «Отдай ее мне».

Тут она утерла одну слезу и глубоко задышала.

— Есть такая песня,— сказала она.—
В тридцать пятом ее пели. *Розали.* Там играл
Фернандель.

И она напела:

— «Где ты, Розали, если встретишь ее,
мне ее верни...»

— Есть песни на все случаи жизни, мадемуазель
Кора.

— А потом? Что он потом сказал?

— Рука его все еще лежала на моем плече,
и он повторил: «Я не могу без нее жить.
Я пробовал, Богу известно, что я пробовал,
но это выше моих сил, Жанно. Я не из тех,
кто любит два раза. Я люблю один раз. Я раз
полюбил, и мне этого хватает. Навсегда.
И больше ничего быть не может. Один раз,
только одну женщину. Это самое большое
мое богатство. Пойди к ней, Жанно. Поговори
с ней деликатно, как ты умеешь. Пусть
она мне простит, что я просидел четыре
года в этом подвале, не навещая ее!»

Мадемуазель Кора была в шоке.

— Он этого не сказал!

— Клянусь всем, что для меня свято, мадемуазель
Кора, все в вашей воле! Он даже
пролил слезу, что в его возрасте случается
в особых случаях, из-за состояния желез.
Слеза была такая огромная, что я никогда

**398**

не поверил бы, что это возможно, если бы не видел своими глазами.

— А потом? А потом?

Что же ей еще надо!

Я молча греб несколько минут.

— А потом он шептал, обращаясь к вам, такие ласковые, нежные слова, что мне стало неловко.

Мадемуазель Кора была счастлива.

— Старый безумец! — сказала она с явным удовольствием.

— Вот именно, его мучает страх, что вы считаете его чересчур старым.

— Да он вовсе не так уж стар,— энергично возразила мне мадемуазель Кора.— Времена изменились. Это теперь уже другой возраст.

— Верно. Мы не живем во времена импрессионистов.

— Все эти разговоры о возрасте, к чему они ведут к конце концов?

— В конце концов ровно ни к чему, мадемуазель Кора.

— Месье Соломон, он вполне может дожить до глубокой старости.

Я чуть было не сказал, что сидение в подвале продлевает жизнь, но надо ведь что-то оставить и для другого раза. Я только вынул из кармана искусственные усы и налепил их себе, чтобы поднять настроение.

Мадемуазель Кора рассмеялась:

— Ой, какой ты! Настоящий Фрателлини!

Я не знал, кто это, но был готов пока не выяснять.

Я стал усердно грести. Теперь, когда сделано что-то хорошее, я греб даже с удовольствием.

Мадемуазель Кора задумалась.

— Он может еще долго прожить, но для этого необходимо, чтобы кто-то о нем заботился.

— Вот именно. Или чтобы он о ком-то заботился. По сути это одно и то же.

Оказалось, что я неплохо справляюсь с веслами. Мадемуазель Кора забыла обо мне. Я стал грести более спокойно, чтобы не потревожить ее, чтобы она обо мне не вспомнила. Это был неподходящий момент, чтобы напомнить о своем присутствии. Она хмурила брови, принимала озабоченный вид, она давала понять месье Соломону, что она еще не приняла решения.

— Мне хотелось бы теперь вернуться домой.

Я подплыл к берегу, и мы ступили на твердую землю. И снова все набились в такси. Йоко по-прежнему сидел за рулем, толстая

Жинетт с Тонгом на коленях — рядом с ним, а мадемуазель Кора сзади, между мной и Чаком. Она так и сияла, будто бы не потеряла меня. Все молчали, и я чувствовал, что они испытывали ко мне максимум уважения, какое я только могу внушать. Они наверняка ломали себе голову, как этот негодяй сумел так ловко выкрутиться. А я презирал их с высоты своего величия, как царь Соломон, и мне почти казалось, что я сам стал королем готового платья. Мадемуазель Кора была настолько в ударе, что захотела нас угостить чем-нибудь на террасе кафе. Я предложил поехать на Елисейские поля, но она сообщила нам, что на Елисейские поля она теперь ни ногой из-за того, что там так долго страдал месье Соломон. У мадемуазель Коры блестели глаза, впервые в своей жизни я сделал женщину такой счастливой. Когда мы подъехали к ее дому после того, как она выпила в кафе три рюмки коньяка и полбутылки шампанского, она стала нам рассказывать об Иветт Гильбер, когда-то знаменитой певице, настоящей звезде, которую она лично не знала, потому что была тогда слишком молода, и даже начала напевать, стоя на тротуаре, ее песни, и от волнения это запечатлелось в моей памяти — ничто так не облегчает душу, как волнение. Мы все вышли

Эмиль Ажар

из такси, Йоко, Тонг, Чак, толстая Жинетт,
и мадемуазель Кора пела для нас:

Монашек-притвора, беги из затвора,
Чем в келье томиться, не лучше ль жениться!

Я помог ей подняться до ее этажа, но она
даже не предложила мне зайти к ней, попро-
щалась со мной на лестнице. Протянула мне
руку:

— Спасибо за прогулку, Жанно.

— Всегда рад.

— Скажешь месье Соломону, что мне
надо подумать. Это слишком внезапно, ты
понимаешь...

— Он больше не может без вас, мадемуазель Кора.

— Я не говорю «нет», разумеется, ведь
нас связывает прошлое, но я не могу вот так,
с ходу, броситься в эту авантюру. Я должна
подумать. Я жила своей спокойной, хорошо
организованной маленькой жизнью, и я не
могу вот так, сразу... Я успела наделать достаточно безумных поступков в своей жизни.
Я не хочу снова терять голову.

— Он это прекрасно поймет, мадемуазель Кора. Насчет способности все понять
вы можете всецело положиться на царя Соломона. Можно сказать, что понимать — это
его специальность.

Я спустился и вышел на улицу. Все меня ждали.

— Как ты справился?

Я показал им палец, как это делают итальяшки, сел на свой велик и поехал домой. Дома я тут же кинулся на кровать, содрал фальшивые усы и спросил у Алины:

— Фрателлини — это кто?

— Семья клоунов.

Я попытался ей все рассказать, но она не захотела говорить о мадемуазель Коре. У нее был настоящий талант к молчанию, с ней можно было молчать, никогда не испытывая страха, что нам нечего сказать друг другу. Когда меня еще не было в ее жизни, она иногда включала радио, которое всегда лучше телека в пожарных случаях, но помимо этого она мало вступала в контакт с внешним миром. Итак, мы почти не говорили, и я больше часа лежал и смотрел на нее, а она ходила взад-вперед по своей двухкомнатной квартире площадью в восемьдесят квадратных метров, но этого вполне хватало, и занималась своими делами. Правда, один вопрос она мне задала, в самом деле очень странный вопрос, который меня очень удивил,— она меня спросила, не убил ли я кого-нибудь.

— Нет. А почему ты спрашиваешь?

— Потому что ты всегда чувствуешь себя виноватым.

— Это не личное, это в общем смысле.

— Но в конце виноват оказываешься ты из-за твоей человечности, так, что ли?

— О какой человечности ты говоришь, ты что, издеваешься надо мной или что?

Она отрезала себе здоровенный кусок пирога с малиной и вернулась ко мне, чтобы съесть его, лежа рядом со мной в кровати, что было как-то обидно, учитывая мои намерения.

— Знаешь, Жанно, мой Зайчик, в доброе старое время как раз во Франции обреталась золотая середина.

— Где это во Франции? Я в географии не очень-то силен.

— Золотая середина, где-то между на-срать и сдохнуть. Между запереться на все засовы и распахнуть двери для всего челове-чества. Не очерстветь вконец и не дать себя уничтожить. Это очень трудно.

Я продолжал лежать, глядеть на нее и привыкать быть вдвоем. Когда в вашей жизни никого нет, то невольно получается, что там толчется много народу. А когда кто-то есть, то народу становится сразу куда меньше. Теперь я довольствовался тем, что имел, и больше не стремился удрать к другим и поспеть повсюду. Она мне сказала, что никогда прежде не видела менее самодостаточного парня и что для собак я был бы просто находкой от избытка неразборчивой собачьей нежности. Впрочем, она вообще ничего не говорила, но именно это она и хотела сказать. Время от времени она бросала те дела, что заставляли ее хлопотать по дому, и подходила ко мне, чтобы меня поцеловать в ответ на взгляды, которые я на нее бросал. *Хлопотать. Я хлопочу, ты хлопочешь, он хлопочет. Пример: она хлопочет по дому. Я хлопочу, ты хлопочешь, он хлопочет...*

Я никогда не читал словарь с самого начала до конца, как следовало бы сделать, вместо того чтобы хлопотать. Впервые в жизни я был с ней, целиком мне принадлежащей до конца, и ночью я испытал все-таки некоторую тревогу — никто не знал, где я, и в случае необходимости меня нельзя было найти по телефону. Но все же вокруг меня в тишине воплей было меньше, чем раньше, и я уже не слышал голосов, которые словно затихали, удаляясь от меня,— доказательство того, что я был счастлив. Я не упрекал себя ни в чем, я старался не думать, но я был по-настоящему влюблен. С точки зрения морали несчастные более счастливы, чем счастливые, у них могут отнять лишь их несчастье. Я подумал о царе Соломоне и нашел, что он был чересчур суров с мадемуазель Корой. Если есть что-то непростительное на свете, так это неумение прощать. Они могли бы поехать в Ниццу, где еще живет много пенсионеров.

# Глава XL

На следующий день месье Соломону исполнилось восемьдесят пять лет. Я отключил счетчик на такси и навестил его. Он был в прекрасном настроении.

— О, Жанно, как мило, что вы вспомнили...

— Месье Соломон, разрешите поздравить вас с вашими замечательными достижениями.

— Спасибо, малыш, спасибо, делаешь что можешь, но и нами занимаются, нами занимаются... Вот поглядите-ка на это, есть надежда...

Он проковылял до письменного стола и взял газету «Монд».

— Можно подумать, что они это сделали специально по случаю моего восьмидесятипятилетия. Читайте, читайте!

Это была газетная страница под заголовком «Стареть». *Все здоровые долгожители живут активной жизнью в горном районе, весьма благоприятном для тренировок. «Искусство и способы как можно лучше стареть»* — так назвал доктор Лонгевиль свою небольшую книгу, иллюстрированную несколькими рисунками Фезана. Она легко читается, посвящена проблемам гигиены и образа жизни пожилых людей и ставит своей целью склонить этих людей занять новую, активную позицию на новом этапе их существования.

Месье Соломон нагнулся над моим плечом, вооружившись лупой филателиста. Он прочел своим очень красивым голосом:

— *...склонить этих людей занять новую, активную позицию на новом этапе их существования.*

Он подчеркнул красным карандашом это место.

— *...многочисленные растения и некоторые породы рыб имеют неограниченную продолжительность жизни...*

Он направил на меня свою лупу.

— Знал ли ты, Жанно, что многочисленные растения и некоторые породы рыб имеют неограниченную продолжительность жизни?

— Нет, месье Соломон, но это приятно узнать.

— Не правда ли? Не понимаю, почему от нас скрывают такие важные вещи.

— Правда, месье Соломон. В следующий раз, может быть, такое и о нас напишут.

— Многочисленные растения и некоторые породы рыб,— повторил месье Соломон уже с ненавистью.

Тут я сделал нечто, чего прежде никогда еще не делал. Я обнял его за плечи. Но он продолжал гневаться:

— ...склонить пожилых людей занять новую, активную позицию на новом этапе их существования,— сердито повторял он.

Было приятно слышать, что он сердится, видеть его в гневе. Он был явно не из тех, кто готов поехать в Ниццу. У него был темперамент настоящего борца в своей категории.

— Небольшая полезная книга, она легко читается...

Он стукнул кулаком по столу:

— Ух, я бы тебе... им такой поджопник влепил, дружбилы!

— Не орите, месье Соломон, какой от этого толк?

— Небольшая книга, иллюстрированная несколькими рисунками Фезана, она легко читается, посвящена проблемам гигиены и образа жизни пожилых людей и ставит своей целью склонить этих людей занять новую, активную позицию на новом этапе их существования! Черт-те что, нет, правда, черт-те что!

Он стукнул еще несколько раз кулаком по столу, и на его лице появилось выражение непоколебимой решимости.

— Везите меня к шлюхам,— скомандовал он.

Сперва я подумал, что ослышался. Это было невозможно. Человек такого высочайшего класса не мог этого хотеть.

— Месье Соломон, извините, но я услышал нечто, что я, наверное, не расслышал и что я не хочу слышать!

— Везите меня к шлюхам! — взревел месье Соломон.

Если бы месье Соломон, будучи евреем, попросил бы меня о соборовании, я испугался бы не больше.

— Месье Соломон, я вас умоляю, не говорите таких вещей!

— Я хочу пойти к шлюхам! — орал месье Соломон и снова стал стучать кулаком по столу.

— Месье Соломон, пожалуйста, не делайте таких усилий!

— Каких усилий? — пророкотал царь Соломон.— Ах, вы тоже, мой юный друг, способны на клеветнические измышления?

— Не кричите так, месье Соломон. Что-то может внезапно лопнуть!

Царь Соломон бросил на меня со своей высоты испепеляющий взгляд. Да, я был бы испепелен, если бы взгляд его в самом деле мог бы метать молнии.

— Кто здесь хозяин? Я в отличном состоянии, и ничего внезапно не лопнет! Я желаю, чтобы меня отвезли к шлюхам. Кажется, ясно?

Я совсем пал духом. Я знал, что его подталкивали страхи, но не мог и предположить, что они могут его спровоцировать на такой поступок отчаяния. Такой величественный человек, старик, который возвращается к первоначальному источнику... Я схватил его за руку:

— Мужайтесь, месье Соломон. Вспомните месье Виктора Гюго!

Я прокричал:

Тот возвращается к первичному истоку,
Кто в вечность устремлен от преходящих дней.

Горит огонь в очах у молодых людей,
Но льется ровный свет из старческого ока.

Месье Соломон схватил свою трость, и я ясно видел, что он меня сейчас побьет.

— Месье Соломон, в глазах старика виден свет! Молодой человек красив, но старик

**411**

величествен! Вы не можете идти к шлюхам,
вы слишком высоко стоите!

— Это что, попытка меня запугать? —
заорал месье Соломон.— Как хозяин SOS
я приказываю! Я желаю, чтобы меня отвезли
к шлюхам!

Я кинулся в коммутаторскую. Там были
толстая Жинетт, Тонг, Йоко, Чак и братья
Массела, старшего, впрочем, не было. Они
сразу увидели, что случилось что-то ужасное. Я завопил:

— Месье Соломон требует, чтобы его отвезли к шлюхам!

Они все разинули пасть от удивления,
кроме старшего брата Массела, которого тут
не было.

— Это старческий маразм,— спокойно
изрек Чак.

— Что ж, пойди скажи ему.

— Говорят, что у стариков часто бывает
желание трахнуть беременную женщину,—
сказала Жинетт.

Все мы на нее посмотрели.

— Я хочу сказать...

— Ты хочешь сказать, но лучше бы ты
заткнулась! — крикнул я.— И так страшно
подумать, что несчастный месье Соломон
хочет идти к шлюхам, не хватало еще, чтобы
он потребовал себе беременную! Что мы
будем делать?

— У него поехала крыша,— сказал Чак.— Это от шока, что ему исполнилось сегодня восемьдесят пять лет. Никогда не видел никого, кто бы так боялся умереть!..

— Восточная мудрость ему чужда, это уж точно! — сказал Тонг.

— А может быть, ему просто хочется пойти к шлюхам, и все,— предположил Йоко.

— За всю свою жизнь он ни разу не был у шлюх! — орал я.— Только не он! Не человек такой высокой духовности!

— Можно позвать доктора Будьена,— предложил младший из братьев Массела, поскольку старшего тут не было.

— Ничего не остается, как отвезти его к шлюхам,— сказал Тонг,— может, что-то и произойдет.

Именно в этот момент в коммутаторскую вошел царь Соломон. Он уже надел на голову свою легендарную шляпу, а в руках держал трость с набалдашником в форме лошадиной головы и перчатки.

— Что, небольшой заговор? — сказал он. Достаточно было на него посмотреть, чтобы стало ясно, что ему нехорошо. В глазах был панический блеск, а губы он так сильно сжал, что их вообще не было видно, и голова его дрожала.

— Едем, едем! — заорал я и побежал в ванную комнату посмотреть, что за лекарства там хранились на такой случай. Ничего. Царь Соломон противостоял врагу с пустыми руками. Я видел фильм такого рода, там один рыцарь предлагает смерти, которая пришла за ним, вступить с ним в единоборство. Когда я вернулся в коммутаторскую, я застал царя Соломона с высоко поднятой головой, трость он держал на весу и вполне совладал со своим гневом.

— Я должен вас предупредить, что так у нас дело не пойдет. Мне исполнилось сегодня восемьдесят пять лет, это точно. Но считать, что я стану поэтому недееспособен,— нет, такой дерзости я никому не позволю. И еще одну вещь я хочу вам сказать. Я хочу вам сказать, мои юные друзья, что я не давался в руки нацистам в течение четырех лет, избежал гестапо, лагерей, облавы на Зимнем велодроме, газовых камер не для того, чтобы сдаться какой-то убогой смерти, которую называют естественной, смерти третьесортной, наступающей якобы от жалких физиологических причин. Самые мощные силы не смогли надо мной восторжествовать, так неужели вы думаете, что я поддамся рутине? Я не зря избежал холокоста, мои юные друзья, я намерен дожить до глубокой старости, это я торжественно объявляю, запомните!

И он еще выше задрал подбородок, с еще большим вызовом, и это был настоящий кризис страхов, великих страхов царя Соломона. И он снова заорал, несмотря на свой величественный вид:

— А теперь я желаю ехать к шлюхам!

Делать было нечего. Мы оставили на коммутаторе брата Массела, который не хотел быть свидетелем этой авантюры, а потом все набились в такси, даже Жинетт,— без женщины дело обойтись не могло. Я вел машину, толстая Жинетт с Тонго на коленях сидела рядом, а Соломон сидел сзади, между Чаком и Йоко. Я видел выражение его лица в зеркале заднего вида и нашел только одно слово в словаре, которое могло бы его передать,— непреклонный. *Непреклонный — когда нельзя смягчить чье-то бешенство, злопамятство, насилие. См.: жестокий, безжалостный, несгибаемый, а также: ярый, яростный.* Мы все сгруппировались вокруг него, как охранники. Никогда еще человека в таком состоянии не везли к проституткам. Для меня это было еще ужаснее, чем для остальных, потому что я любил месье Соломона больше, чем все, кто сидел в такси. Я понимал, чтó он пережил, проснувшись сегодня утром, в день своего восьмидесятипятилетия, поскольку именно это испытываю

я сам, просыпаясь каждое утро. Первое, что
он должен был бы сделать, просыпаясь, это
пойти пописать, потому что в его возрасте
есть немало людей, которые уже не могут
писать из-за простаты, но он писал еще как
царь, и это его всякий раз успокаивало. Мы
все молчали, нам нечего было ему предложить. Что мы могли ему сказать? Что он еще
очень хорошо мочится? Что многие не до-
жили до его возраста? В его пользу аргументов не было. Нельзя было даже обвинить
нацистов или методы пыток полиции в Ар-
гентине, это совсем другая история. Под ува-
жительными демократическими предлога-
ми царю Соломону наносили непростительный удар, с ним обращались как с первым
попавшимся смертным. Аргументы, которые
он недавно представил, были настолько убе-
дительны, что ответа на них не было. В течение четырех лет он прятался в подвале, он
блестяще избежал нацистского истребления
и французской полиции, к которой можно
применить то же определение, неужели он
все это проделал только для того, чтобы умереть, как мудак, от какой-то естественной
смерти!

— ...Склонить пожилых людей занять новую, активную позицию на новом этапе их
существования! — вдруг заорал месье Соло-

мон, и только когда он добавил, потрясая кулаком: — О бешенство, о отчаяние, о ненавистная старость! — я начал остерегаться и подумал, не шутит ли он, не кончится ли все это гомерическим хохотом.

— Месье Соломон, нашли гроб Чарли Чаплина, который украли, и он в нем сохранился нетронутым, это хорошая новость, справедливость торжествует.

— Месье Соломон,— сказал Чак,— вы ведь любите музыку, вы должны полететь в Нью-Йорк, Горовиц дает там свой последний концерт.

— Кто вам сказал, что это последний? — рявкнул в ответ месье Соломон.— Это он так решил? Кто вам сказал, что через двадцать лет Горовица не будет? Почему он должен умереть раньше? Потому что он еврей? Хватают всегда одних и тех же, так, что ли?

Впервые я видел Чака в полной растерянности, он был просто ошеломлен. Я ехал очень медленно, я надеялся, что месье Соломону вдруг откажет память, как часто бывает у глубоких стариков, и он забудет о своем злосчастном намерении, но мы уже добрались до улицы Сен-Дени, и я услышал, как месье Соломон опять завопил. Он высунулся в окно и приценивался. Взгляд его привлекла крупная блондинка в мини-юбке и кожаных сапогах, которая стояла, вызывающе прислонившись к стене. Рядом стояли еще пятьшесть проституток, которые точно так же прислонялись, и я не знаю, почему месье Соломон выбрал именно эту. Я проехал немного дальше, но он стукнул меня своей тростью по плечу, и я затормозил.

— Выпустите меня!

— Месье Соломон, вы не хотите, чтобы мы с ней сперва поговорили? — предложил Йоко.

— И что вы намерены ей сказать? — рявкнул месье Соломон.— Что несовершеннолетним это запрещается? Идите знаете куда! Я брючный король и в советах не нуждаюсь! Ждите меня здесь.

Мы все выскочили из машины и помогли ему выйти.

— Месье Соломон,— умолял я его,— ведь бывает гонорея...

Он не слушал. Он принял активную позицию, как было сказано в газете «Монд», шляпа была слегка сдвинута набок, взгляд оживленный, полный решимости, в руках он держал перчатки, а трость слегка приподнял. Мы все за ним наблюдали. У белокурой шлюхи хорошо сработала женская интуиция, она ему широко улыбнулась. Месье Соломон тоже улыбнулся.

Жинетт заплакала:

— Мы его живым уже не увидим.

Это было ужасно — среди белого дня, на виду у всех, такой величественный человек. У меня от этого сердце разрывалось, но правды ради я вынужден сказать, что у царя Соломона была весьма двусмысленная, можно даже сказать, скабрезная улыбочка. Он был здесь, на уровне земли, а вовсе не на своих легендарных высотах, откуда он с таким снисхождением взирал на наши ничтожные делишки. Шлюха взяла царя Соломона под руку, и они направились к двери гостиницы. Йоко с уважением снял кепку, Тонг стал бледно-желтым, у Чака ходуном заходил кадык, толстая Жинетт рыдала. Ужасно было смотреть на то, как царь Соломон на глазах падал со своих высот в грязь.

Мы ждали. Сперва стоя на тротуаре, потом, когда его отсутствие стало затягиваться,— в такси. Жинетт была вся в слезах.

— Вы должны были что-то сделать!

Прошло еще двадцать минут.

— Но наше поведение — это же неоказание помощи человеку, когда его жизнь в опасности,— кричала Жинетт.— Она его убивает, эта мерзавка! Надо подняться и посмотреть!

— Не надо впадать в панику,— сказал Тонг.— Она, наверно, уложила его, чтобы он отдохнул. Может, она старается поддержать его морально. Это тоже относится к услугам, которые она оказывает.

Прошло еще десять минут.

— Я сейчас позову легавых,— сказала Жинетт.

И в эту самую минуту в дверях гостиницы появился месье Соломон. Мы все высунулись, чтобы наблюдать за ним. Что-либо определенное сказать было трудно, ни да, ни нет. Он стоял, держа в одной руке перчатки и трость, в другой — шляпу, он ничуть не утратил своего легендарного внешнего достоинства. Он бодрым жестом нахлобучил на голову шляпу, сдвинув ее слегка набок, и направился к нам. Мы все выскочили из такси и побежали ему навстречу, но нам не пришлось его поддерживать. Я сел за руль, и мы ехали молча, только Жинетт вздыхала и кидала на него взгляды, полные упреков. Внезапно, когда мы ехали по Шоссе-д'Антен, месье Соломон улыбнулся, что было хорошим признаком после всех пережитых волнений, и пробормотал:

Тот возвращается к первичному истоку,
Кто в вечность устремлен от преходящих дней.

И еще:

— Многочисленные растения и некоторые породы рыб имеют неограниченную продолжительность жизни...

После чего он снова впал в мрачное молчание, а когда мы добрались до дома, мы уложили его на диван, позвонили доктору Будьену и попросили его срочно прийти, потому что месье Соломона терзает желание бессмертия. Мы все были очень взволнованы, все, кроме Чака, который сказал, что страхи царя Соломона были чисто элитарными и аристократическими, что на земле хватает несчастий, с которыми есть возможность бороться, так что нечего тратить силы, проклиная то, что нам неподвластно, и меча по этому поводу громы и молнии. Он нам сообщил, что еще в Древнем Египте народ вышел на улицы и устроил своего рода май 68-го, люди забивали священнослужителей камнями и требовали бессмертия, и что царь Соломон со своими требованиями и проклятиями был анахроничен. *Анахроничен — неуместен в своей эпохе, принадлежит другому времени.* Я пожал плечами и отключился. Чак был прав, а спорить с теми, кто прав, нет никакого смысла. С ними ничего не поделаешь. Бедняги.

Я дождался прихода доктора Будьена, который сказал, что давление у месье Соломона приличное, и не увидел никаких других угроз на горизонте, кроме небольших обычных отклонений, и, следовательно, нет оснований для особого беспокойства. Я сообщил ему, что месье Соломон был справедливо возмущен, когда узнал, что у многочисленных растений и некоторых пород рыб срок жизни неограничен, а вот у нас — ограничен, а доктор в ответ объяснил, что во Франции небрежно относятся к научным исследованиям, что кредиты на науку еще сократили и что месье Соломон прав, в области геронтологии не делают того, что было бы необходимо. Я убедился, что у месье Соломона есть все, что ему нужно, что он вдыхает и выдыхает воздух нормально, и я сел на свой велик.

# Глава XLI

Ключ не лежал под ковриком, и когда Алина открыла мне дверь, я тут же понял, что случилось какое-то несчастье. Я уже раньше заметил, что Алина бывала разгневана, когда чувствовала себя несчастной.

— Она здесь.

Я спросил — кто. Потому что со всеми волнениями этого дня я вспомнил бы о мадемуазель Коре в последнюю очередь. Но это была именно она, и одета куда более нарядно, чем обычно, а косметикой она злоупотребила так, будто шла на вечерний светский прием. Когда она моргала, глаза ее становились похожи на пауков, которые дергают лапками,— такими длинными и черными от туши были ресницы. Кроме того, глаза были жирно подведены синим, а на лице повсюду пестрели белые и красные мазки. Волосы она прикрыла черным

**423**

тюрбаном со знаком Зодиака — золотой рыбкой посередине, а платье ее переливалось всеми цветами, когда она двигалась,— от лилового через сиреневый до пурпурного. Когда я вошел, воцарилось молчание, словно я был последний из негодяев.

— Здравствуй, Жанно.

— Здравствуйте, мадемуазель Кора.

— Я хотела познакомиться с твоей подругой.

Я сел, опустил голову и стал ждать упреков и жалоб, но, кажется, огорчен был больше я, чем она. Алина стояла ко мне спиной, она ставила в вазу цветы, которые ей принесла мадемуазель Кора, и я уверен, что она готова была меня убить, так она меня ненавидела в этот момент. Мне хотелось бы знать, давно ли мадемуазель Кора здесь, что они успели рассказать друг другу и будет ли по-прежнему лежать для меня ключ под ковриком.

— Вы молодая, счастливая, и это пробуждает во мне хорошие воспоминания,— сказала мадемуазель Кора.

Я сказал:

— Мадемуазель Кора, мадемуазель Кора.— И умолк.

Алина тоже молча ставила цветы в вазу.

Мадемуазель Кора немного всплакнула. Она вынула из своей сумочки маленький платочек, совсем чистый, и я испытал облегчение, увидев, что он еще не был использован, значит, прежде она еще не плакала. Она вытерла им глаза, помня о косметике. Она в самом деле была одета и накрашена как на прием, может, она и в самом деле собиралась пойти потом на какой-то праздник.

— Простите меня, мадемуазель Кора.

— Ты смешной, мой маленький Жан. Ты думаешь, я плачу оттого, что ты меня бросил? Я взволнована, потому что, когда я смотрю на вас, во мне оживают воспоминания. Вспоминаю свою молодость и того, кого я любила. Когда я была молодой, я была способна потерять голову. Теперь нет. Это и вызывает у меня слезы. Ты...— Она улыбнулась довольно жестко.— Ты... ты хороший мальчик.

Она встала, подошла к Алине и поцеловала ее. Она не выпускала ее руки из своих.

— Вы прелестны. Навестите меня как-нибудь. Я вам покажу фотографии.

Она повернулась ко мне и коснулась рукой моей щеки, кажется вполне благодушно.

— А ты, дружок, своей внешностью обманываешь людей. Глядя на тебя, думаешь —

настоящий мужчина, крутой, а...— она засмеялась,— ...а оказывается, ты Жанно, мой Зайчик!

— Извините меня, мадемуазель Кора.

— Никогда не видела парня, который был бы так не похож на себя.

— Я не нарочно, мадемуазель Кора.

— Знаю. Бедная Франция!

Она ушла. Алина проводила ее до двери. Я слышал, как они обещали друг другу снова встретиться. Я пошел на кухню выпить стакан воды, а когда вернулся в комнату, Алины там еще не было. Я открыл дверь и увидел, что мадемуазель Кора рыдает, а Алина ее обнимает.

Я крикнул:

— Мадемуазель Кора!

И я вошел в лифт. Алина тоже плакала. А я не мог, я был слишком взволнован.

— Если бы вы только знали, сколько слез я из-за него пролила!

— Из-за меня, мадемуазель Кора? Из-за меня?

— Если бы он не спустился как-то вечером в туалет пописать, я и сейчас еще дежурила бы там, а ведь прежде я никогда никого не любила так, как я его сейчас люблю. Вы не можете знать, этого нельзя знать, пока молод. Но до чего же он злопамятен!

Я испытал огромное облегчение оттого, что меня оправдали, что с меня снято подозрение насчет ее любви ко мне, и в порыве благодарности я ее поцеловал.

— Он не злопамятен, мадемуазель Кора, он робеет! Он хотел бы вам позвонить, но не смеет. Он считает, что слишком стар для вас!

— Он тебе в самом деле это сказал или ты хочешь просто доставить мне удовольствие?

— Сегодня, совсем недавно. Ему даже пришлось прилечь, настолько он расстроился из-за своего возраста. Ему сегодня исполнилось восемьдесят пять, но подумаешь, в Ницце немало стариков куда старше его.

— Это правда.

— Ему хотелось бы начать новую жизнь с вами, но он боится себе это разрешить!

— Что ж, скажи ему...

Она не смогла этого выговорить, это было во взгляде.

— Скажу, мадемуазель Кора, вы можете на меня рассчитывать!

Она снова вытерла глаза, а потом вошла в лифт, помахав нам рукой, прежде чем исчезнуть с лифтом в шахте. Мы вернулись домой. Алина прислонилась к двери. Ей нужно было что-то укрепляющее. Прежде, в старое время, просто говорили «сердечное». Нет ничего лучше смеха. Я ей сказал:

— Нам здорово повезло.

Она открыла глаза.

— В каком смысле?

— Мы тоже могли бы быть старыми.

— Кончай, ну кончай!

— Но это же правда. Никогда этому достаточно не нарадуешься!

Мне даже захотелось приклеить себе фальшивые усы, но я не обнаружил их в кармане.

# Глава XLII

Я предупредил на службе SOS, что все, что ухожу от них, буду теперь снова чинить всякие поломки в квартирах — водопровод, центральное отопление, электричество, бытовую технику, но только то, что не имеет никакого отношения к человеческим душам.

Я вкалывал десять часов в день, возился с тем, что сломалось, и, когда мне удавалось что-нибудь привести в порядок, у меня улучшалось настроение. Я люблю утечки воды, лопнувшие трубы, разбитые стекла, которые нужно заменить, ключи, которые заедает. А кроме этого была только Алина. Я даже хотел было разорвать фотографию чайки, увязающей в нефтяном пятне, настолько мне было теперь на нее наплевать, но в последнюю минуту все же не смог этого сделать. С каждым днем я любил мадемуазель Кору еще больше, хотя она была здесь ни при чем, а просто это было мое общее состояние. Я еще никак не мог ограничиться двухкомнатной квартирой площадью в восемьдесят квадратных метров. Как-то ночью я проснулся смеясь, потому что мне приснилось, что я стою у входа в метро и раздаю прохожим счастливые билеты. Каждый день я навещал месье Соломона, чтобы знать, как он поправляется после своего восьмидесятипятилетия,— я ждал подходящий момент для своей последней человеческой починки. То я заставал его в кресле, обитом настоящей кожей, то за столом филателиста с лупой в глазу, то склоненным над коллекцией почтовых открыток, где речь шла о нежных поцелуях и заверениях в любви. Глаза его стали еще темнее, и в них было меньше всполохов, но я чувствовал, что внутри он не совсем погас и постепенно вновь обретал прежнее дыхание. Он мне сказал, что собирается продать свою коллекцию марок.

— Пришло время подумать о другом.

— Не надо думать о другом, месье Соломон. С вашей железной конституцией вам незачем об этом думать.

Мой ответ его позабавил, я видел, как у него в глазах вспыхнули искорки. Он стал барабанить пальцами по столу. Я всегда буду помнить его руки с длинными, тонкими, бледными пальцами, пальцами виртуоза, как говорится.

— Я всегда буду помнить ваши руки, месье Соломон.

Лицо его еще больше посветлело. Он любил, когда я говорил простые вещи, это приуменьшало важность сказанного.

— Ну и шутник же ты, Жанно.

— Да, я очень многим вам обязан, месье Соломон.

— Может, займусь чем-нибудь другим. С марками я уже сделал что мог, подхожу к концу коллекции. Теперь меня искушают старинные изделия из слоновой кости...

Мы оба посмеялись.

— Я хотел поговорить с вами о мадемуазель Коре.

— Как она поживает? Я надеюсь, ты продолжаешь ею заниматься?

— Спасибо, месье Соломон, это мило с вашей стороны, что вы обо мне подумали.

Всполохи в глазах снова появились. Ироническая вспышка, подобие улыбки пробежало по губам.

— Любопытно, как прошлое все больше оживает по мере того, как стареешь,— сказал он.— Я все больше о ней думаю.

На нем был костюм из светло-серой шерстяной фланели, черные ботинки, розовый галстук, удивительно быть таким элегантным один на один с собой. На столе лежала маленькая книжка, это был сборник стихов Жозе-Марии Эредиа, которые он все больше любил, потому что они тоже сильно постарели.

— Да,— сказал он, поймав мой взгляд.

И он прочел наизусть:

Душа покинутой — его анжуйской неги —
Руке сопутствует в ее звенящем беге,
Когда тоской любви охвачена она [1];

Лицо его стало мягче.

И голос отдает ветрам неутомимым,
Чья ласка, может быть, помедлит над любимым...

Он помолчал, а потом сделал жест рукой:

— Это была другая эпоха, Жанно. Мир занимал меньше места. Да и оставалось его куда больше для личной печали, чем сегодня.

— Я думаю, что вы ведете себя с ней непростительно, месье Соломон. Вас распирало от злопамятства в течение тридцати пяти лет, срок немалый, теперь хватит. Это даже неэлегантно, а вы всегда так хорошо одеты. Вам следовало бы увезти ее с собой.

---

[1] Здесь и ниже строки из стихотворения Ж.-М. Эредиа «Прекрасная Виола» в переводе А. Курошевой.

Он прищурил глаза.

— А куда именно ты хочешь, чтобы я увез ее с собой, мой маленький Жанно? — спросил он меня с легким оттенком недоверия и слегка неприятным тоном.

Но я не растерялся.

— В Ниццу, месье Соломон, всего-навсего в Ниццу.

Он помрачнел. Я осторожно сделал еще шаг:

— Вы с вашей легендарной снисходительностью должны были бы ее простить, месье Соломон. Она отказывается даже пойти в кафе на Елисейских полях, представляете! Она не может забыть. И она часто при немцах проходила мимо этого подвала...

— А почему же эта курва ни разу туда не зашла? — заорал месье Соломон с отчаянием и стукнул даже кулаком по столу, и это слово выражало полное презрение в его устах.— Почему ни разу, ни единого раза она меня не навестила?

— Это злопамятство, месье Соломон, вот что это такое. И это нехорошо.

Месье Соломон глубоко вдохнул и выдохнул воздух.

— Ты и представить себе не можешь, как я страдал,— сказал он, помолчав, чтобы немного успокоиться.— Я ее любил.

Он снова глубоко вдохнул и выдохнул, и в его глазах вспыхнуло пламя воспоминаний.

— Я любил ее наивность, ее чуть хрипловатый голос предместий, ее маленькое личико мудачки. Всегда хотелось ее спасать, защищать в промежутках между ее мудачествами. Это надо же умудриться так испортить себе жизнь, как она. И все же... И все же... Я иногда ею восхищаюсь. Испортить себе жизнь ради любви — это не всем дано.

— В таком случае, месье Соломон, вы должны и собой восхищаться.

Он был в недоумении. Я был рад, потому что знал это слово. *Недоумение — изумление, растерянность.*

Он долго на меня смотрел, словно видел меня впервые.

— Ты парень... неожиданный, Жан.

— Всего надо ожидать, а особенно — неожиданного, месье Соломон.

И в этот момент они все вошли в кабинет: толстая Жинетт, Тонг, Йоко, оба брата Массела, все, кроме Чака, которого почему-то не было, и у всех выражение лиц было такое, какое бывает в случае несчастья. Мы привыкли выслушивать дурные известия по телефону, но я сразу почувствовал, что здесь что-то личное. Они глядели на нас и молчали, словно выгадывая время, перед тем как заговорить.

— Ну, что случилось? — спросил месье Соломон с некоторым раздражением, потому что быть мишенью каких-то драматических сообщений всегда действует на нервы.

— Случилось то, что мадемуазель Ламенэр попыталась уйти из этой жизни,— сказала Жинетт.

Это был такой сильный удар, что сперва я ничего не почувствовал. А потом месье Соломону и мне сразу же пришла в голову одна и та же мысль. У меня перехватило дыхание, и я не мог говорить, и тут я услышал голос месье Соломона, который сперва тоже молчал, а потом пробормотал:

— *Из-за кого?*

Они не поняли. Они все стояли и глядели на нас, все, кроме Чака, которого здесь не было. Жинетт открывала и закрывала рот, как рыба, вынутая из воды, как рыба, когда она оказывается вне своей естественной среды обитания.

— Она это из-за кого сделала? — еще раз спросил месье Соломон, на этот раз громче, и я увидел в его глазах страх.— Из-за него или из-за меня?

Его лицо было неподвижно, словно высечено из камня, как лица отсеченных скульптурных голов французских королей, только что нос у него был целым. И теперь еще я не смею об этом думать, даже сейчас, когда думаю об этом. Я знаю, что такая реакция, когда речь идет о страсти, существует, но в восемьдесят пять лет, после тридцатипятилетнего разрыва, из которого четыре года проведены в подвале, а чувства такие же страстные, как в лучшие дни... *в воде такой же прозрачной, как в лучшие дни, моя кума щука и ее кум карп описывали бесконечные круги друг вокруг друга...* Нет, это уже даже не молодость сердца, это больше, это и есть бессмертие! Царь Соломон хотел во что бы то ни стало узнать, из-за кого мадемуазель Кора попыталась покончить с собой — из-за него или из-за меня.

Он поднялся с кресла и встал во весь свой рост.

Он наклонился к нам.

Он поднял свой палец, ткнул им в мою сторону проклинающим жестом и заорал:

— Она это сделала из-за кого, черт возьми? Из-за него или из-за меня?

— Месье Соломон,— сказала Жиннет,— но, месье Соломон...

Все остались дома, только мы двое поехали в больницу. Нас обоих ввели в большую палату, где лежали еще и другие пациенты, попавшие сюда по тому же поводу. Мы сели

на стулья по обе стороны кровати, где лежала мадемуазель Кора. Она была укрыта
белым одеялом до самого подбородка. Мне
не показалось, что она сильно взволнована.
Старшая сестра сказала, что с отчаяния она
проглотила слишком большую дозу лекарства. Другие сестры занимались другими
больными, а для большей интимности нас
от остальных отгородили ширмой. Нам
рассказали, что мадемуазель Кора находилась здесь уже тридцать шесть часов и что ее
жизнь была теперь вне опасности — это
была принятая здесь формула. Я подумал,
что нам здорово повезло, что она не бросилась под поезд метро или в Сену, что она
не кончила свою жизнь как героини ее жанровых песен. Она просто приняла, борясь
с отчаянием, слишком большую дозу лекарства, и благодаря этому ее удалось спасти.
Приходящая прислуга,— да, она имела возможность ее оплачивать,— долго звонила
в дверь, но никто не открыл, и тогда она
вызвала полицию, потому что участились
случаи агрессии по отношению к людям
пожилого возраста. На тумбочке у кровати
лежала записочка с кратким объяснением
этого поступка, но она не была никому адре-
сована, а в подобных случаях отсутствие
адресата вещь очень серьезная. И когда позже

ее спросили, надо ли кого-нибудь предупредить, она просто попросила позвонить в «SOS альтруисты-любители», там у нее есть знакомый. Говорить с ней надо было поменьше, потому что волнение вредило ей. Месье Соломон спросил, не могут ли ему показать оставленную ею записку, но ему ее не дали, потому что он не был членом ее семьи. Он возмутился и громко сказал:

— Кроме меня, у нее никого нет на свете.— И на меня он даже не поглядел, настолько он был уверен в своей правоте.

Старшая сестра стала сомневаться, как ей поступить, и уже готова была ее ему выдать, но я ей знаками — и головой, и рукой — подсказал: нет, нет, нет. Кто знает, что она сочинила в этой записке. Она вполне могла написать, что месье Соломон сволочь. И тогда прощай последний шанс. Рисковать было нельзя, теперь, когда ее спасли, ее можно было еще больше спасти, и месье Соломона тоже. Несмотря на его дурную башку.

Мы сидели по обе стороны кровати и молчали, как того требовала ситуация, а мадемуазель Кора лежала, укрытая белым одеялом до подбородка, из-под которого выпростала обе тоненькие ручки, и была похожа на свои фотографии в юности еще больше, чем в обычной жизни. Она чуть заметно улыбалась, видимо испытывая удовлетворение от проявленного мужества, и не глядела ни на одного из нас — взгляд ее был устремлен прямо вперед. Мне хотелось сдохнуть, но нельзя этого делать всякий раз, когда на то есть причина, иначе мы бы только и делали, что подыхали. Одним словом, мы все трое молчали, как нам и посоветовал медицинский персонал. Время от времени я бросал умоляющие взгляды то на одного, то на другого, но мадемуазель Кора была по-прежнему во власти женской гордости, а месье Соломон никак не мог забыть четырех лет, проведенных в подвале. Мне хотелось встать и что-нибудь разбить, они не имели права вести себя так по-юношески, она в свои шестьдесят пять лет, если не больше, а он в восемьдесят пять, да хранит нас Господь.

И пока я молча сидел, опустив глаза, и весь кипел внутри, месье Соломон вдруг спросил замогильным голосом, голосом, как бы вырвавшимся из его сраного подвала:

— Из-за кого, Кора? Из-за него... или из-за меня?

Я закрыл глаза, я почти молился. Я говорю «почти», потому что я все же не молился, я, конечно, кинолюбитель, но все же не до такой степени. Если мадемуазель Кора скажет, что она это сделала из-за того, что я ее бросил ради другой, то все пропало. Чтобы их спасти, и ее и его, в той мере, в какой это возможно, было необходимо, чтобы мадемуазель Кора прошептала: «Из-за вас, месье Соломон», или еще лучше: «Из-за тебя, мой Соломон», поскольку это имя не имеет уменьшительного.

Она молчала. Это было лучше, чем ничего, потому что если бы она произнесла мое имя или просто бросила бы на меня нежный взгляд, как она умеет, месье Соломон встал бы окончательно, направился бы к двери и навсегда удалился бы на свои высоты. А я стал бы соответствовать своей внешности и стал бы убийцей младенцев тюленей. Но единственное, что мне оставалось, это опустить глаза и ждать, чтобы это произошло примерно так, как в полиции, когда перед жертвой выстраивают людей, чтобы она узнала среди них своего агрессора.

Она ничего не сказала. Все то время, что мы сидели у ее постели, она ни разу не взглянула ни на одного из нас, а все смотрела прямо перед собой, хотя там никого не было. Она не пожелала ответить на вопрос, она лежала, накрытая белым одеялом до подбородка, не удостоив нас вниманием, исполненная своей женской гордости. К счастью, медсестра сказала нам, что визит окончен, и мы встали. Я сделал шаг, чтобы выйти, но месье Соломон не двигался с места. На нем лица не было, одно только отчаяние.

Он сказал:

— Я еще приду.

В лифте он несколько раз глубоко вдохнул и выдохнул воздух. Он опирался одной рукой на свою трость, другой — на мою руку, так мы вышли из больницы. Я помог ему сесть в машину рядом с собой, и в его молчании помещалось все что угодно: и мадемуазель Кора, и все, на что больше не надеешься в жизни и на что все-таки еще надеешься.

Я отвез его на бульвар Осман и быстро вернулся в больницу. Я купил шариковую ручку, лист бумаги, конверт и поднялся в палату. Медсестра пыталась было меня не пустить, но я ей сказал, что это вопрос жизни и смерти для всех, и она поняла, что я говорю правду, поскольку это всегда бывает правдой. Я пересек палату, дошел до угла, где стояла кровать мадемуазель Коры, и сел на стул.

— Кора.

Она повернула ко мне голову и улыбнулась, она уже давно решила, что я забавный.

— Что тебе еще надо, Жанно, мой Зайчик?

Твою мать! Но я этого вслух не произнес. Чтобы доставить ей удовольствие, я был готов пошевелить своими большими ушами.

— Почему ты это сделала? Из-за него? Или из-за...

— Из-за тебя, Жанно, мой Зайчик? Ой нет! — Она покачала головой.— Нет. Не из-за тебя и не из-за него. Это... не знаю, я не знаю, как сказать. Из-за всего вообще... Мне надоело от кого-то зависеть. Старая и одинокая, вот как это называется. Понятно?

— Да, понятно. Я тебе подскажу одну штуку...

— Нет, ничего такого. Я знаю, есть женщины, которые делают подтяжку кожи лица... но ради кого?

— Я подскажу тебе одну штуку, Кора. Когда ты себя чувствуешь одинокой и старой, думай о тех, которые тоже одиноки и стары, но живут в нищете и в приютах. Ты поймешь, что живешь в роскоши. Или включи телек, послушай о последней резне в Африке или еще где-нибудь. И ты себя почувствуешь лучше. На этот случай есть хорошее народное выражение: на что-то и несчастье сгодится. А теперь возьми-ка эту бумагу и пиши.

— Что ты хочешь, чтобы я написала? И кому?

Я встал и подошел к медсестре.

— Мадемуазель хотела бы, чтобы ей вернули ее прощальную записку.

Я протянул руку. Она поколебалась, но моя рожа не вызывала доверия. Для нее я был убийца. Она глядела на меня, хлопая ресницами, и тут же протянула конверт.

На конверте адресат не был указан.

А внутри на листке стояло: *Прощайте Кора Ламенэр*. Нельзя было понять, было ли это прощание с Корой Ламенэр или прощайте и ее подпись. Должно быть, оба смысла годились. Я порвал листок.

— Напиши ему.

— Что я должна, по-твоему, ему написать?

— Что ты кончаешь с собой из-за него. Что с тебя хватит его ждать, что с каждым годом ты его все больше любишь, что это длится уже тридцать пять лет, что теперь он для тебя не просто возлюбленный, а настоящая любовь, что ты не хочешь жить без него и тебе лучше уйти, прощай, прости меня, как я тебя прощаю. И подпись: Кора.

С минуту она держала в руках листок и ручку, а потом положила их.

— Нет.

— Давай пиши, не то я всыплю тебе как следует...

— Нет.

Она даже порвала пустой листок, чтобы отказ был более окончательным.

— Я это сделала не из-за него.

Я встал со стула и завыл, глядя на небо, точнее, на потолок. В моем вое слов не было, я не вступал таким образом с ней в переговоры, я выл, чтобы облегчить свою душу. После этого я снова взял себя в руки.

— Не будете же вы продолжать свою ссору влюбленных еще тридцать пять лет, я надеюсь? Видно, Брель верно поет: чем старее, тем больший мудак.

— О, Брель! Это говорилось задолго до него, он просто вставил это в стихи.

Я снова сел.

— Мадемуазель Кора, сделайте это для нас, для всех нас. Нам необходима хоть капля человечности, мадемуазель Кора. Напишите что-то красивое. Сделайте это из милости, из симпатии, ради цветов. Пусть в его жизни будет хоть луч солнца, черт возьми! Ваши поганые жанровые песни во где сидят, мадемуазель Кора, сделайте что-то голубое и розовое, клянусь, нам это нужно. Подсластите жизнь, мадемуазель Кора, она нуждается в чем-то сладком, чтобы измениться. Я взываю к вашему доброму сердцу, мадемуазель Кора. Напишите ему что-нибудь в духе цветущих вишен, словно все еще возможно. Что без него вы больше не можете, что вас тридцать пять лет точит раскаяние и что единственное, о чем вы его просите перед тем, как умереть, это чтобы он вас простил! Мадемуазель Кора, это очень старый человек, ему необходимо что-то красивое. Дайте ему немного сердечной радости, немного нежности, твою мать! Мадемуазель Кора, сделайте это ради песен, ради счастливой старости, сделайте это ради нас, сделайте это ради него, сделайте это...

И вот тут-то мне пришла в голову гениальная мысль:

— Сделайте это ради евреев, мадемуазель Кора!

Это произвело на нее сильнейшее впечатление. Ее маленькое личико потеряло свою неподвижность, смялось, испещрилось морщинами, кожа на нем обвисла, и она начала рыдать, прижимая кулачки к глазам.

Это было открытие.

— Сделайте это ради Израиля, мадемуазель Кора.

Она прятала лицо в руки, и, когда ее целиком не было видно, она и в самом деле выглядела как девочка, как та девочка, песню о которой она пела в «Слюше». *Не на век, не жди, крошка-милашка, не на век, не жди...*

Дальше не помню. Я выдохся, мне хотелось встать и все изменить, взять ход вещей в свои руки и спасти мир, исправляя все с самого начала, которое было плохо сделано, до сегодняшнего дня, который нанес много ущерба, пересмотреть все во всех подробностях, кустарным образом починить что можно, проверив все до мелочей, все двенадцать томов Всемирной истории, и спасти их всех, до последней чайки. В том состоянии, в котором находился мир, так больше не могло продолжаться. Я засучу рукава, раз я мастер на все руки, и переделаю все с самого начала, я сам отвечу на все звонки всех SOS, какие только существуют где-либо, начиная с самых первых, и я возмещу им все их расходы, ведь я легендарно щедр, я повсюду восстановлю справедливость, я буду царем Соломоном, настоящим, не брючным королем и не королем готового платья, не тем, кто разрубает детей пополам, но настоящим, настоящим царем Соломоном, вот там, наверху, где его так недостает во всех отношениях, что это невозможно допустить, я возьму все в свои руки, и на головы людей посыплются мои благодеяния, я обеспечу общественное благо.

— Мадемуазель Кора! Напишите ему слова любви! Сделайте это ради любви, ради человечности! Без этого невозможно! Чтобы жить, нужна человечность! Я знаю, что у вас есть все основания обойтись с ним круто за то, что он вам сделал, отсиживаясь в этом подвале в течение четырех лет, как живой упрек, но быть такой крутой, как вы, нехорошо даже по отношению к крутым. Твою мать! Он решит в конце концов, что вы антисемитка!

— Ну нет, только этого не хватало! — воскликнула мадемуазель Кора.— Будь я антисемиткой, мне достаточно было сказать хоть слово... И ему не пришлось бы сидеть четыре года в подвале, можете мне поверить! Даже когда это полагалось делать и даже поощрялось и они провели ту облаву на Зимнем велодроме, чтобы выловить оставшихся евреев и отправить в Германию, я ничего не сказала.

— Мадемуазель Кора, пишите! Смягчите его последние дни и ваши тоже! Вы даже не знаете, до какой степени вам обоим нужна нежность! Пишите: дорогой месье Соломон, поскольку ничего уже нельзя сделать и вы окончательно от меня отказались, я, нижеподписавшаяся Кора Ламенэр, кончаю свою жизнь. Подпись и число, позавчерашнее, потому что он недоверчив. Мадемуазель Кора, напишите, чтобы ваши отношения завершились улыбкой.

Но все было бесполезно.

— Не могу. У меня своя женская гордость. Если он хочет, чтобы я его простила, он должен прийти и извиниться. Пусть принесет мне цветы, поцелует руку, как он это умеет, и пусть скажет: Кора, извините меня, я был жесток, несправедлив, я не заслуживаю прощения, но я об этом горько сожалею, и я буду счастлив, если вы меня снова примете и согласитесь жить со мной в Ницце в квартире с видом на море!

Мне пришлось вести переговоры в течение десяти дней. Я бегал от одной к другому и обсуждал условия. Месье Соломон не хотел приносить извинения, но был готов выразить сожаление по поводу недоразумения между ними. Он готов принести ей цветы, но обе стороны обязуются не обсуждать больше нанесенных друг другу обид. Насчет цветов договорились: три дюжины белых роз и три дюжины красных роз. Елисейские поля упоминать запрещается раз и навсегда, и на этот счет больше никогда не будет сделано ни одного упрека. Мадемуазель Кора пожелала узнать, имеет ли она право на прислугу, и месье Соломон обязался выполнить это пожелание. В ожидании отъезда в Ниццу месье Соломон обещал ночью не вставать, чтобы самому не отвечать на звонки SOS, поскольку он больше никогда не будет один. Мадемуазель Кора в свою очередь обещала уничтожить фотографии своей пассии, которые она хранила под кипой старых документов во втором ящике комода. Откуда месье Соломон узнал, что она хранила эти фотографии, я так и не решился у него спросить. Надо думать, что он предательским образом оставил себе второй ключ от квартиры, когда дарил ее мадемуазель Коре, и что из ревности он в ее отсутствие ходил туда и рылся в ящиках. Я даже думать об этом не хочу, такую страсть, когда тебе далеко за восемьдесят, и вообразить трудно. Месье Соломон сказал, что ноги его не будет в квартире мадемуазель Коры, а ведь даже Садат ездил в Тель-Авив. Я не понимал почему, и он объяснил мне, что эта квартира обошлась ему невообразимо дорого не из-за денег, а из-за переживаний, поскольку появление этой квартиры подтверждало их окончательный разрыв. Мадемуазель Кора также не желала сделать первые шаги и переселиться к месье Соломону из-за своего женского прошлого и той гордости, которая с этим связана. Переговоры затянулись еще на два дня, и они договорились, что встретятся как друзья, чтобы вместе покататься на лодке в Булонском лесу. В ближайшее воскресенье мы их туда отвезли. Тонг, Йоко и толстая Жинетт на «ситроене» доставили на место месье Соломона, а Чак, Алина и я — мадемуазель Кору на нашем такси. Алина хотела увидеть их встречу, она говорила, что это, видимо, последняя возможность увидеть что-нибудь подобное, но, по-моему, так думать очень грустно, ведь можно надеяться, что они еще долгие годы будут кататься на лодке в Средиземном море.

Мы встретились на берегу. У месье Соломона в руках был первый букет роз, который он тут же преподнес мадемуазель Коре, и она его поблагодарила. Потом мы оттолкнули их лодку, и они поплыли. Греб месье Соломон, потому что сердце у него работало еще исправно. Но тут я вспомнил, что месье Жофруа де Сент-Ардалузье умер через несколько дней после того, как он торжественно подписывал свою книгу на ее презентации в книжной лавке. Мы оповестили по этому случаю всех наших по телефону SOS, и он сумел продать и подписать сто три экземпляра, если не больше,— ведь бывает, что все и получается. Но я это говорю скороговоркой, мимоходом, потому что, когда все складывается как будто благоприятно, меня начинают одолевать страхи, и я всегда себя спрашиваю, что у будущего в голове. Они разговаривали, катаясь больше получаса, и месье Соломон, видимо, вел себя исключительно тактично, потому что она согласилась переехать к месье Соломону в ожидании их отъезда. Согласилась она и на то, что месье Соломон сохранит свою коллекцию почтовых марок, настолько она почувствовала себя уверенно. Но о том, чтобы сохранить ассоциацию «SOS альтруисты-любители» в квартире, она и слышать не хотела, она сказала, что из-за этого в доме всегда будет слишком много народу. Месье Соломону пришлось поставить у себя автоответчик, который отсылал всех звонящих к другому Телефону доверия.

Я продолжал приходить на помощь тем, у кого что-то ломалось, но лишь в области бытовой техники, водопровода, отопления, электричества. Что касается всего остального, то я живу у Алины. Чак вернулся в Америку, где собирается организовать новую политическую партию. Йоко получил свой диплом массажиста и легко снимает мышечную боль. Тонг выкупил такси, оно теперь принадлежит ему целиком, а Жинетт так и не смогла похудеть. Она подала заявление с просьбой предоставить ей работу в ассоциации «Католическая помощь». Я немного забегаю вперед, потому что надо успеть все рассказать до того, как кончится эта история. Я каждый день навещал месье Соломона и мадемуазель Кору, пока они еще были в Париже, и однажды, когда я постучал в дверь, я услышал звуки пианино и голос мадемуазель Коры, она пела. Я постучал еще раз, но они были так увлечены своим праздником, что не отозвались, и тогда я открыл дверь. Месье Соломон сидел за пианино, одетый, как всегда, с изысканной элегантностью, а мадемуазель Кора стояла посреди комнаты.

> Ай да персики в корзинке
> У красотки аргентинки!
> Подходите, не зевайте,
> Что хотите выбирайте.

Слова месье Люсьена Буайе, музыка месье Рено Силвиано, я называю имена, чтобы их хоть немного удержать в людской памяти.

Я был доволен. Со своей поделкой я справился неплохо. Мадемуазель Кора сильно помолодела, а месье Соломон казался немного менее старым.

> Шальная подружка
> Шепнет вам на ушко:
> «Попробуй, как сладко,
> Как кожица гладка.
> И кончик тугой
> Под нежной рукой».

Тут мадемуазель Кора озорно улыбнулась и слегка коснулась своих сисек, словно желая их приподнять.

> Ай да персики в корзинке
> У красотки аргентинки!
> Подходите, не зевайте...

И она сильно повысила голос, а месье Соломон с сияющим лицом стучал по клавишам, словно глухой.

> Блеснут ее глазки:
> «Не персики — сказка!
> Могу, если надо,
> Доставить их на дом!»

Месье Соломон выдал такой финальный аккорд, что уронил пепел своей сигары на пол. Они были настолько заняты друг другом, что мне не захотелось оказаться лишним, и я ушел. Я сел на ступеньки лестницы и издалека дослушал оставшуюся часть песни, а когда она кончилась, я слушал тишину, она ведь всегда поет последней.

Когда я спустился вниз, я, как обычно, натолкнулся на месье Тапю — он был тут как тут, в берете, с окурком, зажатым в губах, и с видом полнейшей осведомленности по всем вопросам.

— Вы видели? Он наконец нашел подругу! Он так давно искал по объявлениям!

— Да, он только об этом и думал.

— Я ее знаю. Ее когда-то звали Кора Ламенэр. Она пела по радио. А потом у нее были неприятности.

— Да, она прятала месье Соломона во время войны. В подвале.

— О, эта история с подвалом, я ее много раз слышал, он только об этом и говорит.

— Она навещала его каждый день и готовила ему его любимые блюда. Каждый день в течение четырех лет, это красивая история, месье Тапю. Месье Соломон много страдал во время оккупации, но сейчас он счастливый человек.

— Много страдал, много страдал...

Он явно был недоволен. Он искал, к чему бы придраться, но не находил. И вдруг нашел.

— Страдал, да вы смеетесь! Интересно, где же он нашел свой подвал, чтобы спрятаться? На Елисейских полях, черт возьми! Самый красивый район Парижа! Он обеспечил себе лучшее место, самое дорогое, оно и понятно, с такими-то деньгами.

И я снова пережил минуту восхищения, как всякий раз, когда прихожу в этот храм *пред Вечностью склониться.*

# Глава XLIII

Они уезжали через день, и мы все пошли на вокзал. Чак, который был тогда еще в Париже, толстая Жинетт, Тонг, Йоко, оба брата Массела, кроме старшего, который сдавал экзамен, весь старый состав нашего SOS. Алина тоже пришла. Она была на третьем месяце беременности. Они уезжали поездом. Мадемуазель Кора путешествовала, как в старое время. Ее одежда была выдержана в мягких тонах, и косметика тоже. У них было двенадцать чемоданов, месье Соломон обзавелся новым гардеробом. Он купил все, что надо иметь на море и в горах, а еще одежду для яхтсмена на случай, если они надумают совершить морское путешествие. Они высунулись к нам из окна, и смотреть на них было одно удовольствие. Мадемуазель Кора была в темных очках новейшей модели, которые закрывали наполовину ее лицо. Я никогда еще не видел ее такой молодой, и никто бы не дал месье Соломону восемьдесят пять лет, даже зная, что он уезжает жить в Ниццу.

Жинетт немного поплакала.

— Все равно они не должны были переезжать в Ниццу. Бедный месье Соломон, получается, будто он больше не хочет бороться.

— Почему? В Ницце средний возраст куда больше, чем где бы то ни было.

— Там даже есть университет для третьего возраста, чтобы старики могли пройти переподготовку.

— Все равно, он не должен был туда переезжать!

— Ты ничего не понимаешь! Ты не знаешь царя Соломона. Он бросает вызов. Он едет в Ниццу, чтобы доказать, что он ничего не боится. Такого вырвешь только с корнем!

Месье Соломон был в своем знаменитом костюме долгой носки в мелкую черно-белую клеточку, украшенном лазурной бабочкой в желтый горошек. Шляпа была слегка сдвинута набок с большим шиком. Лицо выражало безмятежность лучших дней. Мадемуазель Кора держала его нежно под руку, и они глядели на нас из окна спального вагона первого класса, который доставит их в Ниццу. Мадемуазель Кора получила от нас

**457**

пестрый букет цветов, который она держала в свободной руке. Месье Соломон наклонился ко мне, и мы пожали друг другу руки.

— Что ж, друг Жан, мы сейчас расстанемся, такие вещи случаются,— сказал он мне, и я почувствовал, что он в прекрасном настроении.— Когда ты увидишь, что и для тебя уже занимается рассвет старости, то приезжай ко мне в Ниццу, и я помогу тебе занять активную позицию, благодаря которой ты в хороших условиях перейдешь в следующий этап жизни.

Мы оба всласть посмеялись.

— Мужества вам, месье Соломон! Живите, послушайтесь моего совета, не ждите завтрашнего дня, срывайте сегодня розы жизни!

И тут мы стали еще больше смеяться, совсем как те киты, которых истребляют.

— Хорошо, Жанно! Продолжай в том же духе защищать себя в жизни и самообразовываться всеми средствами, какие только существуют, и ты станешь ходячей энциклопедией!

Он еще сжимал мою руку в своей, но уже раздался свисток, и поезд должен был с минуты на минуту отправиться. И вот он в самом деле тронулся, я зашагал рядом, месье Соломону волей-неволей пришлось выпустить мою руку, он приподнял свою шляпу, словно приветствуя Вечность. Толстая Жинетт рыдала, Чак, Тонг, Йоко и все, кто отвечал по SOS, кроме брата Массела, которого не было на вокзале, молчали, как будто все уже кончилось и сделать уже ничего нельзя, месье Соломон продолжал приветствовать приподнятой шляпой, а мадемуазель Кора делала изящные жесты рукой, совсем как английская королева.

Поезд ускорял ход, мне пришлось бежать.

— Держитесь, месье Соломон!

Я увидел, что в его темных глазах запрыгали его легендарные всполохи.

— А как же иначе, ну конечно! Ведь уже многочисленные растения и некоторые породы рыб имеют неограниченную продолжительность жизни.

И мы вдвоем еще раз как следует расхохотались.

— Прощай, Жанно!

Тот возвращается к первичному истоку,
Кто в вечность устремлен от преходящих дней.

— Вот именно, вот именно, месье Соломон! Напишите мне, когда вы там будете!

— Можете на меня рассчитывать, друг! Я вам оттуда непременно буду посылать открытки!

Поезд все прибавлял ходу, я бежал, но догнать не мог ни я, ни кто другой, улыбка расколола мою рожу на две части, и я уже не знал, поезд ли стучит колесами или это громыхает голос месье Соломона:

Горит огонь в очах у молодых людей,
Но льется ровный свет из старческого ока.

Прошло уже немало времени, как они уехали, мы дважды ездили в Ниццу, наш сын уже улыбается и плачет, он вступает в мир готового платья, и настанет день, я расскажу ему о царе Соломоне, который склоняется к нам со своих августейших высот,— я слышу иногда его смех.

**Ажар, Эмиль**

**А34**   Страхи царя Соломона: Роман / Пер. с франц.—
СПб.: «Симпозиум», 2002.— 460 с.
       ISBN 5-89091-202-X

«Страхи царя Соломона» (1979) — «предсмертный» роман Эмиля Ажара, книга о старости и одиночестве.

# ЭМИЛЬ АЖАР
# СТРАХИ ЦАРЯ СОЛОМОНА

Роман

*Отв. редактор* Владимир Петров
*Художник* Андрей Бондаренко
*Технический редактор* Екатерина Каплунова
*Компьютерная верстка* Ирина Петрова
*Корректор* Елена Шнитникова

Издательство «Симпозиум»
190000, Санкт-Петербург, Исаакиевская пл., 5.
Тел./факс +7 (812) 314-46-13, 314-84-49
e-mail: symposium@online.ru
ЛР № 066158 от 02.11.98.

Подписано в печать 14.05.02. Формат 76×100/32.
Гарнитура Гарамонд. Печать высокая. Усл. печ. л. 18,42.
Тираж 5000 экз. Заказ № 563.

Отпечатано с диапозитивов
в ФГУП «Печатный двор» Министерства РФ по делам печати,
телерадиовещания и средств массовых коммуникаций.
197110, Санкт-Петербург, Чкаловский пр., 15.

издательство

серия «FABULA RASA»

# Алессандро Барикко

# CITY

Девушка тридцати лет, мечтающая написать кровавый вестерн, и три подростка: один — фантастически одаренный, другой — гигант ростом в два с половиной метра, третий — немой от рождения.

Это — компания из четырех человек, связанная тесной дружбой и попадающая в самые немыслимые ситуации. Фантастическая реальность современного города, а также пародия на тексты, посвященные этой реальности: таков лучший из романов всемирно известного итальянского автора.

*Готовится к изданию.*